别了，我的文艺青年

王晴©著

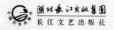

湖北长江出版集团
长江文艺出版社

新出图证(鄂)字 03 号

图书在版编目(CIP)数据

别了,我的文艺女青年/王　晴　著

武汉:长江文艺出版社,2010.12

ISBN　978-7-5354-4884-2

Ⅰ.别… Ⅱ.王… Ⅲ.长篇小说-中国-当代　Ⅳ.I247.5

中国版本图书馆 CIP 数据核字(2010)第 243557 号

责任编辑:刘程程　　　　　　　责任校对:陈　琪

封面设计:李晓东　　　　　　　责任印制:左　怡　邱　莉

出版:
　　湖北长江出版集团　　　　地址:武汉市雄楚大街 268 号
　　长 江 文 艺 出 版 社　　　邮编:430070

发行:长江文艺出版社(电话:87679362　87679361　传真:87679300)

http://www.cjlap.com

E-mail:cjlap2004@hotmail.com

印刷:湖北汉兴印务有限公司

开本:700 毫米×920 毫米　1/16　印张:18.125　　插页:2

版次:2010 年 12 月第 1 版　　2010 年 12 月第 1 次印刷

字数:220 千字　　　　　　　印数:1-15000 册

定价:28.00 元

如果我不比别人好，至少我跟别人两样。上帝创造了我，然后就把模型打碎了......

GOODBYE Wangqingzuopin
MY LIFE IT USED TO BE

Directory

GOODBYE 目录
MY LIFE IT USED TO BE

我知道，
没有我上帝一刻也不能生存。
假如我消亡，
他就必然会失却他的灵性。
···

【安基鲁斯·塞勒苏斯】

Chapter

第一章　　重生

迷人的毁灭气息将至，我像期待着生命的高潮一样，期待那一刻的快感来临。

在那一刻，我甚至期盼自己用死亡的方式，继续做着孤独的祭司，为一种不存在生与死般的孤独，去画上我人生的句号。

一

1 : 1

德国有一句谚语：一次不算数，一次就是从来没有。

只能活一次，就和根本没有活过一样。

1 : 2

这句话犹如绝处逢生，好比被人误解时突然站出一个辩护者。它为我的执著找到了最漂亮的借口。

这种活，是一种感受，一种体验，而不是选择。

世间万物奇妙，一切都不需要选择。一旦选择，你就是把存在的自己一分为二。

我曾经把很大一部分精力，花在了选择上。选择怎样生，才能让自己更确定，更自由，更像自己。也选择过怎样死，因为我一度并没有把怎样生的问题处理得更好。

生命是个惊人的谜。即使每个人面对它都显得混沌不清，可是万物都在密谋着将它破解。

但我们总是老得太快，而聪明得太迟。

1 : 3

这魔力如此强烈，令我不得不做了许多蠢事。所以我有一副看上去痛苦的容颜，因为它看上去是真的。

它似乎又不是真的。

痛苦，具有一种空白的性质。回想不起，它何时开始，何时结束，是否有过。一段时间，它销声匿迹。

它没有未来，只有自己。它的过去，启发人们发觉新阶段的痛苦。

我曾在快乐许可的范围内尽情悲伤，带着一颗纵情燃烧的心，一副残缺不全的灵魂，日复一日，带着笑容与泪花，迎着朝阳与暮夜，一路踉踉跄跄，单枪匹马，朝着梦中出现过的地方汹涌前进。

那是人生的真相，也是幸福的幻想。我总想着，也许不久后就会抵达乐土，那里有花有树有月光。但实际上，它极有可能还是陷阱，是迷宫。没人知道。

有人终于说出了实话，我看到，会意地笑出声来。他说，有时你以为你抵达了幸福的彼岸，可幸福突然变成一个大耳光，一巴掌把你扇了回来。

然而解谜的欲望汹涌不止。

那么，终止一条路最好的方式，就是走完它。结束一个念头最好的方法，就是实现它。

只有走过去，你才会发现真相。发现我。

1：4

我是谁。

史铁生说，我经由光阴，经由山水，经由乡村和城市，同样我也经由别人，经由一切他者以及由之引生的思绪和梦想而走成了我。

我。我是这世界的一分子，破解生活的参与者之一。相对于世界，我微小不值一提，相对于我自己，我是我的全部。

我多面，有各种可能性。以一种孤独，纯粹，美好，坚忍的状态，立于世界之中。探头探脑，四处游走，感知世界，品尝苦乐，探索自我。与同类之间相互取暖，而又对彼此的孤独无从慰藉。

这种多面，因为有一个孤独的内核，所以变得无比局限。使得我与另一个自己，进行着一场无休止的圣战。

1：5

我还是一个女人。

身为一个女人，我曾对自己感到深深失望。因为女人生下来就是两个，或者两个以上的自己。于是分裂，完美，强迫，幻想或者忧郁，各种症状在不同的时刻，交替出现争夺你，掌管你。越是女性特征明显的人，越是多种症状出现的极致。

她们有时好比一个圣母，善良，多情，甜蜜多汁。有时又颓废，忧伤，孤独而决绝。就弥合这些分裂来说，女性是不可能超越自己性别的。这是天生的局限。

男人不同。男人生下来就是一个，即便是两个，他们也会整合成一个，弄不好还会把自己活成半个。男人有梦想，却很少有幻想。天生的征服欲望与简便的线性思维，使得他们懂得整合利用所有的男性特征，理性，逻辑，欲望，朝着他们的梦想使劲，归一。

所以说，男人多大程度地打开自己，便会获得多大程度的成功。

而女人则是多大程度地将自己合拢，才可能获得多大程度的成功。

在我丰盛而充满缺陷的生命中，与经过的男人们组成一个凹凸有致的世界，欣赏着他们，探索着他们，爱他们也鄙视着他们。被他们的爱与伤害喂养，在成长中做着自我探索。在探索中渐渐分裂，又在分裂中渐渐沉默，在沉默中渐渐合拢。

1：6

孤独的人，请允许我们拥抱，相互交好。因为我知道，我们都是一样的。你一定也不止活过一次，一定像我一样，经历过短暂而又充满风险的死亡。

这种死亡，不存在任何强迫和被动。是一种主动的，心甘情愿的死亡。

1：7

感谢这些疼痛。

疼痛都是美好的提醒，它让我们远离平庸的伤害，让我们及时整理自己的内心，重新上路。

痛苦是一种修为。没有体会过疼痛的人，就没有机会体验到整体的生命。那寓示着一个欢欣的开始。

曾经我宁愿死，也不能做到与它们直面相对。直到学会从爱的角度看它们，才发现它们是如此地活泼动人，那么真实，毫无伪饰，无需对谁讨好也不用裹上华丽的妆扮。它们赤裸裸地在那里，对我说，请为我判决。

选择还是放弃。判刑还是释放。

在等待这种宣判的庄严之中，我颓了。痛苦的来源模糊了，而它们所带来的效应却更真实了，使我觉得，每一个人站在每一天的每一个时候里都是那么重要，又是那么渺小无能为力。

直到我渐渐学会了宽恕自己，才明白一切不需要选择。活着不过是从地狱去往天堂，经过人间而已。重要是要在人间留下记号，证明自己来过，爱过，生活过。

只是不要因为走得太远，而忘记了自己为什么出发。

对世界和自己都要保持耐心，总会守得云开。

面对痛苦，唯一能做的就是迎着风向前，向前。即使是逆流而上，也要有所归向。不是只有一条溪流才能流进大海。

1：8

感谢上帝赐予我现在。

生活也许给了你许多经验，但生命却只有一种可能，那就是此刻。你此刻感受到什么，你的生命就是什么。

现在不是结果。现在只是现在。

现在是重生的时间。如果你不肯腐朽，愿意燃烧起来，那么不停地拿自己做试验，是使人生完满的唯一方法。

因为只有你自己，才是你最大的敌人，也是你跌宕命运的起因。

1：9

往前走吧，因为活着，不要再惊慌和哀怨。

永远不要埋怨这世界。这世界宏大宽博，你若不能在它里面开花，找到自己存在的方式，那么一定是你自己出了问题。世界从未变过。

世上最难为的事，也不过六个字：接受，处理，放下。

一念放下，万般自在。

只有这样，才可以进入自己内心那道美丽的窄门。我是说，在内心寻找一个更窄的方向，而给它一个更宽的跑道。

当我明白这个道理的时候，它们经过我的咀嚼，吸收，变为营养，深深附着在了我的身体内部。我很高兴，它成了我的。

等待经历的那些，已与过去经历的不可分割。当我眼睁睁看着另一个我带着光芒出生的时候，充满感恩。

感谢孤独，感谢伤害，感谢所有艰难的步伐，一路的悲伤，生命的印记。甚至死亡。

它们带我走向一条新路。

1：10

不是路已走到尽头，而是该转弯了。

这个一个非常绝对的试验。一旦你了解，它非常简单。如果不了解，你可能会继续欺骗自己。

二

2：1

爱我的人们，很抱歉，我向你们告别。

尼采说，你的心必须充满混乱，才能生出一颗舞动的心。这听起来真像一句疯话。

我却不可避免地介入了这个悲剧之中。

那颗混乱的，舞动的心，长满了杂草，它们求生的姿态比我本身还要疯狂，长过我，高过我，多过我。努力多时，无法铲除。我站在杂草之中，丧失修剪能力，一时间，孤立无援。

我继续在这世上，好比是一个好看的身体长了一个突兀的尖疣，无论白天如何穿上衣服遮蔽，黑夜赤裸之时，它都会毫不留情地暴露出来。有时难看到忍无可忍。

我很努力地在舞台上演着自己的戏，可是观众与我拉开了距离。他们在台下倦怠无神，打着哈欠，打着饱嗝，旁若无人地放屁，毫无诚意。即便有稀稀拉拉的掌声，听起来都像是嘲弄，没有什么比这更难堪的了。在这个漏洞百出的人间，这样苛求完美地活着，趣味尽失。也许我早该拉上幕布收场谢幕了。

这是一个孤独者的宿命。对有着深刻孤独的人来说，活着似乎比死亡更艰难。

很为难。我简直找不到任何正确的方法。逼迫之中，好像也只能离开了。

2：2

理想病是夺人性命的病，因为不可能没有自己的想法而完全放弃自己。

我不够慷慨与慈悲，只有一颗单纯薄弱的小心灵。它时常充满恐惧，使得我只能终日向往着洁净之地。真是完全的糊涂，这世上哪里有净地呢？圣经上说，世上没有一个义人。只要有人，就有欲念。

请原谅我的懦弱，我输掉了一场战争。原本以为坚持下去就会赢，至少也该打个平手，然而却输得落花流水，苦不堪言。

这是一场我与我的战争。它简直是一场圣战，全部的热情都是在打败异己。

充满嘲弄的是，起初我甚至还迷恋这场信心的锤炼和精神的狂欢，可是它一入场，居然多年不肯休战。真是辛苦，我不过是百斤肉身，几克灵魂，哪里来的多余能量消耗给战争呢？

2：3

起初，我们也合作过，达成统一，她做她的梦，我过我的日子，一团和气。可后来也不知是谁背叛了谁，开始纠结结争战，渐渐便分出胜负。多数是她赢我输。因为我是个忠诚老实之人，经常是手无寸铁，只带一颗无畏之心上阵。这似乎也是无奈的源头，因为现实本身为我制定了太多规则与局限。

她可不是。有时夜里，酣睡梦中，她突然就扯一张大网撒下来，毫无防备将我罩住。激烈之时，干脆拿把明晃晃的大斧头，猝不及防我迎面砍来。我自然不肯服气，两人执拗起来的结果，通常是我被砍得伤如网织，惨不忍睹。

她是灵魂，我是肉身。

她闪完就走，落我在人间，劳力伤神。

我想我该学聪明了，于是寻找方法，试图与她对峙，谈判，和好。甚至躲避。尝试不如先把她放下，最起码先享受每一项做人的权利，消除生命里最浑水摸鱼的恐惧和危险。可她不依不饶。经年下来，令我失望。

所以，这场火爆的游戏越来越令我感觉荒唐。如痴如癫压根儿是一场错误，莫不如早些抽身吧。

2：4

她，就是另一个我。

另一个我，就是世界。

如今我们之间出现了严重的步伐错落。她高高在上，理想主义，我却痛苦不堪。因为我抑郁了。

2：5

这世界里的一切，爱与梦想，水流与花开，母亲与孩子，蝉鸣，秋日的暖阳，一切都那么本质那么美。可出现在一个抑郁症患者的眼中，统统变得庸俗不堪，毫无意义。

我亲爱的人们，你们可否理解及赞同那些因抑郁而试图解脱的人呢。大概不能罢。原因只有一个，没有感同身受。

我来告诉你们那感觉，只有四个字。生无可恋。

假如这时候，你作为任何一个人赶来，一定会劝慰我，或者狠狠打击我。会这样说，你怎么会这样蠢，投降如何啊，妥协如何啊，那么多人都在向命运顺服，你在这世上，并没有什么不同。不要试图去寻找什么答案，这世上没有答案。我们走在路上，难免遭遇劫难，灵机一闪就过去了，何必对一个偷盗者认真呢。一切都会过去。生命来之不易。等等。

这些方法与理论，我都懂，也尝试过，可那结果更令人沮丧。与其那样把我杀死，耗死，羞辱死，还不如选择尊严地死去。不投降，至少还能封为烈士吧。

一个战士有一个烈士的结局，也算顺理成章的事。这样想，你们就会对我少些责骂吧。

真的不要责备我，我最怕的就是责备了。因为自我苛责已经太多。

每个生命有每个生命的使命。我习惯了自己解决自己。

2：6

可这生无可恋的感觉实在是煎熬。妈妈，假如你能体会，必定不会舍得让我遭受这番苦难。

妈妈，最让我为难的就是你了。

前几天还做梦。梦到正在愉快地晚餐，爸爸却突然说到你的坟。我慌忙笑了，问他，你说什么。他不紧不慢斟一口酒，不理睬我。你刚才说什么，我惊吓得像个求生者一样问他，问哥哥，拉着身边每个人的胳膊，不停追问。爸爸平静地告诉我，你已离世多日了。他说得越平淡，我越是惊慌不肯相信。妈妈。我跑出门外，叫你，找你，伸出手来抓你，可什么也没找到，什么也没抓到。都是空气。空得我像一片秋叶坠落。

那一瞬间，失去重量。眩晕，疼痛，心脏爆破，无声呐喊。天不是天，地不是地。他人与世界全部消失，只有一个在虚无中寻找的疼痛点渐渐巨大，因失重而跌入无尽深渊。

我被自己的哭声惊醒。那是无可描述的疼痛。

看看时间，凌晨五点。我从梦中哭到梦外，像个夜间寻找妈妈的婴儿。妈妈你知道那有多无助吗。可是你知道接下来有多幸福吗，在终于熬到天亮，拨通电话，听到你声音的那一刻。你一定记得那天的莫名，我像个迷路的孩子一样哭起来，脆弱得一塌糊涂。

当成人还有机会像个孩子般脆弱，那是一种幸福。

可是渐渐不能了。成长的同时也意味着成熟与理智，越来越多局限与无奈。人到了一定年龄，不变化，也会有变化。一个人该变时不变，就太没境界了。

2：7

这个梦太真实了，让我几乎相信那是真的。它持续多天影响着我的情绪。那些天里，我像个被遗弃的孤苦孩子，或者眷世的感伤老人，不自觉就唱起童年的歌谣，在阳光下泪流满面。只因那梦中之人不是别人，而是你，妈妈。我最无以回报的爱。

心之无力，谓之庸人。在情感领域里，我永远是个不可思议的天真的庸人。敏感，多情，轻信。对我来说，真理是真的，谎言也是真的。爱是动人的，伪善也是不容蔑视的。水流花开，都能触动那些敏感丰富的神经线。它们横七竖八地交织，有时奏起动听的乐曲，有时，也会短路。

2：8

妈妈，这世界如此美好，可又如此遗憾。在我要强的同时，又为倍感软弱感到无比羞愧。都已经没什么力气，瘫在你的千里之外像一团悲伤的烂泥。只有幻想着毁灭才好过一些。

主耶稣说，你们要进窄门，因为通向灭亡的门是宽的，路是大的，朝着这方向走的人很多。因为大多数人看不见开花，闪光的眼睛，看不见人们跳舞，听不见心灵歌唱，看不见勃发的生机与奔放的活力，只看见僵死，停滞，污浊，肮脏的水池，毫不灵动。失去了灵动，也就失去了色彩。然后就慢慢死去，一事无成。这就是毁灭。

我从未畏惧过艰难，从未停止过朝向窄门的步伐，可是理想的门关关合合，它阻绝了我的灵动，使我在前行的途中悲伤至极。

一个人没有理想的人怎么可能有爱，可没有爱又怎么能生活呢？只能存在。没有爱的存在就是控制，混乱和痛苦。

爱是生活中最危险和不确定的因素。

一个爱着的人是危险的。我不想要危险地活着。

2：9

妈妈，原谅我，我的信仰也没有能够拯救我。

我亏欠了神，是个有罪的孩子。

恳求神，愿你赦免我罪。我不是大卫·休谟，丝毫没有质疑过上帝设计论，只是有一点想要发问，神你因何看见流血却不对伤口做任何必要处理，而必须要承受灼烧般的痛苦？因何令人类必须忍受生活的严酷，却不创作足够强健的精神去抵挡它？即便就维持一种平衡心态而言，我们的性情也太过简约，使得所有的努力和劳动都是繁重的辛苦。

所以，不是我对欲望过度地追求，不是我对上帝的威严感恩不够，而是因为轻而易举地就发现了导致生活焦虑和乏味的原因。我根本的发问也许是一个愚蠢至极的问题，理想生活到底在何方？

世事多悲怆，个体生活积累的悲伤就像湿岩上的苔藓。我迷失在生命的路途。

2：10

不要再试炼我了罢。太痛了，真的，令人承担不起。我曾无数次跪拜在神的面前，说，求你，去掉我的痛。

可是痛是秘密，痛是真相。在痛的面前，一切句子都是谎言，一切表达都是欺骗。好比我强忍恐慌，来陈述我的痛，可你听到，并记住的，不过是一些痛的形容，痛的名称罢了。而真正的痛，永远在这些词汇之外，只可臆断，猜测。无从测量。

痛隔离了我与人群，封闭了我的空间。可是它一如既往，冗长，无可解决。

妈妈我真的尽力了。真的求你不要责备我。

我做这样的决定，与任何一个人、任何一件事情无关。来自于我自己。

抑郁令我充满恐惧。恐惧写作，恐惧工作，恐惧感情，恐惧一切有关人的地方和事物。把自己关在房间里，惶惶不可终日，仿佛一头惊慌失措的伤兽。厌世，厌食，彻夜失眠。一切事物都不能再吸引我。

我不能投入地享受任何事物，只能感到发自内心的不快乐。这样勉强苟活下去，又有什么意思呢。

莫不如安静。永远地沉睡。

一个患有忧郁症的人，只有忧郁才能确定自己的存在。多么可怕。

如果这个世界不是一块毒瘤，那么便是我的心。它成全了我的美好，也成全了我的毁灭。那么，要想让我割下这块毒瘤，便是要割下我的心。那时活与不活，也没什么意义可言了。

2：11

我固然还有一点理智，固然清楚这样做太自私，所以不奢求任何人的原谅。只是千万别责备我就好。

你们也不必为此感到遗憾，就当我是为真而死，为美而死。是死得其所。

只是死亡是我们讲不清楚的一种经历，它的去向，充满了伪证，没有人从坟墓里跳出来为我们讲述他那个世界的面貌，所以，我去向哪里，只能是意欲去向那里，带着想象的满足上路。

但是归根结底，妈妈，我最放心不下的还是你。我知道我离开你，一定比你离开我还要难过，一定比我的那个梦还要悲伤。可是妈妈，如果还可以消受，谁能忍心自此戕生，将善身变为孤魂？

我没能兑现承诺，按照意愿尽孝，这真让人难过。我承认，这是在我所有难过的事情中，最为难过的一个了。

所以答应我，妈妈，一定不要为有这样一个自私不争气的女儿悲伤，一滴眼泪都不要为她流，也不要在她的祭日探望她。眼泪是生活的河流，从快乐，悲伤和恐惧里面流淌出来。为爱的眼泪值得，为我不值。我是逆子。

答应我。

2：12

关于那些爱过我伤害过我的男人，曾让我万念俱灰的爱情们，我没有任何话留给你们。最好的方式，就是永远地带走它们，与我一同化作青灰，在永恒里作为纪念。

2：13

在这个冰冷寒夜，我认真地写下这封信，充满诚意，没有丝毫的浪漫和浮夸。可是感觉很糟，像是一个难堪的小丑。

抱歉，这难堪只能令我急迫地匆匆离开了。

2：14

我最挚爱的人们，当你们读到这封信的时候，温热的空气将只能冷冷地在我这个不安和不幸的人的僵硬躯体旁边萦绕，却再也不能将我唤醒。

我最挚爱的人们，你们要尽你们最大的胸怀，去理解一个忧郁症患者不可言说的痛苦，她再也无法遏制内心的自我毁灭冲动。就像济慈《夜莺》中写的：似乎已经迷恋上了那个安逸的死亡。爱情无可救药，人生又充满了苦难，可寻求的唯一解脱就是死亡。此时此刻死亡是如此迷人，就在午夜里没有痛苦地离去吧。

感谢生命与时光。

就让它们止步，停在这一刻吧。

这样，或许也是一种幸福。

蓝清汀　于3月18日凌晨

三

3：1

写完这封遗书，我像是完成了一项满意的工作，虚弱而又充满解脱的轻松。

星辰褪尽，天色已经微微发亮。我走上阳台，企图呼吸最后生的气息。

新的一天即将来临，死亡的气息却渐渐逼近。

3：2

夜与逝去的日子接吻，轻轻地在他耳旁说道，我是死，是你的母亲，我就要给你以新的生命。这是泰戈尔关于生的诗句。

那个时刻，我更倾心于卡夫卡关于死的发言——死亡我是可以做到的，忍受痛苦却做不到。通过逃避痛苦的尝试我反而明显地加强了它。我可以顺从于死亡，却不能顺从于痛苦，我缺乏这种心灵运动，就像是一切都装好了，把已经系紧了的皮带痛苦地又一次系紧，而车子却不启动。

充满绝望的声音，在某些特别的时刻，听上去却是那么悦耳。它给了孤独的人之慰藉与温暖。在我没有成为现在的我之前，卡夫卡，尼采，凯尔泰斯·伊姆莱，艾米莉·狄金森，陀思妥耶夫斯基，这些精神之徒的灵魂之声，时常让我迷恋不已。我像理解自己一样地理解着他们，他们的无法控制，所以只能伴随着炙热的，混沌的，不安的，可怕的灵魂上下翻腾，只能听凭它们像泛滥的洪水一样朝我们滚滚而来。

从痛苦的镜子中看到另一些痛苦的面孔，反倒可以止痛。

3：3

被痛苦缠身的人，是过多关注自己内心世界的人，往往忽略了外部世界的美丽。

我很少观看早晨。它于我像是一个错误，不是在延续宿醉，便是在孤独中静默到黎明。偶尔我们相遇，也会因为陌生而显得局促，无所适从。

直到这生的最后时刻，我才变得贪婪。第一次发现，晨光竟然是那么迷人。它比黄昏更诱人，宛如一个香气迷人的少女，面庞微微散发着羞涩的红晕，随着时间的成长，红晕慢慢展开，清澈，透亮，坚定。直到灼热。

从窗外望去，是一条河，叫做护城河。

我曾亲眼看见这条河吞噬下一个生命。一个年轻到人生刚刚开始的女孩，幸福迎头而下，准备婚嫁之时，男友突然说，我找到了自己的真爱。他说得清淡，她伤得彻底。

我想，真爱，是这两个字刺伤了她。那么彻底，用到了极限。

后来看到报道说，他们年少相识，她把十年青春献给他，最终熬成准新娘。他淡淡一句话，就为这场十年爱情判决为不过是一场长长的游戏。是不确定的爱，可有可无的爱，甚至是反悔的爱。总之，不是真爱。

没有比这再恰当的羞辱了。这是对女人最好的否定。相守一生的喜悦未来得及展开，他就用了反衬的方式，道出这十年爱情的真相。假爱。

据说女孩自杀前的那个下午，疯了一般向朋友求证，我是不是很差，是不是很讨人厌。是他的否定让她产生了巨大的自我怀疑。因为男友口中的那个真爱，认识不过一月时间。

十年抵不过一月，自己原来这么差。爱得如此愚钝，生得如此勉强。

来不及过多挣扎，或许她认为已经再没有挣扎的必要，便在寒冷冬夜，纵身跳入刺骨冰河。

对于她的心思，离开时是满心疑惑，还是对世间充满轻蔑，我们无从猜想。

那是个慌乱的清晨，空中的鸟群扑啦啦飞不成形状，是楼下警车的声响把我惊醒。女孩被打捞起时，姿势令所有生者惊心。一条粗粗的麻绳，紧紧捆绑着手脚。那是她的决心。

离开的决心。再不想挣扎不想生还的决心。再不给自己遭受羞辱的决心。以必死的代价证明着爱他的决心。

众人围观，善良的好事的人们在谈论，谈论着那条绳子，她是怎样做到的，她为什么要那样做。

我触目惊心，退出人群之外。感叹她的愚蠢与痴缠，也理解她的羞辱与绝望。只能在心中为她默默祈祷，不求那个男人得到罪惩，唯愿这个女子走得轻盈，到了另一个世界，别再痴缠，解开心结，亲手为自己松绑。

她的妈妈从楼下冲下来，拨开人群，昏厥过去。冻僵的女儿任凭如何呼唤，长睡不醒。

3∶4

从什么时候，爱情变得如此不堪一击，脆弱胜过生命。

我们在爱情里感到孤独，是因为没有对手。

3∶5

开窗呼吸，微带凉意，清新怡人。

河里的冰已经融化，树木都伸展拳脚，欢欣迎接着春天的到来。每年的春天，河边都开满鲜花。桃花，迎春花，还有些白玉兰，红红黄黄，招摇成一团。娇艳引人。

春的气息扑面而来。我却延续着冬的颜色，灰秃秃一片，情绪如何都高涨不起来。

我甚至不大相信自己会真的患上抑郁症。

记不起来是如何在失控的情绪下，在天不亮的清晨跑去医院挂号，神情凌乱地排起长长的队，听戴着浅蓝色口罩的医生告诉我说，量表的检测过后，你属于重度抑郁与重度焦虑。

我听着，面无表情。他整理了一下口罩，又说，用俗话说，这也叫高兴不起来病。吃不下，睡不着，对什么都丧失了兴趣，它对人的折磨就在这里。

他首先利用共情心理打动了我。这一说，眼泪扑扑打打滚出来。

太过自知的人不容易获得幸福，因为太多背负。我跟自己较着真儿，卯足了劲儿追求着完美，不料最终，却中了自己的圈套，以毁灭的方式解决了自己。真是讽刺。

3：6

这是一个注定让理想主义者抑郁的时代。或者说，如果想放过自己，那么必定要放弃某些坚持。

身为一名精神之徒，想要游刃有余地生活在这个世界是艰难的。世界是蜂巢，他们是鸟，密密麻麻的小巢承载不下他们的梦和思想，所以有人飞翔，一头跌落，栽死窗外。有人则委曲求全，困在小巢，窒息而亡。

所有伟大的革新者，总是以令人惊叹的死亡过早地结束了生命。只有那些平庸的种族繁衍者，安逸地生活在巢中，生命安好绵绵无限期。

我不是抱怨，其实也不想知道这世界太多的事情，是是非非云山雾罩的，太麻烦。我只想看到并知道那些美好的，真实的，朴素的东西。足够了。

有时想，假如我生在文化大革命时期，定然是颗灼灼闪光的红星。却不巧赶在当下时代，大多数人屈跪并且选择了痞性，松散，隐藏，猥琐的调侃，逃避式的欢乐。没人再想制心一处。这时候理想主义者就显得吃力了。因为没有人想听真话，于是就变得不想再发言，所有的噪音变成沉默。这一言不发的安静下面，隐藏的是即将爆裂的危险。

为了尊重自己的生命去反战，本该是件值得骄傲的事情。可眼下，却变成了悲哀。

3：7

听了医生的宣判，拿了大包的昂贵药物，我扭身离开医院，没哭没闹。因为哭闹的能力都丧失了。只是日复一日，厌世的麻木。

重新恢复知觉，都是服药三个月之后的事了。我清楚原由，知晓过程，就是依然没有足够的能力去回忆。

太过惊心。服药前毫无盼望，服药后，初期很大副作用，剧烈的恶心，滴水不进却又不得不强迫进食的痛苦，夜夜的惊惧，强烈而刺激的梦境，再造成次日的精神倦怠与颓靡。日复一日，与生命做着时间的对峙。仅仅这些，抑郁症患者就有足够理由不必留恋人世了。

那种关于生死不能的痛感，有人若说感同身受，都是虚妄。

没有亲身体验的人，永远不可能知道。

3：8

好在痛苦没有白白遭受。经过这个关卡以后，我的价值观念一百八十度大扭转，再也不喜欢生命过于圆满的人，容颜完美无缺的人，性格坚不可摧的人。人的生命应该是丰盛而有缺陷的，缺陷是灵魂的出口。

因为无论你如何完美，都要为生存出卖着时间与身体。唯一的方向就是加速死亡。

倒还不如给灵魂留个出口，释放的是欲念，保全的是自己。

四

4：1

现在好了，我一手精心打造的美好花园，在蛰伏数年之后，却要一把火亲手烧毁。

亲手熄灭自己的生命之火，不是一件容易的事。人类怕的不是聪明，是愚钝。我是万念俱灰罢了。

柔和的晨光像个甜蜜的梦一样朝我走来。使我不得不坦白承认，那一瞬间，我比任何一个时刻都眷恋着生，贪婪着一呼一吸，每一寸肌肤与空气的接触都变得敏感起来。万物散发香气。一种只属于生者的气味。

但很遗憾，这种求生本能，仅仅一闪而过，就被死亡的渴望而遏制。因为清楚反复无意义。无出路的事继续下去，最终也不过是螳臂挡车，自取灭亡。

那天的天气真是出奇的好。云朵层层叠叠，在辽阔天地间发出特有的光亮。我深情地凝望它们，仿佛我的一个个理想那样美。又好比我一次次落败的爱情遥不可及。

后来的日子，那个画面镂刻在了我的记忆，浓得化不开。

所有珍贵，只因用的不是眼睛。而是心。

4：2

所有用心做的事固然都珍贵。

如我每次看即墨，都镂刻于心。纵然他是少了一颗心的多情浪子，好比天上最美的那片浮云。纵然对爱他的女人来说，他像一则律法一般残酷无情。纵然明知他爱自己胜过爱我，但每次道出分别的最后一刻，他都是天下最完美的爱人。

如果我知道如何舍弃他，那该有多好。割舍他，不是切肤之痛，仿佛挖心之死。不，不是死，为了可以爱他，我并不想死，所以像，像是被剥夺了生命的某种权力，活在世上，却再不是一个享有发言权的公民。

多么讽刺的危险。

好像内在，在无意识中，有一股巨大的力量把我推入一个特定的方向，使我一度为所有残缺的美所着迷。完美的东西都是假的，只有残缺才是真的面目。

4 : 3

这是一种病。具有悲剧情结的人独属的一种思维模式的病症。

说起来好笑。单在向往死亡这件事上，我就有过三次悲壮的预备。所以迄今为止，我最强悍的作品，是三封遗书。

感谢上帝，在我亲历了最后一次，也认为是最成熟的一次死亡预备过后，这种病症被彻底医治。那个愚蠢的念头在我的思想中，彻底被屏蔽不见。

验证了人们常说的那句话，想做什么蠢事就尽管去做吧，做得多了，也就慢慢学得聪明了。

4 : 4

一次是童年。

父母不在家，因为洗碗的问题，与哥哥发生争吵，两人厮打成一团。这是在那个温室般的，充满阳光雨露的家庭中，出现的第一次大动作的战争。哥哥竟然对我大打出手，我那颗花蕾般脆弱的小心灵何以承受？深以为大受伤害。于是暗夜，一切平息，猫狗各自归窝，我躲去自己的房间，像个遭受重击的大人一般，铺展纸笔，一边倔强抽泣，一边挑灯写下遗言。

小孩子哪里懂什么遗言，即使受了电视剧情的影响，也不过是在当作文写。我的作文水平可是童年时光里最色彩斑斓的糖果，每次都被选为班上的范本，大声地朗读。也曾荣获几次小奖。

我最擅长的就是抒情，而此时，我大抒情怀的时候到了，泣泪如血般告诉父母说，我没有不想洗碗，而是想要等到看完那个电视节目后再洗。

我没有错，可是哥哥竟然不容分说莫名打了我，甚至还拽了我的头发，这样的行为，令我如何不得不感到生命不能承受之重等等。

温润灯光映出一个小小背影。这背影的背后，妈妈正躲在门后偷偷关注，择取适当时机进来，一番好言相劝，才令得这个执拗的小女孩收手停笔。

另一次是青春期。

因为爱情。具体何人何事，早已被后来的岁月蒙上灰尘，厚得吹不出清晰印记。这事件的荒诞足以证明，那是个年轻的疯狂的爱情的后产品。

每个年轻人，都以为自己的爱情不得了，惊心动魄。谁没在青涩的爱情破灭时声称看破一切，而后在自以为看破的幻影中留下一个烟头的烫痕？

现在不同了。

4：5

现在我如一株荒草般疯长，沉浮，经过这个城市的繁华与孤寂，体会了这个人间的爱恋与悲欢，它们使我建立了一套自己的价值体系和人生哲学，坚不可摧，固不可破。

哪个懂得独立思考的人又不是呢？即使这一切令他苦不堪言。

这世界安然运转，可理想在它之中脱节了。爱情是理想的一部分，早已令人丧失耐心。那些说着爱做着爱的男人们，好比天上飞鸟，我是他们信手衔来的种子，丢在荒野，既不灌溉，也不收成。

留我在原地，认真地发芽，开花，结出饱满多汁的果子，却因无人收获而溃烂一地。

所以就当作是爱情的再次挫败，点燃了我的悲剧之火罢。尽管我深知不仅仅是因为爱情，至于那更深刻的内里原因，无法解释与深究。这是一个需要坚忍与自我承担的年代，你尽可选择自己的道路，只要肯自负盈亏就好。牢骚与埋怨永远不会为你加分，只会干扰了别人，羞辱了自己。

在这个自我膨胀的年代，没有人愿意去剖析你的精神之源。每个人都对每个人失去耐心。

一个女人，把自绝的原因归结为爱情，似乎更容易被原谅。那就这样认了吧。

谁让我是一个理想的傻蛋，以为爱情是生命中的一剂药，以为有了爱的甘甜，这苦的世界才好上口。直到最后的最后，一个傻蛋成为了一个零蛋，零还是个零的形状，内里却被填充成了实心，凭空多出一些回忆与冷暖时，我才明白，谁又因爱情而真正甘甜了呢？

所以，我又一次个人主义复兴，想这次也许到了尽头。

所以，这次，我认为是最平静，也是最成熟的遗书。

4：6

我久久地坐在阳台上，像个准备上场的新手演员，紧张地，耐心地在后台候场。体验着生与死的气息时而重合，时而分离。再重合。

我长时间地审视自己的每一寸肌肤。这副肉身之躯不过是个承载灵魂的工具，除去精神和灵魂，工具也就变成了道具。人作为一个道具存在，岂不是荒诞？

一个患有精神洁癖的人，就这样被自己成功暗示了。

一个不足够年轻也不足够老的女人，尴尬的年轮驶过，光洁的体肤之下，隐藏着一个因悲伤而沉思默想的灵魂。她拥有着全然的敏感，能够看见一棵树的美丽，一个孩子的微笑和一个从未饱餐过的女人的痛苦，却没能获得解放自己的智慧。它变成了一种来来去去的情绪。

我为她的某种天真难过地笑起来，若是明白不要只走直线，哪怕懂得用余光打量周围，都会找到新的出路。

眼看着这拥挤人群，像个庞大的丧失了战斗力的部队，即便每人都还饱有一些子弹和装备，但那丧失斗志的瘫痪状态，挣扎着不肯上阵的面貌，因为不甘认输而又不肯投降，这没有解药。本性里，谁都没有能力眼睁睁看着如何输掉自己。于是，挣扎，抵抗，直到气力消耗殆尽，疲惫不堪。

有句话说得好，扼住命运的咽喉，不如捏住命运的乳头。扼住咽喉只能拼死一战，捏住乳头的话，或许还能有个变通。

可惜我们都是远视眼，模糊了离自己最近的幸福。

现在，我要亲手结束这个悲剧。

4：7

迷人的毁灭气息将至，我像期待着生命的高潮一样，期待那一刻的快感来临。

五

5：1

几乎抽完一整包烟。天越来越亮。

我觉得时间不多，转身回房，把遗书打印出来。因为职业习惯，我为它认真做了检查和校对。整整齐齐叠起来，放在床头柜上。

环顾四周，房间被我做了最后的清洁，好让自己在一个干净的环境里睡去。

平静地给自己化了一个淡妆。换上那套GUCCI小礼服。蓝是诗一样的蓝，在腰际裹上桃红的丝质腰带，束了又束，几乎透不过气。可那红蓝相间，我喜爱至极。庄小京特意挑选很久，最终选到它，为在订婚宴请时准备。

如今，这嫁衣变为葬服。

打开抽屉，取出即墨送我的项链。项圈部分由一些金色的珠链和蓝色松石组成，下面坠一条红蓝相间的大鱼。他从法国做画展回来，把它送到我面前时，我失色惊呼，你如何寻到这般宝物。他微笑不语，眼神深邃，直直望着我，直望到我心底。我如何爱他，早被他看透。

我早就输了，只是不愿醒来。

他是这样，有极好的审美，使得附着在他周身的一切物件，都显得极富魅力。他也真会讨女人欢心，从不轻易给，一旦给，就令你不忘。

我打开链环，双手绕到后颈，熟练地扣合。两个男人因为与同一个女人有了交集，审美都变得异常一致，这条项链与礼服竟然犹如天作之合般配搭。显得诡异。

我走到客厅，镜中出现了一个因平静而异常美丽的女人。我定定地看她，放佛打量一个陌生人。她曾经如此华贵，犹如去奔赴一个豪华盛宴。

5：2

有些时候，一个人遇到另一个人，如果不够爱，便是向对方的良心征税。

我向即墨征税。庄小京向我征税。我们认真地进行着彼此追逐的游戏，在其中被滋养，伤害。自欺，识破。尔后独自在绝望中痴缠或者离开。

我对庄小京说，对不起，我辜负你，定有一个更爱你的女人来偿还。

而即墨对我说，原谅我，无法更多爱你，因我已经做好孤独一生的准备，后半生，也就只有作画了。

自尊纷纷在每一场不成全的爱情中哗然破碎。我原以为，尊严是需要时刻坚守的堡垒，实际根本不是。做人的事时需要尊严，做爱的事时，尊严都是借口。在一份不对等不安全的感情里面，谁能保持从容而不暴露一点狠劲与心机？给自己的解释是要保留尊严，其实是爱失衡的表现。

没有谁输给谁，若论输，也是输给了爱。

谁先爱了，谁就输了。这就是爱情的德行。

5：3

好在凡事都有结局。

不对的爱情，迟早一天会暴露它的不高尚，一步一步榨出对方与自己灵魂里的渺小。

这些不高尚，恰恰最能检验一个人爱的能力。

我以为我可以。热爱即墨时，我满心以为自己是天下最能爱的女人，给得汹涌热烈，给得宽厚耐心，从不会想要索取。难过罢再次欢欣，只要他肯要，如何都肯给。一直一直给。爱到了这个界面，就是愚执到了一种令人悲悯的能量，相信利剑都能融为柔韧。

很遗憾，爱情是容易被怀疑的幻觉，一旦识破，便自动灰飞烟灭。

迷失到最终，才识破真相。有些迟了。

无能为力，只好走自己的路，与爱情兵分两路。

5：4

我重新确认了一下桌上的物件。

几张银行卡。一个写有银行卡密码的字条。遗书。一同摆在桌上。今生能留给妈妈的唯一礼物，也就是这些年努力工作的微薄积蓄了。

拉上窗帘，隔离起阳光。

想想，又走到门口，把房间的门锁从里面打开，以免事后无人发觉。让自己的身体悄悄腐烂掉，不是一个完美主义者能接受的事。

最后把安眠药理性地做了检查，倒一杯清水。

尝试躺下去。

请原谅我实在没有这样的经验，我必须得先做一些尝试。

躺下的姿势，多数人应该是正面朝上的吧，躺得笔直，双手交叉在胸前，看上去肃穆庄严。但我平日睡觉时都是翻来滚去，最后以压着心脏的方式睡去。所以我开始担心入睡以后是否还能保持如此端正的姿势。

我不想死得太难看。我是个完美主义者。

5：5

躺下来，脑袋里开始狂闪另外一些自杀方式。

看过一本漫画书。作者是个美国女作家，严重的抑郁症患者。她写自己抑郁的状态，写得非常有趣。在想要自杀之时，特意收集了无数人的自杀方式——梵高割下自己的耳朵，伍尔芙口袋里装着石头走进一条河，科特·柯本崩飞了他的脑袋，西尔维亚·普拉斯把头伸进了烤炉，三岛由纪夫剖腹自杀……

她不想效仿，试图创新，于是为自己列出了一个自杀方式清单，如下：

上吊。

酒加上安眠药。

被警察弄死。

开车冲下悬崖。

切腕。

割喉。

海洛因过量。

吃错药。

勾引变态约会。

头上套塑料袋，从屋顶或者窗口跳下去。

长时间在海里游泳。

沉入本地的沼泽。

尝试一下著名的霍迪尼逃脱术。

在油污的路面上骑摩托车疾驶。

……

一下午，我坐在秋日斑驳的咖啡馆角落，一气读完，会心不已。

一个忧郁症患者可以这样调侃自己，比乔扮完美的伪饰者可爱多了。她勇敢地剖析自己，揭露内心一个个晦涩阴暗的小念头，那些忧郁症患者专属的心理和秘密，在她的笔下像一个个可爱的坏小孩，出其不意，花样百出。

再看看我，哪里敢？也许更多的人都不敢。宁愿在漂亮糖纸的包装下做一瘫腐朽发霉的粘液，也不敢告诉别人说其实我已经坏掉了，不要再喜欢我了。

不同的选择造成不同的结局，她最终走出阴霾，治好了抑郁症。而我，却在遮掩自己的病症之后，走上了自绝之路。

5 : 6

就这个美国女人列举的花样百出的自杀方式而言，是一个游戏。她知自己不会死，只是通过触碰死亡的游戏过程，来消解对死的渴望。

而我，一个游走在理想与现实夹缝中的中国传统女人，也同样触碰了这个游戏，同样渴望着促成这样一个安宁的结局。

死是一个结局，怎样死是一种浪漫。

中国人缺乏真正的浪漫精神。我恐高，怕疼，厌恶变态。于是最终，决定选择最中国式的，最传统的，最有实施可能的方式。吃安眠药。

这些年我睡得太少了，似乎永远醒着。愿上帝保佑，这次让我安然睡去，永享安宁之日。

六

6 : 1

做好一切准备，我望四周，目及之处，似乎没什么遗漏了。

这个房子十分简单。我与庄小京筹备的结婚用品，什么都没要。只带出大量的书与唱片，以及一些随身用品。

谁要得多，谁就要多偿还良心的债。

我想要的，是骨头，不是包在骨头外面的皮囊。唯一带走的一个大件，就是尊严。

看不见摸不着的尊严，我时常想要为它发笑。在骄傲又愚执的自省征战中，维护尊严，就好比在灰尘中分辨清洁的精神，在宽阔湍急的河流中寻找蝌蚪。内心急促，而成效缓慢。

满心以为是高尚，其实一不小心，便从孤独的悬崖上猛然跌落，摔个内心的粉碎。

回头想，何必对一个故事较真儿呢？故事，说到底，不过是命运的两厢交织，或分道扬镳。

困在其中时却无解，这无解几乎将我消融。

这样的一个结局，不死我都觉得羞辱。

6 : 2

现在好了，一切都将结束。

在做这些准备工作的时候，我极为平静，一如风浪过尽的夜晚海面，一滴眼泪都没有流。

浓烈情感在这一刻休止下来。假如我再早一些明白追求大人生是虚妄而劳苦的，学会把大大的人生打散，散成当下的一时一刻，那也许会好得多。可惜空耗了太多。仿佛我自己就是一口枯井，空剩一个深洞。干涸，空洞。底朝天地晒着自己。

在那一刻，我甚至期盼用死亡的方式，继续做着孤独的祭司，为一种不存在生与死般的孤独，去画上我人生的句号。

即将要抵达的世界，究竟是地域还是天堂，无从预料和验证。总之，决意要离开这邋遢世界了。这个美好而遗憾的世界，世界里一切的美好与遗憾。红男绿女，诗词歌赋，布衣华服，蓝天大地，花草菜蔬，一切都将与我无关。

还有我未来的那个孩子。原谅我的自私，我将没有机会见到你，全然爱你。

6：3

有个自己的孩子，一直是我的梦想。从十八岁起就产生了。

孩子才是女人最伟大的作品。看他从自己的身体里化一为二，又独立成为他自己。被他强烈地需要，依赖。为他牵肠挂肚，奉献而又成全自己。只有这种受虐般的爱，才是证明自己结实存在着的最好证据。

可如今，妈妈这个称呼，只留到我的妈妈这里，便戛然而止，再不能延续。

6：4

妈妈。

想到这个称呼，心里瞬间有个东西在摇晃。像是负了重荷的树枝，本来还在上面荡着秋千，突然，嘎嘣断了一下。临到危险界点。

怎么会想到这里了呢？

危险一旦来临，往往有两个结果，一是本能的不甘，一是负气的决绝。此时的我，恍然像是前面有个万丈悬崖，后面是个十米粪坑。愣在中间，进退不得。

只能忽地坐起来。再躺下。再坐起来。总觉有些事情没做完。

6：5

这是一个游戏么？可被我搞到这种地步，这游戏也太难堪了点罢。收放不是。

我开始分析自己。

人自杀大抵都是糊涂一时，我却怎么会如此清醒？我具备自杀的资格么？我还该再做点什么吗？

我会被人发现么？被发现之后，每个人会是如何反应呢？

到底有几人是真正爱我，听到这噩耗会感到痛心难过呢？

还有几个未发的稿费，他们会联系我的家人么，还是充公做了编辑部的建设费？

接下来，房子的贷款有谁来继续还完？

即墨会为此负疚一生么？庄小京又会如何反应呢？他也许会思索自己，不该是非不明就轻言放弃。另一个女人住进的新房，他会有阴影么？

或者我至少该先回一趟老家。最喜欢跟九十九岁的祖母聊天，在院子里晒着太阳，择着韭菜，听她讲日本人是如何对中国进行侵占与掠夺，她又是如何险里逃生。每次听这个裹着小脚的很老的老人讲故事，我都乐得咯咯笑。

她是那样充满智慧，明理开化。从没有看不开的时候。遇到父母吵架，她在一旁不气不恼，只是轻轻唱起《爱是恒久忍耐》的赞美诗歌。

还有，我的小侄即将临世。我认定是个男孩，认定长得生动伶俐，认定他会喜欢我抱他。我抱他时一定目不转睛，笑意盈盈。

最不济，也要再给妈妈打一个电话吧。即使没有任何叮嘱交代，听听声音也是好的。这三十年里，每当我从荒芜的梦中惊醒，路上停下脚步时，她始终都是光明的所在，指引着我的前方路途。她笑声爽朗，常常说，女儿，你很棒，到今天不易，出门在外莫要难为自己。

假如妈妈正在家中，欢欣准备午饭，接到噩耗，女儿遭遇不幸。毫无防备。哪个母亲可以接受这样的事实？

......

还有，处理一个死者的后续之事究竟有多少。

带给亲人的悲伤会有多少。

我从没过做哪件事这样不纯粹。可今天，我对自己死去之后的一切感到好奇。

生与死，究竟哪一个更难。试过的人才知道。

6 : 6

从窗帘的缝隙里，挤进几丝明晃晃的小碎光。

天色已然大亮，我从黑夜思忖到第二个白日，却迟迟不能实施对生命的解决。这感觉太难堪了。

我想着即墨。从他又联想到另一个伟大的画家。那个最孤独的人之一，文森特·梵高。他在阳光充沛的田野上，砰，对着自己的身体开了一枪。大抵也是发现，生命的疼痛滋长于自我挖掘的伤口吧。

破碎带来快乐。可以不再绝望。

这些孤独的人们，以残忍的方式死去，可是他们留下了精神之火，燎原了整个世界。是真正的死得其所。而我呢。我留下了什么呢？花费了近两年时间的长篇小说都还欠着一个尾巴，光秃秃地晾在那里。有什么资格去死呢？

我又拥有了些什么呢？没有为人贤妻为人良母，没对父母尽孝。没实现满腹的理想，与雄心的志向。甘愿自己的价值就此泯灭么？

死与生一样，是需要资格的。

一瞬间，彻底的失败感让我难过起来。心脏一阵疼痛。

就在我百斤肉身想要弃世绝尘之际，被一个21克的小东西打败了。

6∶7

21克。是灵魂的重量。

1907年，美国马萨诸塞州的邓肯·麦克杜格尔医生将6个奄奄一息的病人放到一个特制的床榻上，在他们离开人世的那一刻测量其体重。试验结果证明，人死后的一刹那的体重，比死前轻了21.3克。他又在相同条件下对15条狗进行了测量，结果发现它们的体重并没有发生可以察觉的变化。他由此得出结论：人的灵魂有重量，而狗没有灵魂。

21克。不过是一堆五分钱硬币，或是一只蜂鸟，或是一小块巧克力的重量。就是这样的一个内核，微小不可视见的同时，又如此艰难而盛大，奇妙无人破解。

那一瞬间，我因生死不能的无力，因怅惘的绝望，合上了双眼。

死亡真正来临的那一刻，没有人不是贪着生，怕着死。

6∶8

黑暗。

在合上双眼的极度黑暗中，我看到了一个小女孩。

很小的一个小孩子。无助地站在一个角落，仰着小脸望我。那张小脸纯真，无辜，挂满泪水。我被那张小脸感染了，停顿下来，迈不动步子，看着她。时间在那刻也静止下来，失去了弹性。

她就那样一直仰起小脸望着我，似乎说什么，又似乎什么都没说。只有泪珠在那张小小的脸庞上大滴大滴地滚落。

我看看看着，突然就崩溃了。深深埋下面孔，热的眼泪滚烫而下。环抱住自己，蜷缩起身体。

我看清她，不是别人，正是内心的我自己。

6∶9

是的，是我内心的那个小女孩在哭泣。

她是三岁时候的我们自己。纯真，无邪，柔软又脆弱。人在三岁以前就已经被自己接受了，我们那时所接受的对自己的信念，以及生活的信念，造就了我们后来的经历。那时别人对待我们的方式，就是日后我们对待自己的方式。

此刻我责备惩罚的不是我，正是内心的那个无辜小孩子。

三岁的我，仿佛活生生站在我面前，处于极度地惊恐之中，眼泪汪汪，向我求助。她眼中的渴望告诉我，她只想要一件东西——爱。我该怎样对她？假如路人经过，会怎样对她？给她责骂，惩罚，还是蹲下来伸出双臂抱紧她，安慰她，让她感到安全和放松？

在我们还小的时候，周围的成年人或许不知道该如何安慰我们，可现在我们已长大成人，自命不凡的知识分子，竟然还不懂得安慰内心的那个小孩子，何等悲哀。

我崩溃了。

空寂的房间布满碎裂神经的线条。内心发出将要爆破心脏的呐喊，喊了又喊。没有出处与回声，抵达空气中便一头跌碎。

生命一直是这样，充满恐惧和委屈。妈妈，你应该早点告诉我。早点告诉我。

6：10

再后来的事，在我的记忆中，是一段空白。

也许，我也许像头终于爆发的小兽，有着死而后生的能量，摔碎了水杯，扔掉了药片，撕碎了冠冕堂皇的所谓遗书。那充满嘲弄的一切，都远远地离开，泯灭。

所谓空白，是我让自己选择了不去记忆。

唯留下一个后遗症，便是每当我再难过时，向下看，总能看到一个孩子的小脸，张大眼睛无辜地看着我，令我不得不温柔地抱她，安慰她，轻轻唱歌给她听。

如此这般，证明不了什么别的。唯一能证明的是，我还有很多爱，足够活一生。

6：11

今天愚钝如我，以为费心安排了一切，却忘记了自己在造物主的面前，渺小不过如一粒尘埃。

生命的奇妙之处在于，每个造物的降生与死亡，必不是偶然，其中都蕴含着上帝之美意。他创造这世界，掌管着万有，凡他亲手所赐的生命，由不得你随便指挥与更改。

我的眼泪从清晨流到日暮，仿佛有生之年所有的快乐，悲伤，全部从这生命的河流中流淌出来，冲刷了人世涂抹在我身上的所有脂粉。毫无粉饰的我就摆在我的面前，像是一名厌倦了舞台表演的小丑，彻彻底底，把妆卸去，干干净净，深深凝视内心的自己。从未像那刻充满深度理解着生与死的真意。

我醒了。

第一次真正认识到，什么叫做命运。

所谓命运，就是说，这一出人间戏剧需要各种各样的角色，你只是并且只能是其中之一，不可以随意调换，或任意喊停。

6：12

经历造就体验。自此以后，无论遇到如何困境与艰难，自绝之念，在我的思想中彻底被屏蔽不见。切实尝试过死亡的人会明白，那比活着要艰难一百倍。

我深知能做且必须做的，是把一路的经过拷贝下来，重新安装进新的生命，继续，和继续的继续。

花了很大的气力去醒。去觉悟。

直到过了很久很久以后，我听到内心的声音发生了扭转。

只想好好生活，尽力地生活。

大口地呼吸，倾听，感受，鼓励，支持，微笑，歌唱。

看着每一轮新的太阳升起，以不同的温度与气息照耀着我，并在每个日升月落之时献上感恩。

完全地支持自己，赞同自己。

这些，才是内心的小孩子真正需要的。

既然活着才是唯一的路，那么今天就必须是完美的一天。

每一天都是。

这是我的选择。

6：13

至于死，择日不迟。

因为，死不是一件急于求成的事。它是一场必然会到来的盛宴。

如果我叫喊，
谁将在天使的序列里听到我的声音？

【里尔克】

Chapter

第二章　　哀歌

纵然生来孤独，每个女人的一生中，都注定遇到一个自己的君王。让你神魂颠倒，爱到兀自凋谢
去，也不能用来被选择。

而这样深切的爱情，都有着一种殊途同归的结局。不要称那结局为悲剧，那是宿命。

深切地爱一个人是宿命。

宿命是最浑然天成的结果。

七

7 : 1

大理的夜晚像个幻觉。

我走在铺满石板的阶上，阵阵眩晕。

回忆不起自己是如何做的决定，如何跳下那张沾染了死亡气息的床，打包行囊，逃离窒息的屋，离开伤心的城。从一处抵达另一处，一种心情抵达另一种心情。犹如一个亡命之徒。

7 : 2

飞机降落时，我在窗边俯瞰下方，世界之大，是人类的想象不所能及。

所以不要试图轻蔑任何一只虫蚁，于世界而言，大家都是一样的，一粒微小生物而已。假如不用某种先进的仪器搜索你，你又何曾显得存在过呢？可是几个小时前，你却还在玩着自杀的游戏。荒谬。

现在，游戏结束了。

允许你原谅一下自己，所以过程究竟多荒谬不重要，逃向哪里安定一下魂魄也不重要，爱情的残渣碎片，梦想何时重新插上翅膀，都不重要。连死亡也已经过去。此时，重要的只有生。

如何美好，简单，自由，坚定地生，始终是最重要的事。

感谢所有的腐朽与愚钝对我真实的入侵，都是好的。只有认清过这个世界，然后再去忘记这个世界，才能找到真正的自己。要原谅，宽悯，并且感恩。

现在，你将开始一条新路，换一个人，迈出的脚步，心头的意念，都已在逆流中被翻转。你已被锻造得更加强大。

那充满欲望和死亡的旧人旧事，都留在上一刻，时针证明着那已是过去，你有能力选择新的生活。总好过持续蒙昧，愚执于原地。总好过纵容自己的软弱，始终不肯相信有些事不过是一片浮云。

如果你不知道该往哪里去，那么此处就是你的葬身之地。现在，你解脱了。每一天都是崭新的。

求生的唯一方法，就是迎着风向前，向前。

任何一种逃避，都是太爱自己的表现。

7 : 3

云南的空气自由饱满，轻风温柔和煦，树木绿意盈盈，它们真切地欢迎着我，将我团团围住。

感谢神，我还存在，能在这里张开双臂，深深地呼吸一口清新的空气，真是造化。

掐一下手臂，感觉到疼痛。我知道我在，该对每一张经过的脸微笑。

这是我的第二次诞生。

此时，我是另一个人。

与我灵魂脱壳的那个人，带着一封发朽气味的遗书，带着某种死而后生的觉醒，葬在那座叫做北京的繁华的城。

八

8：1

我喜欢不停不停地来大理，似乎这里才是故乡。

这城狭小，却自由。

8：2

这是一座只有两部分面孔组成的城。

一是本地的土著。他们朴素，友善，长年紫外线的照射，使得每个人脸上都有一块刺绣般抹不去的的高原红。那很美，但必须衬在那些面孔上。因为那些面孔上的眼神没有游移，孤独和欲望。

我也晒过，就很难看，像打着两块补丁。

他们在街边开店，卖好吃的粑粑，米线。有些白族老妈妈，在白天刺绣，夜间迎着暗黄的街灯来到街边，摆出一个小摊位，边绣边卖。价钱极其便宜。华丽夺目的绣片，腰带，布包，以及每个女人一生中都会拥有的一双的绣花鞋。

生活本身，之于他们，是在日光下，三三两两，穿着自己亲手刺绣或轧染的服饰，带着终生都不曾变化过的表情，聚在某个街角的太阳下，拉家常，掏耳朵。或者沉默地观看奇怪的外来客。

他们是真正懂得享用生命的乐活者，丝毫不曾虚度，不知不觉，便在阳光下度过了一生。

还有一种面孔，就是来自全世界的游魂们。那些不安分的，忧伤的，流浪的，自我探寻者。

他们有着不同的面孔，说着不同的语言，遗忘着不同的职业与年龄，从不同的地方汇聚此处，企图对自己过去的人生唱一支悲凉的歌。

这个小城古老静谧，犹如历经沧桑，从容到出世的老人，静默无声地接纳着这一切。那些时哭时笑的脸，灿烂日光下茫然的神情，夜火暗光下酒醉的放纵，因为有了包容与接纳，丢弃了城市里面具的伪饰，像个自然人一样纵情穿行在这小小的城。从这头到那头，没人迷失方向。

8：3
这里包含了自然界的一切美。
我最早去那里，好像上了一堂释放天性的表演课。哪里有什么矜持，回归本性就是最完美。有时喝酒到酩酊大醉，跟路人打着招呼。也有可能在路边撩起裙子解决一下小便，然后仰头送给天上的星星一首即兴而浪漫的诗。
像阵风而不是风筝，因为没有任何的线牵在哪里，吹到何处是何处。从不担心断线坠落的危险。
夜晚是纵情的。总有人在酒吧街边的宽阔处燃起篝火，几百只陌生的手拉在一起，歌唱，舞蹈。然后擦身而过，或者彼此交集。
在一些旅馆与酒吧的门口，贴有许多字条。邀请你一起去束河，香格里拉。邀请你一起发呆，做梦。坦诚的背后，藏着一颗颗寂寞的心。
没人不贪恋这样的自由。因为终于取下了面具，解掉了束缚，做回了自己。

8：4
在这里，做什么都不过分。
在这里，感觉真正活在一个解放的年代，是一个真正解放的人。
某天的惬意阳光下，我躺在一把古老的摇椅上，仰望天空，蔚蓝的天洁白的云，比任何一出爱情都诗情画意。那刻我说，在这里，梦都可以不做，因为就活在梦里。
这句话，后来被人当作真理一样流传开来。

九

9：1
拖着箱子，磕磕绊绊，穿行至古城的一家客栈。住下来。
客栈的主人叫晨光，一个会弹吉他，做得一手好吃饭菜，长得不怎么好看的年轻人。每次我来大理，都在这里住下。
他有个很好看的女朋友，叫小艾。小艾是地道的北京人。在北京生活了二十多年，工作和生活均稳定，去过许多地方，经历许多人，可是来到大理，遇到晨光，没有任何理由的，就留了下来。

她眉目清秀，身材高挑，长得十分顺目。每当我看到晨光侧躺在她腿上，她帮他轻轻掏耳朵的时候，都会慨叹爱情的奇妙。他们在同一个镜头里极不匹配，却泛着爱的光。

然而这就是命运，也是爱情。真正的爱情不需要选择。有选择的，不是真正的爱情。

于是，为了爱情——这个可以置愚人于死地的东西——小艾无视父母反对，辞去北京工作，收拾行囊奔赴她的爱情之路，与晨光一起经营客栈。

大理的生活简单，爱情也如是。小艾与晨光一起，坦诚待客，为其泡茶做饭，与之聊天，交友，指点旅行路线。欲望在这里几乎派不上用场。他们除了被生命享用之外，还享用了生命。

一下就把都市里挣扎的欲望者比了下来。在都市，大家都在费力地生活，哪里有闲情逸致享用生命，反倒是生命被功名利禄贪婪欲望一寸一寸消耗殆尽。面对这种生命的功用，又为生命本身做了什么贡献呢？

9 : 2

南方的微风与空气温暖着体魄，来不及回味，天色就在薄暮中暗淡下来。

我到房间，放下行李，把身上来自北方的棉衣换成一件薄棉的轧染衣衫。去年来大理时买的，浓淡相宜的蓝紫色，像是大理街头开怀绽放的蝴蝶兰。这始终是我偏爱的色调，它使人看上去平静而清透。

睡了一觉。在黑暗中醒来，有不知身处何处之感。陌生，微恐。

9 : 3

小艾在院子里上网。法桐树被灯光倒映出长长的影子。我叫她，小艾，我们去喝酒吧。

你怎么了。小艾停下来，让我在旁边的椅子坐下，轻轻问我。那轻柔声音充满疼惜，裹住了我不少的伤口。不像繁华都市，各人只顾自己心头的缠丝解解绕绕，没人对另一人发出耐心的关怀。

我说，没什么，只是想喝酒。陪我喝酒就好。

小艾起身，到厨房取出几瓶啤酒，说，在这里喝吧，你现在的状态不适合出门。

她在经营这个客栈的几年里，见多了失意悲绝面孔，早学会了松弛自己，对一切不足为奇。

她熟练地开启酒瓶，给自己和我一人一瓶。说，你想说的时候，可以找我说。

我喝一口冰凉的大理啤酒，抽动嘴角，笑得勉强。没事。

虫鸣在夜的宁静中犹如夜曲。我一瓶接一瓶喝酒，想跟小艾说什么，可又不想说什么。其实我很讨厌倾诉，在自己不能坚定时，向外人说什么都毫无意义。于是只能喝酒，像是只能将顶涌上来的苦涩心事吞咽下去。很快便醉，恍然不知如何入眠。半夜不到，就又惊悸醒来。头痛欲裂。

脑中一团满，同时也一片空。我已经回忆不出在多久以前有过沉实的睡眠，所以早已接受失眠的日子，尤其患病这几月。在医生没有开出安眠药之前，就只能在睡前喝大量的酒。那不是睡去，是醉去。但也十分十分轻，微有动作，都会惊悸而醒。

大量刺激的梦境，既不是醒也不是梦。它们让我理解了痛苦的辩证。人往往在体验着彻底的痛苦之同时，也麻木了对痛苦的概念。

9：4

走出房间，阳光刺眼。小艾洗了大批的床单拿出来晾。我走过去帮忙。

小艾说，你眼睛是肿的，昨天一定没睡好。

我用手掌扶在眉头，遮蔽刺目的阳光。阳光可以检验一个人睡眠的质量。假如第二天醒来觉得阳光灿烂，意味着昨晚的睡眠不错。假如觉得阳光刺眼，那一定是睡得很差。

今天是礼拜日。小艾提醒我。

这个善解人意的姑娘，记得了我是基督徒。她会尽量记得每个客人的喜好与特征。

每次我来这里时，她都会跟我聊起北京，现在流行吃什么，哪里发生了大的变化。无关自己的枝枝节节。我明白她的情感，那种抑制的思念，所以尽可能地为她做着介绍。

熟悉是一种很难被抛弃的感觉。故乡，或者恋人，都一样，即使离开多年，一旦那个熟悉的名字出现，心底还是会有特别的敏感。

晾完床单，我点支烟，说，小艾，你要满足于自己的幸福，我其实特别想离开北京，可惜没有一个人，能让我像你这样认定。

她说，是不是认定这种事，取决于人的欲望和价值观念。我是个安于平淡的人，你不同，灵魂太不安分，所以注定动荡。

她接着说，去教堂吧。感觉你这次来，一进门，从拖着行李的姿势，就觉得不对劲。不好向人说的话，到神面前去诉说委屈吧。

是这样的。人的心其实是裸露的，不用明确地哭也不用明确地笑，心里有什么，便会生成怎样的表情与面孔。越是在大悲时，往往越想掩饰自己，而越掩饰，越能暴露出分裂的不协调。

没有更好的办法。我听从小艾的话，简单的洗漱过后，像个游魂一样飘进古城。

花三块钱，在街边吃了一碗白族阿婆亲手做的凉粉。以往觉得好吃，今日嚼得无味。

径直向教堂走去。

9：5

赞美诗一开唱，我就哭了。

那是一种只有宗教信仰的人才能感受的复杂情感。知道有一个人或者神全然地爱你，无私，宏大，像个宽广的父亲，没有任何条件，于是在他面前，你全部的伪装彻底崩溃。所有委屈，亏欠，自责，赎罪，各种情感交汇一起，汇成泪水，从灵魂的窗口汩汩流出。因为抽泣，更加透不过气，无法抑制，哭出声音。许多人开始轻声为我祈祷。

我像个真正的罪人那样，直哭到整场聚会结束，跪拜在神的面前不肯离开。

有人坐过来我的身旁，表示担心。可我无法停止，泣不成声。因我罪极重大。

我再次来到神的座前，无法不向他忏悔。

我信上帝，是为了和上帝在一起。因为存在的孤独，是上帝的存在带着我越飞越高，人群的存在只会带着我越走越低。只有和上帝在一起时我才有翅膀，但与人群在一起时，我的翅膀就被割掉了。何止翅膀，甚至手脚都被割掉。因为如果你与他们在一起时，就要按照他们的方式生活，要遵守他们制定的规则。进入他们的世界，这很费力，使人精疲力竭。

在这人的弃绝后面，我又糊涂一时，弃绝了神，弃绝了自己的生命。

如何都是错。

父神请你宽恕我，我还没有放弃自己的猜想。带着自己的思想去信上帝，是充满可笑的冲突。

9：6

那天神的慈悲，光照了我的惭愧之心。不停地认罪，祷告，全心全意。

愿意承认说，求你按你的方式试炼我。我微不足道，什么都不是。

一直跪拜，到身体麻木，僵成一座雕塑，将悔恨和委屈倒尽。直到内心有了平安。

回过神，才发现教堂里安安静静，大多人已经走光，只剩一个外国男子及当地老婆婆坐在长椅上，低头默声祷告。他们的安静与虔诚，言语不能道尽。内心的虔敬才是大美。映衬出我刚才的行为，犹如鲁莽的孩子。

我拿相机，把他们轻轻拍了下来。

走出教堂的一刻，又见阳光，回想着自己在北京做的一切，荒诞的死亡预想，恍然隔世。

生的感觉如此美好。

9 : 7

虔诚的祈祷，使我裂开的心灵感受到细微的痊愈。即使只有一瞬，我也愿意释怀那些岁月里的绝望的自我伤害。

那些藏在身体里的小男孩小女孩，他们有热切的心，莽撞的手和远视的眼，在某些特定的时刻，让他们撒撒欢伤伤人，就像古玛雅人会把他们献祭给上神极尽摧残一样。因为他们深信，一个把痛苦与愤怒发泄殆尽的人，便是最纯洁的祭品。

生命比我们想象的更强大。你若好好待它，它必会还你美妙的回声。

那天我还看到，教堂的顶部落下一只鸽子，停驻，凝望。这是和平的寓意，它会为我带来福音。

除了深切感恩，在那一刻我不能再做别的什么。失而复得的生命，带着光芒重新降临，这将比任何一次觉醒都显得珍贵，价值连城。

迎着初春的阳光，一个失意的女人久久地坐在教堂的门口，形同再生的勇士，回嚼着过往的腐朽之路。起身离开之前，内里的力量被重新唤起，我发了一个短信给即墨。

短信这样说：今天我才懂得，人们找寻的人生奇迹，其实一直深藏在自己的内心深处。

10 : 1

即墨。

这个名字，无论我逃向哪里，都逃不出我心怀。

我曾对他说，如果你爱我，就是天下最好的事情。

我扑通一声掉入爱的泥潭，像一个哑巴那样掉进去。没有人来救我。

我曾那般珍重他。迷恋，热爱，再到愤懑，歇斯底里，恼羞成怒。遗憾的是，无论如何努力，无论化作怎样的情怀，始终无法做到丢弃。

我曾那般珍重他。自从有了关于他的第一次记忆，我生命日后的每一天便都有了关于他的回忆。

他是我的生命之光，欲望之火。同时也是我的罪恶，我的灵魂。

10：2

他是一名画家。一个有着艺术禀赋与超于常人的感知能力的谜团。一座高贵而又神秘的迷宫。

在我眼中，他具有一种深沉强力的质地，坚硬，又脆弱，使他成为每个人私密奇想的投射物。他可以成为任何你要他变成的东西。

饱经沧桑的男人。虚怀若谷的容器。温柔的初恋少年。一个顽皮的小男孩。一座高山。一名智者。睿智到令人担忧。他是一切的富有。逆流而上的河流。散发香气的罂粟。闪着光辉的葵花。任何东西。

他是一种奇妙，美好的空白。终结所有神秘的一种神秘。

10：3

纵然生来孤独，在每个女人的一生中，都注定遇到一个自己的君王。让你神魂颠倒，爱到兀自凋谢去，也不能用来被选择。

如同张爱玲遇到胡兰成。三毛遇到荷西。艾米莉·狄金森遇到年长她许多的洛德法官。无人例外。

而这样深切的爱情，都有着一种殊途同归的结局。不要称那结局为悲剧，那是宿命。

宿命是最浑然天成的结果。

纵观历史，从古至今，爱情这回事，都是你爱我我不爱你，我爱他他不爱我。相爱的人总是不能在一起，是爱情的要害所在。

我是其中一分子。

10：4

在多数男人眼中，我清高桀骜，难以驯服。遇到即墨，我不自觉化身一只温顺小绵羊，柔软多情，甜蜜多汁。在他面前，我是天下最柔顺的情人。

我看即墨，各样都是好的。

宽阔的格局，朴素的高贵。自信，笃定。他的高大身材，硬朗轮廓，细细长长的眼，弧度刚好的发际，磁性宽厚的声音，都让我深深着迷。伸向内里，又敏感睿智，温柔多情。他真的是各样都是好的。缺点与孩子气都是好的。

原谅一个女人的痴，我要说的是，甚至他不爱我，都是可以原谅的。

曾经我就是这样玩完了，不知这糊涂的爱何时能够终结。越是沉溺地探究，越是下坠。他牵着我的爱，一同深不见底。

我甘愿为他做全然的奉献与牺牲。而为他做的一切，我都认为是爱情里最为忠实和美丽的表达。

我常常幸福地仰起头，望着他甜得发腻，唤他作君王，君王。

我对他说，即墨，你是我的君王。即使我不能像秋天的麦子一样幸福地怀孕，也心甘情愿被你收割。

10：5

即墨，没有人比我更爱你。你信与不信，都是如此。你不会知道，我也不会让你知道。

深切的爱一旦被说出，就会变得浅薄。

你不知道女人的心，但我知道我的心。

我与你认识的女人不同。与你不认识的女人也不同。

我不能爱到为你去死，我只能为你生。我要守着你，望着你，把能给的爱都给你。热烈的，藏匿的，你懂与不懂，都不重要。

我为自己还能够遇到如此深切的爱情感到幸运，从未想到这销魂的背后，藏着一把泛着寒光的刀。有时看到你愧疚，我说，你愧疚什么，你只能给我这么多。你没有错，这是我的选择。

爱你，是我这个生命阶段的使命。

10：6

因为没有选择。

深切地爱一个人是宿命。

这种深切不像年轻时那样盲目冲动，发于心的深处，沉实，庞大无声，又仿佛怀着一种虔诚与胆怯。人年龄越大，不再轻易动情，一旦动，就很深情。

犹如一个凹字遇到一个凸字，走着走着，便自然妥协地卡在一起。预料到结果也顾不得结果，因为无法抗拒也不能选择。纵使沉沦，迷失，蒙昧或大痛。

他在我生命中落了底，生了根。我是他的女人，或者女人之一，他却是我的君王，全部。

我爱他不动声色，无条件地承担着一切。爱到了这种界面，必须是不动声色的。

人在年轻时，不停不停爱的时候，往往是不懂得爱的。一旦懂得了爱的深刻，爱也就变得艰难了。

10：7

很艰难，也很危险。

我清楚自己。常是对带有某种华丽和飞翔的毁灭，不可遏止地迷恋。这种迷恋在潜意识里，都是出于自己的危险。我明白。清楚知道自己之可为，之不可为。却又毫无能力，因为这是命运的安排。

每个女人都曾在爱中蒙昧。他是上帝给我的一次爱的见识与学习。

我醒着，活着，不移动，不思考，却在渐渐走向爱。

这种爱，经过时间，变成了我的一种生活方式。无法与我的整体生命分割。

10：8

就这样，在即墨面前，我彻底迷失了自我。一个甜蜜柔软的可怜小绵羊，被这个狮子般威武强悍的男人，连骨带肉，一口吞掉。

他是我的君王，也是我的孩子。我已认定。

即使他离开，心中君王的位，依旧无人可以替代。那是一种关于爱的镂刻，恰到好处的刺穿。不是一种情绪，不是一个传说。他在过去，也在未来，将永远停在那个位置上，以爱我或不爱我的姿势，端坐如一，永生为王。

10：9

遗憾的是，我只顾爱着，却忘记了一点。当你对一样东西或一个人迷恋太深的时候，你可能已经失去了他。

11：1

北京。某月某日的某个夜晚。

江醒来电，清汀，今晚是Y的生日PARTY，赶紧出来，人你都认识，别老宅在家。

Y是著名音乐人。我试想情景，必定人很多。于是推托，不去了，不想见人。

江醒说，那你照照镜子，好好看看自己，然后决定出不出来。说完挂了电话。

我被暗示，顺从地走到镜子前。镜中的女人，穿着海蓝色睡衣，长发散乱，因太长而视觉上显得负累。尽管五官端正，却面色无华。没有什么表情，就是不快乐也不悲伤的那种。越发消瘦，犹如一张纸片儿。

我俯近了看她，眉头还凝成一个结。我伸出手指按压，试图铺展开来，继而又恢复原状。

摧毁女人容颜的是时光，而摧毁女人魅力的，是心态。

我没有那么老，应该重新绽放起来。于是马上拨回电话给江醒，等我，马上过来。

洗脸，上一个简单的妆，穿一件深蓝长衣，裹上厚厚的外套。从柜子里找出一条新买的格子围巾，带给Y做礼物。

街灯闪烁。下了楼先做一个深呼吸，真是清透，比屋内陈旧的气息新鲜多了。

11：2

LUXI酒吧。

果不其然，人很多。灯光昏暗，人头攒动。有人打碟，音乐迷幻。

音乐圈幕后幕前的人，以及热爱音乐的边缘人，各种怪异妆扮的艺术中青年。一些老面孔，还有些新进的年轻人。举着酒杯晃动，摇摆。欲望丛生。

这是我再熟悉不过的气味。我的一整个青春，都是在这些人群中度过的。成长，堕落，提升。从中汲取了营养，同时也缚上了枷锁。那就是文艺病。

11：3

生命的洁净，这个问题，它直接导致的是一种文艺气的泛滥。生活既复杂又庸俗，总之，生命和生活不同。我混淆了它们。

曾有人评价我，说，你什么都好，生得美丽，气质特别，又有才情，只一点，文艺气太重。文艺青年都有烦恼的本质，就是离问题很近，离痛苦很近，但又普遍力量不足，所以需要跳腾。

听得我嗤嗤地笑。

然后他又说，你跟我好吧，你需要新的营养源，然后就会形成比较大气的超越。

又听得我嗤嗤地笑。我说，如果你不把自我目的讲出来，我会认为你讲得真完美。

打心里，我认为他的观点是对的，是理想的。同于我的理想。好剑不走偏锋，为人的格局，往往限制一个人的高度。一个人要强大，要在背景上有一个相对丰厚的营养源，和一些牢固的根系。

然而没办法，因为孤独，于是就患了艺术病。艺术病的本相，又都生于孤独。

那个阶段，我正病入膏肓。

11：4

我在人群之中寻找江醒，目及之处尽是熟人。似乎他们永远不老，历经多年，持续战斗在一线。他们才是真正的战士。我早败下阵来，缩回自己的内部世界，对外部世界的花俏了无兴致。

有人变胖，老去。有人寡淡，漠然。再怎么看都不比当初，记忆中那一张张青春的带泪带笑的脸，美好而生动。

走着撞着就看到Y，生日的主角。我把礼物奉上，说生日快乐。我们拥抱，拥抱时我感觉到他因发福而微微隆起的肚子。他也变了，不再尖锐，没有当年演出时万人之拥的风范。

还是把责任推卸给时光吧。与艺术无关。艺术终归是好东西，没有它，世界了无生趣。

清汀。江醒看见我，大声召唤。我跻身过来，她正与一群人围在一桌喝酒，聊天。旁边有些男女在逗笑，贪欢。

我在外围坐下，跟大家打招呼，推杯换盏。基本上都认识，都是跟这个圈子死磕到底的可爱战士。

狂欢向来没有主题。

起初，大家只是询问彼此的近况，随着后来队伍越来越壮大，开始有人回忆过去，那无可回转的青春往事，越来越起劲。回忆是喝酒最好的下酒菜，在今日的平淡中回忆过去的激情中，消耗了不少酒精。不多时，便有人开始喝得七扭八歪了。

队伍慢慢分散，开始三三两两地对谈。我只能进入我乐此不疲的游戏。

任何一次的聚众活动，我最大的乐趣，就是看自己周围的人们，与人们周围的自己。

有人似是玩乐，其实是在掌握人生，许多人生的转弯，就在这样的迷情幻影中达成。有人则是明显地消耗，纯粹地娱乐，而后大大的虚空。有人腥噪，欲念挂在灵魂的外面，毫不在意被谁一眼识破。有人落寞，失语如尸，把自己躲在自己的后面。

世界无论如何流转，也转不出欲念与贪欢。

11：5

江醒拉我，我们去跳舞。

我惊恐推托，赶紧，你去，我每天上班累得跟猪一样，干不动这体力活。

即使是疯狂荒谬的早年，角落也始终是我的安身之所。我时常也幻想着自己变成一只蝴蝶在派对上飞来飞去，可惜没有天赋后来也没学会这技能。

有天收拾房间，还翻到十年前的日记。上面十分庄重地写着，我离不开四种东西：烟，酒，音乐和我心爱的男人。那青涩的宣判看得我发笑，如今时光寸寸流走，前三者依旧是我的好伙伴，陪我夜夜孤寂，倒是男人之事，一边艰难一边寡淡了。

那些对内心产生不了作用的人事，渐渐没了兴趣。反倒有些生活所及之处的细微感觉，却变得生动起来。渐渐学习如何面对心中的庞大艰难，如何与自己安好相处。

于是这般，对别人来说，我变得无趣了。但对我自己来说是有趣的。

我既可以长时间独处，也可以收起翅膀短时间混入人海，这都不妨碍我内心世界的繁华，其中生长的每个东西，都在以渴望被理解的姿态绝望地存在着，召唤着我去深情而温柔拥抱它们。

有时大享受，有时大孤寂。

11：6

我目送着江醒挤出人群去跳舞。随着迷幻的电子乐，忘我地摇晃，仿佛世界独她一人。

有如此神情的人，大都是认清过世界，而又忘记了世界的人。

我与她相比，显得笨拙许多。因为太过认真，只知用力，却不懂用巧力。巧力与蛮力的差别是，前者懂得审时度势地向现实撒娇，后者却是一根筋地坚持跟世界撒娇。可世界从不吃这一套，因为它有时只是幻梦一场。

江醒聪明，自由，爱笑。活得自在，如花绽放。用她的话说，人无非两种活法，关键是你选择为别人活还是为自己活。反正我是要为自己活，妨碍我快乐的人事，就一脚踢开。

相比之下，我就显得束缚得多，委曲求全得多。因为我基本是为别人活的那一种。

在这个自由的年代，却总有一些人傻乎乎不懂得善待自己。

11：7

我跟江醒相识整十年。她一直在玩，精彩淋漓。直至遇到她的爱情。

我只见她爱过那一人，之前与之后，她对男人，都如同对待这个世界，亲近而又疏远着。

十年中，有一年时间她空白了。那一年，她消失了。

所有人不知她去向。整整一年之后，她回到众人视线，说，我可以了，我要把我们两个人的爱，装满我一个人的生命，继续下去。请你们祝福我。

她指的我们，是她和她唯一爱的那个人。那人叫河，一名乐队主唱。

那似乎是一场不真实的爱情。自从他们相遇，辨认出对方是彼此灵魂的伴侣，就再没有怀疑过。每次出现，都十指紧扣，七年的时间，从未见过他们争吵，控诉过对方。十分确定的信任。

有饭局，或朋友聚会，只要河不演出，江醒不加班，两人都是以连体形式出现。江醒阴性体质，长年手脚冰凉，见到他们时，永远是河的大手，握着那双冰凉小手。假如中间一方要去起身动作，那对大小手便自然默契地松开，而后又默契地合拢。像是裤子和腰带的关系，不需要什么理由的，相互需要和给予着。无论朋友如何嫉妒，羡慕，打击，两人听了都相视一笑。没有什么可以插手，将那对大小手分开。

之前的江醒全然不同。颓废，放纵。跳舞，飞叶子。典型的夜间动物。她有很多男人，却纷纷不动真情，因她说女人要的爱，男人根本给不起。

河出现了，她甜得像块蜜糖，望他，听他说话，笑的眼角嘴角都弯起，宛如新月。

在一份充满信任与安全感的爱情里，女人会变得从容，宽大。比柔软更柔软。

七年中，每次谈论起，江醒都感叹，清汀，我从未想到过上帝会给我如此恩赐，令我有种不真实的恐惧。如果失去河，我会死。

她还说，我早晚会为他生一个孩子，来证明我们实实在在相爱过。

11：8

世间好物不坚牢，彩云易散琉璃脆。所有美的东西似乎都要短命。河的温暖大手，与江醒的凉薄小手，没能自始至终。

他们在一起的第七个年头，河出了车祸。中午还完整地出门，大手把小手握了又握，抱了又抱，下午时分，就无可解释地被一辆酒后驾驶的车辆撞翻，当场离世。这对深爱的恋人，自此阴阳两隔。

七个年头不能说短，可对于一辈子，又太短太短。

江醒没来得及为他生一个孩子，他就走了。除去空剩七年回忆，什么证据都没留下。她拼命想留住一些东西，付出任何代价都可以。残酷的是，即使她付出生命的代价，也无法换回什么了。

什么都没有。她几乎疯了。

她恨他。又恨不得他。

爱情如此虚幻。

所以有时，人对一份爱情期待着结果，并不一定是为了成全本身，而是假如没有成全，便意味着要承担另外一种结果，那就是破碎。年华逝去后光秃秃的虚无。

11：9

处理完河的葬礼，江醒就消失了。那一年没人知道她去了哪里。

她的父母多次打电话给我，他们以为她死了，去找河了。大部分朋友也忧虑地如此猜测。我焦灼无措，但坚信她一定活在世上。

一个女人，为了爱情选择死，大多是因为背叛，因为羞辱。反之，假如对方是值得爱的，值得尊敬的，纪念的，这种力量一定是正面的，不会致死。

果然，一年之后，江醒回来，说了那番话。

但她不可避免地变了。从自闭，到轻叹，到玩世不恭。一边努力工作，一边虚幻生活。很分裂。

她去了某著名电视台做一台音乐节目的总监，月薪三万。对一个上班族来说，十分优厚的条件。她说，我看到自己的未来，一定是独自生活，或许是在一个依山傍水的养老院，为了避免孤独至死，所以现在要很努力地赚钱。而选择做音乐节目，则是对河最好的纪念。

许多男人喜欢她，她只局限玩乐，从不动情。已经无情可动，河带走了她爱的能力。这些男人，只不过是她继续生活下去的一个着力点。

我时常在某一瞬间望着她，心中生出共鸣的酸楚。有时一个女人身边的男人越多，越是代表她的大寂寞。因为在她心的深处，一定是要执著留给什么人的。不是刻意排斥他们，实在是因为所有的他们都比不过一个他。

于是宁肯别人骗了自己，也比自我欺骗好过些。

11：10

人活在世上，最难为的事，恐怕是无论你的生命中发生了什么，生活对你多么残酷而丧尽情分，都要选择不动声色地活下去。

12：1

已是凌晨。音乐在酒精作用下显得更加迷幻。

有好诗之人举杯大声召唤：夜，才刚刚开始，让我们为Y步入觉醒的中年干杯，为音乐干杯。他站在高处带头举杯，整个酒吧的人呼应起来，一阵骚动。叮叮当当，杯盏相撞的声音刹那仿佛乐曲奇奏。

迷醉的人们兴奋起来。我也喝了不少，熟识不熟识的，总要过来喝上一两杯。若聊得好，挤进来坐下。无趣的人自动走开，去寻找下一个相逢。

有那么两三个在圈子里著名的蜜蜂般勤劳的人，飞来飞去，哪里有蜜哪里采。每次音乐圈的活动必会见到她们，她们活着似乎就是为了奔赴一个又一个的PARTY，不辞辛劳在每个角落洒下她们不加掩饰的雌性荷尔蒙。尽管习以为常，每次见到，我还是忍不住笑叹，同时也更加促使了我如胶水般粘在角落一动不动的决心。

安静不是为了出众。是本质不同。她们是蝴蝶，我是虫蛹。

我只能做虫蛹。我喜欢那东西。长时间地沉潜，安静地蛰伏一处，耐心地等待着自己化茧成蝶，或者蜕变失败，生命完结。

某些场合下蜜蜂采蜜的结果，通常是些暧昧欢愉之事，没有人愿意费力抵达你的内心。我最介意女人在肤浅的事物上作贱自己。

12：2

凌晨两点。

我回回神，觉得自己该回家了。而不是想回家了。

这当然不同。想是一种愿望，应该是一种责任，或者负担。

不想回家的人通常有两种。一是孤独的人，二是没有家的人。而作为一个既孤独又没有家的人，是很容易在人群中遗忘自己的。

我仰头干掉一杯酒，用一些具体的事件把自己从人群中记起来。第二天还有会议。人到最后，总还是要自制，收敛。假如自制不能让你的人生达到完满，那么放纵更不会。

于是起身，在人群中寻找江醒告别，抬眼便见她，笑靥如花，带着一个男人向我走来。

我顷刻在目及的景象中定住了。

那个正在朝向我走来的男人，高高凸立，一派温暖稳健。即使在声色犬马的环境中，都显得气定神闲，孑然自处。看上去，他既不幸福，也不悲戚。

嘿。我竟笑了，不自觉地惊喜的那种笑，好似失散多年的灵魂，竟在一个出其不意的夜晚回归了本体一般。

短暂的眩晕过后，我对江醒不满地皱眉，一副嗔怪，心想，她的周期又来了。周期指的是，在河走后，江醒要么长时间不碰男人，要么集中性地消耗男人。

可是眼前这个渐渐由远及近的男人，怎会让我第一眼就看得亲切呢？

12：3

这是清汀，我没有秘密的朋友。

这是即墨，著名画家。

她带他到我面前，为我们做着介绍。

即墨坐下来，叫了一瓶红酒。为我们斟酒，动作稳定优雅。他斟酒时我偷了个小空看他，这男人面目和善，隐着温暖与笑意。眉宇松弛，透着宽厚与大气。明朗的自信。总之，由外及内，如何看，都觉得亲切舒心。

判断失误。这男人是江醒多年前的朋友。说是朋友，确切说是牌友，在此类的聚会中认识，后来时常一起打牌。除此之外没有更多了解，所以不生也不熟。多年失去联系，今天又遇见，真是巧极。

三人对坐，江醒絮絮叨叨为我讲述他们的过往与今日的巧遇。他笑听浅谈，我明显有点紧张且在意自己今日出门匆忙，穿着有些过于简单了。

嘿。江醒端着酒杯的肩膀上遭遇一个男人的手掌，倒是惊我一跳，赶紧收回神魄。抬头，一个男子的手按在江醒的左肩上，端着酒杯，半醉半醒叫她。

你也来了啊。江醒起身回应他，回头笑嘻嘻把即墨交给我。

剩下我与那男人，竟有点慌神，一时不知说什么了，只能目送江醒及男子扎入人群中，在他们的背影上报以长长的微笑来作一时的掩饰。

再回头，就与他的目光撞个正着。我的掩饰被他识破，更加慌乱，冲他举杯，发出一个尴尬的歉笑，说，抱歉，我喝得不少了。

他则把那表情准确地接收，回我一个包容而坚定的笑容。眼睛里闪过光亮。

那光急速而辉煌，刺得我内心激荡。

12：4

你叫即墨，这名字真好听，与我家乡的一个地名相同。

你的名字也好听。清汀，清汀。他晃动着手中的红酒，似乎就着酒水荡漾的律动，反复叫了两遍。你看多轻巧，又清澈，叫起来很有节奏。

他声音真好听，非常雄性的那种磁性。并且一说话就能恰当地微笑，这是我羡慕的能力。

他说他极少来这种场合，大部分时间是在画室作画。今天是约一个朋友见面，被拉来这里。

我笑，说我也是。

从俗气的话题开场，却聊得很舒服，一点都不别扭。不需要刻意斟酌与选择什么话题，各自只表达着自己想要表达或者可以表达的东西。短暂的沉默都很能意会。

我们在人群中浅谈，浅笑。周遭的华池，像阵烟雾，将我们与人群时而隔离，时而合并。那天我很放松，不知是酒精的作用，还是因为这个看上去起码比我年长十岁的男人。

很小的时候，我就喜欢跟年长的人呆在一起，岁月剥掉了他们稚嫩的见解，浮华的外衣。我是那种小孩，小小的身子里面，住着一个大大的人，有时累得拖不动，只有饱经世故的他们可以令我松弛下来。

昏暗的角落里有对男女在激吻，酒精与饥渴令他们非常忘我。我像欣赏一幅画一样一直笑盈盈看他们，即墨随我的目光回转过头，看到，摇摇头微笑。

我却鬼使神差说了一句，是不是男人的世界只有两样东西，除了钱，就是性。

这次他大笑，似乎对我的见解更有兴趣。他说，是么，你是这样看男人的么。

我说，有时吧。

那么女人呢。

女人要丰富得多，她们在这两者之间夹杂了太多情感，密密麻麻把自己缝到针眼里。

他说，你看到的是人和性，而不是人性。当你从人性的角度再去看，你就会像理解自己的丰富情感一样理解男人的情感了。

一阵欢声，我们为延伸出来的人性和人与性的说法大笑。默契地会意，干杯。

为男人的魅力加分，不可能是财富与地位，只能是质素与幽默。至少在我心中是这样。

就这样，在这个出其不意的夜晚，与一个陌生男人深深浅浅的对谈，使得我们在不知不觉中喝光了一瓶红酒。再一瓶。

早晨的会议虽说没有被我抛到九霄云外，起码，许久没有的愉悦感让时间多出了许多弹性。直到这弹性被使用到了我认为不得不走的地步。

12：5

好了，今天跟你聊天很开心，可是我必须要回去了。我一边毫无掩饰地打着哈欠，对他说。

好，时间不早，我也要走了。我送你吧。他说。

不用了。我笑，我不习惯男人送我回家。

尽管他的回答绅士而得体，我还是不由婉拒了。这纯属个人习惯，倒没有对他有什么顾虑。再说了，通过今晚的直觉，这是一个有灵魂的人，不至匆匆有何不洁之念。

当然不可否认，对谈过程中，我内心也一闪而过小激荡，可他在我当时屏蔽了欲望的阶段里，也并没有什么特殊。我在艺术圈度过了几乎全部青春，各式的男人也见得多了，加之敏感的天性，使得我从不会为一个看上去不错的男人花费什么心机，也未曾为一个什么目的去博取什么人的好感。

如何更好地让自己存在于这世界之中，才是我的使命。一个天真而又骄傲的使命。

不放心我么，呵，看来还是个小孩子。走吧，叫上江醒一起，我送你们回去。女人不要太熬夜，要为你们的未来负责。他几句话便让我语塞无言，一时也弄不清自己是不知该如何推托，还是心里其实根本不想推托了。

他起身，叫服务员结账。我被他控制了一般，没有说行，还是不行，竟然乖乖站在那里等他结账。事毕，他把钱包装进裤袋，突然把头探向我，靠近了一些，说，我再多一句，可以快乐一些吗？他靠近的眼睛里充满了关切。

我心惊，梗着脖子，本能地抵抗，我有不快乐吗？

他依然充满笑意，肯定地点头。

我瞬间有种被人看穿的小小尴尬。还是暴露了自己。人总有一些时期，无论自己如何努力显得快乐，分泌出来的气场与气味也都是僵硬，腐朽。

而后，我居然好比一个口渴的人举着一个空杯，自然地接过他倒来的水一样，默认了。然后又像是接到了烫水一样恐然炸开，问他，你可以看得出来？

他笑，要小心你的眼睛，你的眼睛里暴露了一切。

你是画家，还是心理医生。我反击，心中却轻轻惊叹。

这不重要。重要的是你，要想办法让自己快乐一点。

走吧。他做了一个请的姿势。

12：6

那天，江醒继续在玩，没有跟我们一同离开。即墨开车送我。

我一路沉默不语。喝得有点多，摇开车窗，凌晨的清凉把我裹得飘飘荡荡，遗忘了自己也遗忘了身旁的人是谁，我只想躲起来。赶快躲进自己的壳里，再也没人发现那无名而庞大的悲伤。

车在我指挥的地方停下。他像个父亲一样催促我说，赶紧回去好好休息，以后不要喝太多酒。

谢谢你。

我下车，走出凌乱的两步，莫名回头冲框在车窗中的即墨问了一句，你可以让我去看你的画么。在酒精与莫名失落同时作用的模糊中，依稀记得他确定地冲我点头。

这个人真是，总是那么确定，那么温暖。

我转身上楼。

12：7

越与即墨交往到后来，我越惊叹，这个男人对人性中生长的一切大小微物的认知，感知，总是无比精准而不缺乏秩序，无法不令我成瘾，迷恋。他身上埋有太多宝藏，这让一个精神产物，一个天生热爱探索的女人无法不想去挖掘。

也为这般难得与珍贵，引发了我多次的慨叹。想，人生的有些相逢，想起来真悬，稍不留神，也许就永生相隔，分道扬镳。

假如那天江醒没有叫我，假如叫了，我像往常一样固执地没有去。再假如即墨那天没有被朋友拉去，他也不是与江醒多年前的朋友，那么在绵长而又短暂的人生中，一个人与另一个人的交汇机会，是近乎零的。

何况，是命中的君王。

大多数人，遇到也就遇到，在生命中打一个照面，留不下痕迹。镜花水月的故事，犹如花落一样平常。

12 : 8

曾经看过一组数据。关于在这世界上，两个人相遇相爱的概率有多大。

世界人口60多亿。一生有：80*365=29200天，平均每天可以遇到1000个人左右。一辈子遇到人的总数：29200*1000=29200000人。

相遇的概率：29200000/6000000000=0.00487。

相识概率计算：平安活到80岁，大概会认识3000人左右。

相识概率：3000/6000000000=0.0000005。

相爱概率计算：

一、首先相爱要相识，一生相识的3000人中异性占一半。这里只计算符合大众潮流的相爱关系，也就是说一般人选择恋爱目标会在1500人当中。

二、你一生会真心爱上几个人。就算博爱的话10个也够了吧，所以在可选择范围内爱上一个人的概率是：10/1500=0.007（千分之七）。

三、所谓相爱要你爱他，他也爱你才叫做相爱。在可选择范围内两个人相爱的概率是：0.007*0.007=0.000049（百万分之四十九）。

综上所述在世界上两个人相爱的概率为：0.000049*0.0000005/6000000000=……

由此可见，两个相爱的人缘份有多少。

结论是：既然，遇见了，相爱了，就不要放开。

12 : 9

所以时常，我俯在即墨宽厚胸膛，感慨说，亲先生，有些事情是奇妙的。

亲先生是什么东西。

在我这里，你姓亲，叫亲爱的。所以称作亲先生。

他听罢，一副得意神情，嘟起柔软嘴唇，把我亲了又亲。百转千回。

12 : 10

亲先生。墨叔叔。君王。各种称呼，都表达不尽我心中的爱意流转。

12 : 11

假如你曾与某人交错，一定不要遗憾，说明他不是你的。上帝若定好一个人给你，定是躲避不了。

人与世间万物的交错或交汇，都已定好。

十三

13：1

我住在大理的第三天，客栈来了新的客人。

一个清烁闪光的男人。高高的个子，皮肤光洁，微白。长头发，简洁地在脑后挽成发髻，光溜溜的。他看上去很干净，像是艺术家，又似是出家之人，仙风道骨的样子。人的内心都是写在脸上的，他那样子，一看就是个宗教情缘极深的人。

总之，浑身上下透着一股子自由。

13：2

晨光与他在院子里泡茶，听见我从房间出来，回头叫我，清汀，来了新朋友，介绍你们认识。

此人笑意吟吟，一副平宁气态，伸出大手做自我介绍。你好，我叫简一三。

我打岔，咦，为什么把二扔掉。

他笑答，这不是一道数学题，所以没研究那么仔细。

我来的第三天，就认识了这个叫简一三的人。他说原本父亲为他取的名字叫做简繁，可听上去很像一种字体的名称，写起来又繁复，所以后来自己更名为简一三。寓意为追求简单到不能再简单的人生。

离开固定居所出来旅行的人，要么是为了寻找故事，要么是故事太多，想要消释在途中化繁为简。在城市中被视为异类的人，在这里都变得平常，自然。

简一三特别爱笑，说一句笑一下。笑容像是长在了那张洁净的脸上。

他信奉宗教，却不归属任何一个教派。他认为所有的宗教都是好的，都该汲取它们的精华，综合起来才是最高的智慧。任何一派宗教都有自己的狭隘之处。

我说，那你一定看许多奥修的书。

他又笑，奥修是我师傅。

他反问我，那么你呢，介绍一下你自己。你看上去很特别。

我笑，从某种角度上说，每一个自我都很难介绍，因为太多面。我喝一口茶，略作沉思，莫名答了一句：我，也许是一个可以跟你成为朋友的人。

即使在那个阶段我厌倦了一切常规，可还是不想明确介绍自己，索性简化回答。因为眼前人，直觉告诉我是同类，有着相通的气流，至少可以彼此听懂对方的话，弄不好，还会乐意深入彼此的内心。

这是经验，也是直觉。内心孤独的人，都不是擅于交友的人，然而发现暗流相通，便会十分享受抵达对方的内心。我爱即墨就是这样，因为太过难得，所以才使劲过了头。恨不得一整个生命都拿来与他分享。

13：3

人介绍自己的确是难的，尤其在我天地不接的那个悬空阶段，自己对自己的认识都已经模糊不清而相当复杂了。

奥修说，人分五种思想状态。

第一阶段，预思想。假如用这种思维脱口而出介绍，那我就是一个女人，一个经历了多次恋情未果，刚刚玩过一场自杀游戏的女人。

第二阶段，是集体思想。大多数人的习惯，介绍自己总喜欢从自己的集体角色切入。比如说，我从北京来，曾是传媒从业人员，现在是自由工作者，以贩卖各种文字为营生。似乎人一旦给出了自己的职业定位，存在便有了某种价值。

第三阶段，是个人思想。从这个层面来介绍，就会说，我是一个精神产物，一个患有精神洁癖和完美主义症的人，当然也时有忧郁症和强迫症等其他症状来捣乱。所谓个人，没什么各别，无非各自症性不同而已。

第四阶段，是宇宙思想。那么这时的我，就是一个热爱万事万物的人，至少是有意愿对万事万物心存爱意的人。一名基督教徒，虔诚心怀满满，行动力量不足。

第五阶段，也就是最高境界，自然是超思想。我的终极理想，当然是成为一个有着超思想境界的智者。走出自己的思想，与一切融为一体。无我，归一。

这就是人的复杂性，多面性。智者把人类归纳总结得通透整齐，但作为尘世的个体，若是出口就这般上纲上线，就显得过于矫情了。

13：4

倒是简一三，听了我那莫名回答，爽声大笑。没见过一个人这样爱笑，笑得似乎万物都被他感染颤动了。

他伸出大手，说，来，伸开手掌，让我来认识一下你。

我略表怀疑，把手递给他。他轻握我指尖来固定我的颤抖，认真地看，轻声地讲。

——你敏感，多情。随和，理想化。喜欢艺术，哲学和心理学，对自己
的生命有使命感。

对爱情的期待很完美。安静，平和与善良，除非你的自尊心受到侵犯。
而且是一个对自己苛责对他人也期待很高的人。

说完，把我手掌一合，交还给我。看着我，笑意盈盈。

说得极是，我内心轻声颤动，几乎弹跳起来。这样就有趣多了。

于是，第一次会面，我们便肯定了对方，是可以成为真正的朋友的那种
朋友。

13 : 5

每个人都是一个深渊，俯身望去都忍不住头晕目眩。

简一三的特别也很典型。他亲切，宁和，不执。不断地旅行，走许多地
方，经历许多艰险。他说要做一个目击者，只要观看，不要做选择。

他信仰耶稣，信仰佛陀，信仰奥修，信仰黑天。《圣经》，《古兰
经》，《吠陀经》和《薄伽梵歌》，各派经文，一一读过。他希望自己
做《薄伽梵歌》里的瑜伽信徒那样睡时醒着的人，保持觉知，解放自己
的意识，没有禁闭，不做选择。只有这样的生活才是自由的。

所以他爱笑。他让生命解放在路上。他三十八岁，依然单身。

他与一切和解。

13 : 6

世上一切事物都从未缺失，只是形式发生了变化。凡间有传说，上帝为
你关上一扇门，必然会为你打开一扇窗。我曾以为只不过是人类给人类
自己的慰藉，鼓励绝境的人不会无路可走，把荣耀和权柄归给上帝，是
为了听上去更加权威可信。

事到如今，经过别离，爱痛，经过疾病和荒芜，蒙昧与大痛，我越来越
坚信，以上帝之名流传下来的真理，必定不是徒劳。那其中存有真正的
奇妙。

比如此时，一个愚执的人，与一个智慧的人，恰到好处地相逢，成为朋
友。后来我才明白，这是上帝的美意。

而人性的弱点在于，往往在一件事情的结果揭晓之前，上帝的美意究竟
何在，人类那一滴水的智慧永远无法参透。

十四

14：1

除了随身携带的沉重记忆在脑中盘旋之外，在大理的实际生活是非常松散的。

服药期间，人变得疲乏，懒散。白天窝在客栈的院子写作或者不写，泡茶或者发呆。大部分时间是发呆，什么都写不下去。一写就是混乱，不成言语。晚上则出去喝酒，在街上暴走。毫无目的。

简一三与我不同，十分健康活跃。每天早早出门，背上着他的吉他和手鼓，来了兴致，便在某个桥头弹唱起来。别人在他面前放些钱，他也不拒绝，不抬头地继续。那是美的，一点都不卑贱，是天然的表演，极具感染力。

有次我跟他出去，坐他旁边。梆梆，梆梆梆，看他打手鼓，十分起劲，投入。笑容依然像是他的五官本身长在他脸上，似乎褪不了色。遇到有人给钱，我就低下头来，很不好意思。

我问他，这很像乞讨，你不会觉得别扭么。

他笑，要走出自己的思想，所有的思想都是监狱，只会束缚你进入真正的自由。

智者的回答，哪一次能不令愚执者语塞呢？

14：2

他对自己几乎是完全解放了的。

一切都无所谓。生活可以是富有的，也可以是贫乏的。

他给我讲。在北京，他有自己的房子，女友离开后，就一个人生活。自己做饭给自己吃，也毫不马虎，炒几个小菜，喝上几口自己亲手泡的药酒，乐不可支。

他在音乐上才华出众。吉他，贝斯，钢琴，萨克斯，手鼓，几乎没有不会的乐器。也有自己的乐队，除了演出，便是旅行。

有时去酒吧演出，来献花讨好的姑娘，他一律笑纳，却又一律当成朋友。

经常会出发上路，经历许多艰险历程。最喜欢是走至荒芜人烟处，然后再至深处。带一个帐篷，一只手电筒。

他讲，有次在西藏，漆黑的夜，倾盆大雨，不可能有任何一丝光亮，也没有任何坐标。他起来上厕所，就迷了路，找不到自己的帐篷。脚下一路都是粪便。于是就拿着手电筒在大雨中照，雨大到睁不开眼睛。他呼喊，没有回声。那时也有微微惊恐，但每次经历过后，都会觉得原本虚无的生命又沉实了几分。

我听着都觉起劲。生命不是用来困顿一处空耗或者埋怨的。要使用，才会发光。

14：3

某个傍晚，我洗完澡，在院子里顶着湿漉漉的头发空白发呆。

在这个院子里，可以望见苍山的山顶。它在夕阳下真美，山顶厚厚的积雪，在光的照射下又闪耀出洁白的光辉。我简直无法想象一座山脉在历经了多少岁月之后，才能练就这般沉实。那么人呢。好比即墨，他生命中究竟历经了多少事情，才令他甘愿一生孤独。

最令我困扰的事情，就是脑中不断出现他沉着的面容，不停去猜测他心里有着与之匹配的力度。总在一些特别或毫不特别的时刻，想听到他的声音或任何关于他的消息。

甩甩头，拿在手中的电话被我恼怒地扔去一边，拿一本书盖住。宁可不要看到它。

14：4

清汀。一声欢快，简一三在古城买了些菜回来，说，我做饭给你吃。

他永远那么快乐，相比之下我真是恼人。尽管药物服用了一段时间，生理反应微轻了一些，可无论做什么，不做什么，依然体验不到什么有快乐可言。

他说完走进厨房。水声，洗菜切菜声。很快，就听到厨房里火热起来。竟还传出了歌声，简一三高声唱着我听不清的词句，混在在烹炸声中，令人心中温润起来。有着为自己的人生引吭高歌的能力的人，通常有着以进为退的智慧。

不久便闻到饭菜香气，那是人间最平凡最幸福的味道。我忍不住进去，说，我可以帮点什么。

他笑，你去外面晒太阳，等着分享就好。

14：5

艺术青年在年轻时候，会以这个身份为荣，对于生活与艺术的区别，分辨不清，混为一谈。花了很长时间才明白，真正的艺术，其实是生活。

艺术是渺小的。艺术家是渺小的。一切事物，后来我发心发骨地认为，在大而微的生活面前，一切都是渺小的。

生活，是包含了工作，家庭，健康，爱，与万物的亲近。它包含了一切。需要长久地保持敏感与平和，行美好之事，怀感恩之心。

而即墨的世界其实是让我不太欣赏的，因为几乎没什么生活，只有作画。他是那种被父权思想辖制的人，生命中的一切都不过是事业的作料。他最常说，弓在弦上，没办法，只能如此，只能继续画下去。别无选择。

他对作画的热爱，令他付上了几乎所有代价。时间，金钱，甚至健康，与家人的相守。他的目标定在高处，唯愿自己的画作可以在世界流传，他说，那样死也值得了。生活里的很多色彩他都缺乏，然而这种单一却又使得他的世界有那么大气场与魅力，真是无法解释。

每次我希望他休息，来放松生活时，他都对他的事业强调再强调，对此我每次也只能以焦灼而无奈收场。无法说什么，更不可能改变什么。只有陪在远处，奉献出自己，做可能为他做的任何事。

作画是他定给自己的使命。爱他是我某个人生阶段的使命。都是既定，无法选择。

所以纵使这宽大格局里有着缺乏生活的强大缺陷，使他克己不能行使爱一个女人的权力，也无法不成为我心中的君王。

我一早就被他迷去了心魂。

14：6

简一三的菜果然做得好吃。

大理的夜，月明星繁，满天辉煌。

我说如此好景，不如我们喝酒。

于是叫来小艾和晨光，四人围成一圈。泼辣鱼，牛肉芹菜丝，清炒豌豆尖，包心豆腐，苦菜汤。四菜一汤，大家吃得欢欣无比。我强忍心中悲戚，努力让自己真正地进入快乐，可很快又醉。

医生嘱咐，服药其间不可喝酒，包括茶与咖啡，所有刺激性东西都要戒掉。可惜这个任性的孩子辜负了他的善意。请原谅她，她是真的难过。

人过于惊惶，很难一时息声静气下来。

小艾和晨光吃罢，忙着去招呼其他客人。简一三拿开我的酒杯，清汀，你不要再喝了，我想说的是，不管你发生了什么，我相信你最终都能够放下。你带着这样的执著，怎么去信上帝呢？

我缄口不言，重新拿一只杯，加满，仰头干掉。

他接着说，你要屈服，屈服意味着接受，当你完全接受时，上帝才可以降临。你抹去你自己，不要站在当中……

一二三。我不耐烦改了他的名字，打断他。你不要再讲了，这些我都懂，接下来你要说的是，人消失时上帝就会出现了，人的自身一旦空虚了，就充满了他的存在。自我的不存在，才能成为上帝的存在。告诉你说，这些我都懂，可我就是无法克制难过，你就让我难过一下吧。

不等说完，眼泪就一下滚下来。

这次他没有笑，坐过来，伸手为我抹去眼泪，说，今天可以难过，那么明天呢。长长的一生，要难过多少才是够呢。

14：7

迷人的月光，突然就被一块云朵遮挡起来。

眼前一片黑暗。

十五

15：1

是啊，长长的一生，要难过多少才是够呢。

我曾经的故事，都讲给即墨。

15：2

那是他第一次带我去他画室。

画室很大。

一千多平米。我从这头走到长长的那头，欣赏墙上的每幅画作。真美，真好看，我只能赞叹，无法评论。除了残缺的美，他的每幅画里都有种隐忍的气质，隐忍的背后又进行着某种升腾。主题不同，然而我一下就懂那内里的基调。这才是他对生命最好的表达。

如同我写字，不是为了赚钱，要的不过是在文字中寻找自己。

任何一个艺术家，从事的艺术形式不同，但目的只有一个，就是借由这些艺术形式寻找着自己，为表达自己的生命寻找着出口。

15：3

画室是他的另一个家，甚至是比家还要常在。有时即使不画，也要来这里坐一坐，发发呆，一天才算完整。他说也经常会整夜整夜把自己扔在这里，画或不画，孤独无声，自我升腾。

等我转过一圈，回头，发现他正坐在大屋中央靠左的位置看我。我看画，他看我。毫无讨好之意，气定神闲。带着包容，带着欣赏。说不清是他被那张大沉实红木圈椅衬托出了高贵，还是圈椅被他一坐显得高贵了许多，总之那气魄，像是居坐一席王位。

来，坐。即墨拉开旁边的椅子，倒一杯茶给我。

我冲他粲然一笑，有酒么，我想喝杯酒。

哗，那么爱喝。那口气，像个颇有微词的父亲。完了起身去到屏风后面，取出一瓶红酒。然后指指那里，一箱，足够你喝，但不许多喝。

15：4

我们的交谈诚恳而平常，自我简介，与对方的行业认知。两个陌生人渐渐熟悉的过程，像一场工作的交谈，也是常理。

我指一幅画，很业余地问，这样一幅画，卖多少钱。

他点一根烟，诚恳笑答，按尺寸大小不等，几十万到几百万不等。

哇，我尖叫起来，不公平哎，我们写字那么辛苦，又不赚钱，大家都是创作者呢。

即墨听了大笑，似乎这是他听到的最好听的笑话一样，笑了好久。那声音回荡在深夜不归人的心房，真是好听。后来惹得若几日听不到这声音，便想念得不行。丝毫不夸张。那是标准的光明之声。

有那么好笑么。我惊讶问他，你是笑我天真么，我说了实话而已。

他笑意未消，望着我，那眼神似乎直望穿到我心底，有点慌了。凭我如何搜索，记忆中都回忆不出还有哪个男人的眼神如此深切柔情。穿破我心中厚厚屏障，伤痂。

小蓝。他竟脱口而出这般唤我，没人这样叫我的。他说小蓝你很特别，现在难得还有你这般天真的人，你应该过更美好的生活。

这话诚恳，沉甸甸的，一下令我心中五味杂陈。

来，即墨，我们喝酒。

15：5

在我不算年轻不算老的生命中，从未想象过会经历一个如此特别的夜晚。

它之于日后无数个特别的夜晚来说，仅仅是个开始。

原由是即墨。即墨自此搅进了我的生活，日子变得不再平静。

15：6

他的画室远离闹市，犹如一座寂静庙宇。我在其中，反反复复看那些画作，恍然，沉醉。

多数是深沉的色彩。暗红，暗绿。隐忍着，压到生命的底层。画中人，模糊的面孔，看不清轮廓，仿佛那些从你面前疾驶而过的人，流动着，轮回着，暴露了世间各人的心路流痕。人心念念迁流，一瞬间也不曾停止过。

然而表情却又忧伤决绝。这是人间的真相，生命之交错往往是打一个照面，来不及认清，他们就归回自己的世界。沿着那气息深入进去，是阴与阳，动与静，最终获得平衡的释然。

每幅画的生命感几欲喷薄而出。

我们该如何摆脱碎片的命运，这是最重要的挣扎。

这些思绪顶撞着我，暗流激涌，一阵飞翔，从脚趾顶至发尖，从大梦到大醒。又好似大醉。

我上来被这个男人弄乱了。

两年来麻木与伤钝的神经，在这个夜晚，我清晰地感觉它们在一点一点地，细细地复苏，不再压抑自己，开始跳动，舞蹈。仿佛病入膏肓的人，在某个不可预知的瞬间突然好转，她却显然毫无准备。

它们在我体内高速地运转着，全部拆散，重组。我跟不上那节奏。意乱，惊惶。

呼吸在偌大的屋子散开，弥漫开，一起一伏。空气变得温热。

意兴阑珊的颓唐。

15：7

一瓶酒被我喝光。

我甩掉鞋子，赤着脚，笑嘻嘻跑去屏风后面，取一瓶新的过来。远远伸手递向即墨，说，你来开。

你少喝点。即墨拦我。

我笑，没事，这几年，我几乎每天都要喝酒，所以这点酒，对我不算什么。

为什么要每天喝酒。

你不是心理医生么，你猜。

他笑着摇头，伴随一声轻叹。嘣，把酒启开。

优质的法国红酒，香气扑鼻，我喝得很有滋味，笑得如痴如花。只有酒见过我最多的笑。平时我是极少笑的，永远一副坚定略带悲伤的轮廓。

我在酒中笑着，在笑中将要醉去。一朵将要盛开的花，自己是否会有预兆呢？是否像我现在这样，有冲涨的感觉，张开翅膀飞翔的愿望。

我可没以为是这个男人起了什么作用，笃定地认为是酒。是酒精，使我像一块因为热度而要融化的糖，甜腻腻的，黏糊糊的，怔怔望着即墨。

这个男人是谁，竟让我有一世相识的熟悉。

那不是任何来自生理的反应，是灵魂的熟悉与召唤。于是两年来被囚禁的一下脆弱，第一次产生了莫名的冲动，委屈，倾诉欲。想跟眼前这个男人说一说，哪怕暂时放一放，以便重新成为一个人。

可是说什么呢，是自己内部有许多事情没有疏通解决，那才是恐惧的原由。可惜知道恐惧的原因并不能消除恐惧，我只得重新颓然抑制。

15 : 8

迷乱中一口深沉悠长的呼吸。

我说，抱歉，我要走了。

说完像个木偶弹跳起来，寻找扔掉的鞋子。醺到摇摇摆摆。鞋子就在不远处，可我笨拙地左右找了那么久。低垂的视线内出现一双大手拎着一对红红的鞋子，我顺着那景象一路向上，即墨那双深邃多情的眼睛，正在看我，嘴角微微斜翘，仿佛一个欣赏又担忧的父亲一样看着我。

他拎着它们走到我身边，伸手拉起我，到旁边的沙发坐下，说，抬脚。然后一只一只为我穿上。然后眼带笑意，继续望我。

天啊，这男人真是要命，我必须要逃走了。

原本也没什么，今晚我高兴，复活，徜徉，舞蹈，即使像个表演独幕剧的小丑走来走去的，也不觉得多么失态。而是他，他太清醒，他的清醒与我的混乱充满了不协调，就好比一棵冬天里沉实笃定的松树，与一株不到春季便提前开放的乱七八糟的玉兰花一样，一个沉静稳健，相比之下，另一个显然便因过度真实而不够优雅了。

这映衬让我觉得自己失控了。我极不满意自己失控的感觉。

还有，这个气度非凡的男人，大我十几岁的男人，可以画出震撼画作的知名艺术家，居然为我穿鞋。他帮我抬起小小的脚踝，在我的脚掌与鞋子之间掌握着得当的力度，穿的动作如此温柔，如拈一只花朵。那拈花的动作无法令一个女人不感到震颤。

我的心要跳出胸膛，竭力表现出平静。镇定地起身，说，谢谢你，太晚了，我要走了。

他确定地点头，说，好，我送你。

可是两个人都定在那里，没有动。

他突然就张开双臂，用力地拥抱我。好大的力，我要碎掉了。

15 : 9

那宽阔胸膛的气味，比我晒过的所有阳光都温暖。

我伏在那里，越埋越深。突然，眼泪就咕噜咕噜滚下来。借着酒精，索性开声哭起来。想着自己，从一个正值风华的女孩，节制，隐忍，直到变成一个法令纹越来越深的沉重女人。越哭越是委屈，两年的沉默压抑一发不可收拾。忘记周遭，也浑然不知眼前是个陌生人。

这便是女人酒醉后的表现。她们哭，笑，闹。我是酒后爱哭的那种，觉得很不好。这种人往往平日里看起来坚忍强大，甚至是有些强势，一旦松弛下来，久而久之的累郁成毒，便会倾泻而出。

从哪一年开始，我开始变得神情凝重，轻盈步履不再轻盈，有风吹过，一头长发都觉得负累。有念想要斩去，做个清静的光头女子，然而世间的规则太多，或者说，自我限定的规则太多，只好自己亲手将自己囚禁。灵魂在暗中呐喊，垂首。

都是罪过。对情感与欲望的过度追求，对完美与生命之诗的过度追求，其实是一种罪过。执著人，我警醒你们，完美是种禁锢，必然要打破。因为它已超越了生命的范围。

15 : 10

不知哭了多久，我才发现累了。

酒精化作眼泪流出体外，让我清醒了许多，顿觉失态，从即墨怀中挣脱出来。即墨一直俯身抱着我，轻拍我肩膀。我则像个做错事的小孩子，边摊开手掌抹着眼泪边冲他大笑着道歉，对不起，对不起。

他如释重负地，吁出一口气，左右晃动脖颈，一副似笑非笑表情。他个子太高，一直俯身安慰我，却累酸了脖子。我被他略带表演的样子又逗得大笑，说，你可以调整自己舒服的姿势啊。

拜托，你讲不讲理，你哭得那么投入，我怎么好打扰。说完他低头看自己的白色棉布衬衫，胸口处一片湿渍。那是一个伤心人任性的眼泪和鼻涕。

他没有嫌弃与责怪，只是问我道，现在好些了么？

我笑了。现在的笑，与刚才的醉笑，全然不同。如释重负的内心，划过了一丝小小幸福。

他伸手捏捏我的脸，说，你这样好看，以后就这样。

关灯，进入黑暗，犹如第一出戏的落幕。锁门，走向车子的几步路程，一双温暖大手，自然地牵起我。

引擎启动，黑色路虎，载着一对戏剧的主角，融进夜幕的一切可能性之中。

没人知道第二戏如何登场。

15：11
一个男人和一个女人，他们在对对方完全没有了解和认识的情况下，竟
会在一个夜晚，拥抱在一起。他们渴求的是什么。
他们不是在要对方。他们在要自己。
爱情充满蒙蔽，我们以为从中看到了对方，其实是看到了自己。

15：12
北京的天空，像年迈老人的眼，饱经世故之后开始变得浑浊。只在某个
特殊的瞬间才会闪出少有光亮。
那夜即是。我摇开车窗向外看，细风混杂着狂野，吹得我恍如秋天里被
遗忘了收割的麦穗，从金黄快要腐烂。今夜，这饱胀的果实重新散发出
香味。
他开口，问我，对心理医生还满意么。
我拉长声音，嗯，还不错。
小蓝，如果你愿意，可以讲给我听一听。小蓝被他叫得自然，像是称唤
自己小小的女儿，叫得我心中阵阵暖意流淌。
什么。
他指指自己胸口被湿浸的衣服，关于这个，这么多眼泪从哪里来。我担
心你一直压抑下去，会出问题。
我清醒一些，可还是醉相，一阵傻笑。说，没有什么，都过去了。
即墨说，如果真的过去，你不会这么难过。
我把头扭向窗外，直到他送我到楼下，再没说话。
下车时，他双手扶着我肩膀，眼神恳切，说，小蓝，要学会简单地生
活，不要再给自己上枷锁。你不是一个肤浅的姑娘，你有灵性，有一个
高贵敏感的灵魂，但我看到的你太压抑了，试一下把它们放出来，不讲
给我也可以是别人，或别的方式。不会有人伤害你，相信我。
他说得很认真，我于是认真听着，无法说不。于是说好。
他说他过几天要去德国做画展，希望我能好好照顾自己。我亦说好。
真是奇怪，从始至终，即墨说什么，我都受控般说好。从未说不。
道别过后，那天的我像个梦一样飘上楼。

15：13
先是白日梦。

躺在床上，辗转反侧，百般想象。即墨与我，或是一段注定的缘分。人与人之间，但凡可以强烈吸引，必然有某种暗流是相通的。

想罢又否定，他这样的男人，早可以熟练地导演一个故事。他已经不再需要故事来丰富自己的人生，所有人的介入都是插曲罢了。

镜花水月的事，不要再执。我提醒自己。

15：14

入睡后，竟真的做了一个梦。

一望无际的竹林，有风吹过，有火燃起。

风火吹燃的同时，也吹燃了一个多情的女巫。

十六

16：1

一个正确的结论，未必能把我们引到一个正确的方向。

认识即墨时，是我做传媒的第九个年头。

一路过来，采访，写稿，升职。恋爱，写作，出书。喝酒，交友，看各种演出和话剧。在快乐与悲伤许可的范围内，尽情繁华，无所畏惧。不必对一切进行选择，也不需要选择，因为它不会以别的形式发生，都已定好。

不想过去，不忧未来。那些年，我很自在。

16：2

无为时，恰恰是有为的最佳时机。那时杜拉拉还没有兴起，我就早她一步勤奋了，所以我没有跟上司搞一夜情，也很快升职成为主编。收入稳定，忙碌充实。

假如，我不是我，而是有着一名星巴克服务女生一样的梦想，就暂且可以把我定义为某种意义上成功了。很遗憾，我是我。

我开始不快乐。

一个创作者的快感被抹杀，变成一个需要心机而不需要创意的管理者。创作工种与技术工作的差别显然是非常大的。技术在于熟，创作在于新。我对日复一日的流程越来越娴熟，生命却越来越干涸。

每天指纹打卡，大量的会议。把投资方的脑袋洗了又洗，没完没了地阅稿，审了又毙，毙了又审。日平均工作十小时以上。那间高高的集团大楼里面，上上下下穿梭着无数个杜拉拉式的人物，努力奋进，视生活与休闲为生命的耗费。

这是一个大的传媒集团，办公室看上去像个气派的网吧。到了夏季，每当我走进办公室，看到团队里那些年轻貌美的，露出排排乳沟的女编辑们，对着电脑，面如菜色，沮丧至极。

我曾经像她们，如花。花是好花，一凋谢，便不是好风景。

饱受多少摧残，我走成今天的我，却依然身陷火海。

也无可抱怨。人是什么状态，都是自己一手酿造。

许巍在早年唱——这么多年你还在不停奔跑，眼看着明天依然虚无缥缈，在生存面前，那纯洁的理想，原来是那么脆弱不堪。

一只热爱飞翔的鸟就这样被囚禁着。只因我曾勇敢，无所不为。可是两年的腐朽气味，使得那时的我，似是穷途末路，到了极致，别无他途。

对于一只没有翅膀的鸟来说，没有资格与理想对峙。

一个总行在高处的人是危险的。总是在想人生精神和灵魂之问题的人是悲哀的。

那些精神之徒，尼采的孤独咆哮，卡夫卡的自说自话，梵高的悲剧完结，无一不存在着危险。

我，首先是作为这世界的普通一分子，其次是一个在夹缝中生存的边缘文艺人，再次才是一个患有精神洁癖与被完美主义禁锢的女人，所以，我需要付出加倍的代价才能确认自己。

于是决心把自己逼入世态。

16：3

颠沛流离，疲惫不堪的生活状态，有助于遗忘与忽略一些事情。

有些事在当下之时，企图选择生生遗忘是徒劳的。我试过。用两年时间，把自己关在家里，人变得极其敏感，始终能听见有些东西在体内萧萧作响，却不能看见它们，也抓不住。在没有找到正确的解决方式之前，一切愿望只能带来加倍的绝望。

两年之后，我打开门，走上道路，在牢笼里把自己当作客人。

没有生活。拒绝几乎所有的约会与夜生活。只偶尔去看音乐演出和话剧。不对任何一个男人动情。没有性生活。

由于精力被大量地消耗，屏蔽掉了一切人性里的欲望。

一切，我都接受。没有喜欢不喜欢。忙碌，平庸，克己，无我。

每天早起，沉默地抽一只烟。吃一个橙子，在橙子里吃出清晨的味道。拖着困倦混沌的脑袋，迎着早晨刺目的阳光走进办公室。唯一的调剂，是每天换不同的衣服，配不同的耳环，以肤浅的方式为循规蹈矩的生活添色加彩。

提醒自己，生活不是苟活，生命与生活也是两码事，切莫混为一谈。

所以那时我的全部生活就是工作，像个已经消耗磨损殆尽，却不得不上紧发条的机器。唯自己清楚在我的内心里，存有何等的火热，那样渴望着改变，渴望着新的溪流，流进我干涸的脑浆和生命，为这不安灵魂汇交出新的流向。

16：4

那时候，洗手间是我唯一可以独处的空间。经常跑进去，关上门，呆上两根烟的功夫。在一个狭小封闭的空间，获取内心的自由，定定神，把潦草的魂儿召回来。

经过楼道时，常会见些里面躲着抽烟的人，空时就过去聊一会，听他们发着各种牢骚。我观看着也尊敬着他们。我们都是一样的，都是为了生存出卖着自己的时间与身体，向着死亡的方向快速迈进。

当然，也不排除其中的一部分人会觉得这样很好，起码是文化工作者，在社会上说起来很体面，又可获得一份稳定的收入，所以由此，他们也学会了拍领导马屁的技能。

有人会在午餐时，刻意地与我碰在一起，搞些小关系，打些某某人的小报告。也有人试图悄悄递给我一些小礼物，女人用的化妆品啊，小手链啊等等的。那时候我总是比她们更尴尬。

还有更加啼笑皆非的。有次春节假期归来，我办公室的抽屉里，突然冒出来几包四川豆腐干。伺机，那个四川籍小编辑蝴蝶般飞进来，说这豆腐干有多好吃，特意为我带来品尝。而后表明主题，希望次日的选题会可以给她个小假，她要参加一个重要的活动，为了做出一个更好的选题等等这样的话。此类例子比比皆是。

作为一个十年的媒体从业者，这些我都心知肚明，无非是多拿些红包与好处，或者在外面干些私活。这一点上，我十分体恤每个生存者的不易。只要不影响稿件的时间与质量，便任他们去。

16：5

但遇到有些事情我还是蹩脚。

那些喜欢搞小团队和把勾心斗角当乐趣的人，让我最伤脑筋。一个关注自己内心的人，是不愿花时间处理人际关系的。

姜文有次说，那些在生活中游刃有余的人，是没有时间思考的人。

反过来说，没有时间思考的人，亦不可能成为一个好的创作者。

这是过来人总结的真理。果然，慢慢地，我开始枯萎，连家里养的花也开始枯萎，因为缺失养分。我与它们只得以努力复活的姿态，在赤条条的阳光下半死不活地撑着。

多年的职场生涯，让我确信一个事情。一个公司，不止是业务而已。

16 : 6

相比之下，我更怀念早年的记者生涯。

我坚持相信理想国的存在。

有人嘲笑，说，整部柏拉图的理想国，让人感觉就像是一群没有大脑的人，在一个独裁的、极有性格魅力的领袖领导下过着不循惯例的生活。

这话显然绝对了，因为我们都或多或少体验过理想国的生活。

我做记者那时便如此。一群充满斗志的年轻人，自由，纯粹。在一个乌托邦的理想国中，没有人愿意把精力和时间用来生惹是非，相互攀比着挥发自己的灵感与创意。

大概2001年左右，几乎那时北京有名一些的餐厅和酒吧，无处不留下了这群年轻人的身影。我们的目标，是让选题会在这座城市遍地开花。吃饭在讨论，喝酒在讨论，打台球也在讨论。刚刚盛行的杀人游戏过程中，也曾冒出过选题的点子。

真是过瘾。大家争论时面红耳赤，加班时面色苍白。却从没有人翻脸，也没有人埋怨。

多年过后再次聚首，发胖的发胖，结婚的结婚，不变的是举起的酒杯里，盛满的怀念与真诚。那才是真正的战友，任时光的车轮如何辗过，都不会碾碎朴素而坚固的友谊。

16 : 7

当时办公室是一套公寓，可以洗澡，做饭，还搭了一张床，供加班太晚路又太远的同事就地休息。谁也没觉得这样做有何不妥，甚至男女同事共享一床都心无杂念。发自内心的快乐，有时会让人忽略掉性别。

上班时，办公室的氛围也全然不像现在这样僵硬，程式化。现在的人好像得了失语症，明明座位挨着，却偏要在MSN上谈公论道。一片沉寂。嘴巴的用途，似乎只用来悄悄议论一些闲事八卦了。

我们那时候，每天都很期待上班。去了有人逗乐，讨论穿着与发型，讨论明星与八卦，好似一家弟兄姐妹，热闹非凡。没人在如歌的青春中记起忧伤的模样。

我们的选题都很人文。做过《矫情年代》。做过《英国方式》。

讨论的过程相当快意。有次在后海的酒吧，一个雨夜，突然听到Queen
的《波希米亚狂想曲》，当莫克利唱到——我只是个穷孩子，我不要同
情，因为我来得易也去得易，什么样的风也不再会伤我......我们差点哭
了，于是起意做一个专题《如何成为一名摇滚歌手》。
和我一样热爱摇滚乐的某男同事激动无比，畅谈如何操作，几杯啤酒下
肚之后，最终因为太过另类被否定。于是继续讨论。二手生活。商品爱
情。虽然没有结果，但过程的快感足以治疗失恋的伤痛了。
我们的标题都很敢起。写梁朝伟的稿，取名做：那一道灰飞烟灭的眼
神。写姜昕的稿，取名为：不小心中了爱情的毒。
我们的专栏，约的都是当时很活跃的文艺青年。贾樟柯，张浅潜，黄燎
原，尹丽川。等等。
说起我们的作者，更是五花八门。
印象最深始终有一位，他实在太文艺，太搞，搞得无论我在何种程度的
郁郁情绪下，只要想起他那行为艺术般的行为，都会忍俊不禁地泛起笑
意。
他身材瘦弱，带一副黑边眼睛。长相属于很难描述的那种，不是难看，
但肯定不是好看。反正很滑稽，说不清的那种。而且每次出现，永远背
着一个写有"活学活用"四个大字的军用书包。
某天，他去我们办公室。我正忙着发稿，他坐在旁边，沉默，思索。不
久，问我，哎，我可以用一下你们的座机么。我说当然，随便用。接下
来，他的行为令我崩溃了。
只见该人，先是小心翼翼取过桌上的座机电话，把线拔掉，而后，从他
的绿色军用书包里，掏出一个粉红色座机电话。我十分确信地记得，是
粉红色。然后，把电话线插在他的座机上，开始拨号。
我在一旁眼球快跌落下来，他在这方拨得认真又专注。
更搞笑的事情接二连三。他认真行该事之时，手机响了，慌忙之中接听
起，他与对方的开场白让我们全场笑翻。该青年说的第一句话是：喂，
哎你好，我欠你钱是么？
那个下午，我们笑到直接影响了当天的工作进度。

16：8
那个乌托邦的王国，似乎我们不需要眼泪，不需要羡慕别人的生活，在
自由和快乐中忘记悲痛。后来，持续做了多年传媒，那种氛围一去再没
回返。
世界充满了转折，必须认清这不是一个理想的世界。坚持做一名理想主

义者，只能成为一只哀死的号鸟。包括上述那位典型的文艺之纯粹的作者，也在多年后失去联系，大家各奔东西。

不料在偌大的京城还有狭小的几率。多年以后，一个高级商场，我看到一个身影，满身名牌，正拎了大大小小的几个ZARA纸袋，在布满物质气息的空间内穿行。没错，正是当年背着自己座机电话穿梭京城的那一名。模样没变，黑框眼镜没变，行走的步态没变。永远的身体前倾，仿佛追赶着自己的灵魂。

即使外在包装已经十分不像他，我还是一眼就认出了他。太像电影了。像一个被刻意包装得溜光水滑的角色，因为那些名牌服装在一名文艺青年的身上显得无比怪异。

我张大了嘴巴叫他。他回头看见我，也将我一眼认出。亲切无比。开口问候，依然文艺如初，恍然时光倒转。

是谁说，文艺女青年，最终都会变成物质女。我这个女性还没有被验证，倒是男人先了一步。他成了一名商人，开了一家广告公司。后来再聚会时，他开口闭口已是和钱相关的一切话题。

一个人的蜕变，究竟是妥协还是进步。这是一个世界不能给予回声的发问。过度的思索让人变得悲哀。

总之，世界在变，你在其中，假如不想腐朽，就必须将自己燃烧起来。投身火海之中，不可隔岸观火。

16：9

而到今日，我在感叹着别人的变化之时，大抵别人也在感叹着我。因为我也不可避免地变了。

从那时起，快乐于我，变成了一种并不是非要追求的东西。

在人类所有的情感中，快乐也许是最为奇特的一种，也是最为脆弱，最为易逝的一种情感，也是唯一在其消退过程中不能让人体会到意义感的情感。

因为当愤怒的情绪逐渐平息，我们会唤起一种宽恕的力量。当恐惧被克服，我们也能重新找回自我。但是，当快乐消退后，重回的感觉又是无益的等待，甚至会引发对产生快乐的情景的嘲弄。

许多人活在错觉之中。青年人的错觉是将来十分美妙，成年人的错觉是过去十分美好，两者都忽视了多变的，现在所具有的潜力，所以绝望的个体会大喊，唯一能拯救我的是——可能。然而对于可能，他却可能永远都不再相信。

所以在那个阶段，我认为负性情绪也不啻为一种知识。

16：10

那时的我，对爱情，更是怀有深深的虔诚和胆怯，同样陷入一股强大的错觉之中。

之前究竟发生了什么，使得一个性情真切的女人充满畏惧与怀疑，我没有对更多人谈起过。除了江醒知道片断枝节，即墨是我唯一敞开心扉的人。

他打开了我的心扉，却没有帮它合拢。

再回过头看，旧的痛苦对于更新的痛苦而言，像是被更大的浪头击败的小浪，几乎算不得什么了。经过时间，留下一些似是而非的记忆，也就被新的时光悄然覆盖了。人以为生命不可承受之重时，不过是因为年轻，不知晓人生有多长罢了。

16：11

那时我没有真的难过，是因为真正难过的时刻还没有到来。

十七

17：1

一个人若没有遇到真正的对手，应该学会一言不发地生活。

17：2

就是在我生命的这样一个特殊时期，即墨出现了。

他使我破碎的心，峰回路转。好比一个希望出现在我的生命里。

上帝真是慈悲，安排他来得及时。这希望是一把最好的钥匙，无需用力，轻轻一碰，喀哒，我的心锁便开了。通透宽阔。

17：3

即墨去德国做画展的那些天，我甚至遗忘了他。就结束了一段破碎爱情的女人而言，会在或长或短的时期内丧失爱的能力，以为再也不会爱谁，再也没有快乐的能力，永远地躲在舞台的幕布后面，跳着那支叫做孤独的舞。

对于那个激流暗涌的夜晚，两个灵魂的短暂相认，我有自己的解释。最多不过是酒后，一段恰如其分的消损罢了。与爱无关。

谈爱多可笑。如今的爱，都是寂寞撒的谎。

路越往后来走，我发现我错了。一颗破碎之心的修复能力，比我们以为的要强得多，我们不愿意使用，不愿意挖身上的死角，害怕更新和改变，是因为习惯了自己的软弱。

所以，我软弱地，沉默地运行着生命的弧线。一言不发，上演着与本我背道而驰的角色，一面是唐僧，一面是孙悟空，在自己给自己画的圈里体验同时也厌倦着新的生活。心中的自留地用栅栏围起来，不再随意与人分享。其他地方，随便谁如何开垦，种些五谷杂粮，也未必不是营养。

云终究要幻化成雨，那些繁华而破碎的青春已经休止，现在的现实，这也许是上帝在为我补课。他不是逼我入穷途末路，而是要把我从高处放下来，拉近与社会现实的距离，近到可以看清社会机体上的毛孔和尘垢的程度。我这样想着。

出世与入世，只有达到平衡，才会走得更远。

更远的地方，则永远是在自己之外的地方。

17：4

一个一如既往没有新意的深夜，我加班到最后，直到办公大楼要锁门时离开。

回家。习惯了每次迎接我的，是令人发指的黑暗与沉寂。开门，关门。在黑暗中准确地找到沙发的位置，坐那里沉默地抽一支烟。而后开灯。打开那台毫无想像力的冰箱，它看上去很漂亮，端庄高贵的宝蓝色，里面却永远是冰凉的啤酒与速冻饺子。

一个找不到答案的女人，通常是被各种垃圾吃食与毒素情绪打发着芳华。

而面对这种沉寂与空洞，我也早已接受，不给它增加任何负面的力道。

打开音乐。听Maroon5的歌。他们被称为灵魂放逐者，确切一些说，是新灵魂摇滚。有人称，他们的音乐是红的颜色。狂野，神秘，热情，再容入摇滚力道与灵魂的旋律，一股巨大的红流喷薄而出。听着，细胞就随节奏跃动起来。

打开啤酒，像一个男人一样喝掉它。有悲有喜，有欲有念，都混合于酒精和尼古丁之中。苦的滋味混合起来，也就不觉得是苦了。

这时，一个奇怪的号码打破了这平衡。

17：5

小蓝。即墨叫得自然。

咦，怎么是你。我十分意外。

怎么不能是我？看来你是把我给忘了。他沉着的语速背后，隐着一股挑衅的喜悦。

你不是去德国做画展么，怎么会突然打电话来……我关掉音乐，显然的惊讶，让语序一时疏理不清。

我是在德国，倒是你，听起来好像很意外。

我笑，说，还好吧，不算意外，算惊喜。

简单的对白，暴露了明显的揣测之心。最有趣味的感情都是微妙的，形同这种暧昧之情，一点点惊喜，一点点不确定，再加一点点心照不宣的愉悦。

我也没有在这个话题上继续追问，他亦也没有多做什么解释。似乎一切无需发问与解释。与一个成熟的人交手就是这样。

其实我也懒得猜想，因为它已经发生了，他的电话已经主动打来，这是最真实的。至于他因何打来，打来做什么，背后潜藏的原因，经过时间自然会清晰明了。猜想无意，只会负累，是误会与复杂的开端。人连自己都猜不透，怎会猜对别人。

一场毫无预谋的对话，竟被我们火热地展开。

17：6

他说他的画当下被订出几张，不枉此行，很是开心。

他讲给我听德国的街头和人群，画展的观众与表情。又讲到自己，梦想与无奈，为了画画，放弃了生活。

说着又很无奈，把话题转向我。

说说你，你好些么。上次的样子让人担心。

我说，不要为别人担心，每个人的事只能自行负责。

他笑起来，说，固执的小孩。

这种语境令我在沉寂的夜晚无比温暖。然后不知自己是如何被他一点一点启开，打开话匣，敞开心扉，聊起各自。孤独病，理想病，对爱情的渴望及畏惧。言谈之间，默契的暗流在电流中嗞嗞作响。我们是如此相似。

这让我们都很兴奋。而且我显然比他更兴奋，因为我说的，他都懂。不止懂，且因比我年长，我还生涩的，他已经熟了。我踌躇矛盾的，他早就经历了。所以那种默契的意会之后又被提升的感觉，真是快意。

被理解，被温暖，被启发与教导。我在这样的氛围中十分享受。偶尔严肃过了头，我们会突然把语调低沉温柔下来，半真半假地进行几句不轻不重的暧昧，对此双方都又会意于心。真是够味。

这次我不是酒醉，而是有些迷醉了。

他在那方，则轻叹一声，这世界真美好。

这个词一出，我的心柔软到发痒。咕咚咕咚，啤酒被我一口灌下。

美好，是我用到最多的一个词。懂得的人，一个词便够了，不用费力解释与修饰。只有美好，是最朴素的，最真挚的，最好的生命表达。通过使用这个词的人，几乎可以见到他的心。令我激动的是，极少听到一个不惑之年的男人，还用到这样的字眼。真是温暖。

人到了四十几岁，爱情之事，大都变成了情爱之事。即使有情感，也早就寡淡了。只是情缘，而非爱情了。

而这样一个优质男人，却从国外打来越洋电话，满心欢喜与你分享成功的快乐。我不得不醉。

嘣，开着手机的免提，又打开一瓶酒。

即墨听到，说，你又在喝酒。

我在微醺之中笑出声，用酒杯轻叩电话听筒，说，来，为你的画展顺利干杯。

17：7

那个瞬间，我似乎登至了愉悦的顶点。我确信他也是。因为那般稳重从无急迫的他，也忍不住脱口而出，小蓝，我回北京的时候，你是否可以陪我共进晚餐。

听起来浪漫而不失烟火气。我轻轻一笑，说，好呀。

他的一问，我的轻轻一答，一切都已明了。

四个小时，他的越洋电话打了整整四个小时，只字没提爱慕，使得这情缘反倒沉实起来。

这对我，一个曾在爱中屡次英勇又败下阵来的女人来说，非常受用。在这四个小时里，我这滩静止的死水重新动荡出水花，一波又一波的小水花。悄然收敛的花瓣不再合拢，肆意伸展拳脚意欲盛开。我在酒醉中感觉到，甚至花朵又迅速结出小小果实。

我开放了。

即墨是上好的肥料，营养。我重新活了过来。死而复生。

17：8

最后，他还是说回对我的担心。

他说，看到你上次的压抑，我很不安。这样，给你一个建议，你可以用

文字的方式讲给我，那样会放松些。小蓝，跟你分享的感觉很棒，所以
也希望分享到你的故事。不要太固执，假如它们让你觉得沉重，放它们
出来试一试。
我在这电话这端，沉默了一瞬，说，好，我试着写给你。
我没有能力拒绝他，从开始到结束。

17：9
日后，越来越被证实。即墨，他是我的药。是解药，也是毒药。
我没有选择那最好的，是那最好的选择了我。
你让我如何不为这恩宠感到心灵颤栗。

十八

18：1
日子的虚空被填充了。
我开始数算，即墨归来的日子。那个晚餐是否浪漫已经不再重要，重要
的是，我重新感受到了生活的美好。
不是每个人都具备让一朵花开放的能力。
再开会时，无论编辑报的选题如何不尽人意，我也变得和风细雨，弹性
十足。穿梭在那间犹如大网吧的办公室时，如沐春风。耐心地讨论，应
付一个接一个的会议，帮助编辑联络采访，与他们聚餐，在餐桌上大
笑。能量充沛，不再疲倦。
一个女人若遇到一份恰当的爱情，被激发的能量，胜过自身多年来积蓄
的能量总和。

18：2
我开始重新打扮自己。
注意吃食。修剪头发。布置房间。为阳台上干枯的绿植浇水，修剪。明
显感受到它们的饥渴，心中愧疚。买了新的床单被罩。在房间继续添些
色彩艳丽的柔和毯子，垫子。柔软的一切。
在卧室的门上挂一条漂亮的紫色帘布，两半分开，中间是一轮洁白明
月，宛如月从海上升起，我则在海中畅游。
我在一个月亮圆润的夜晚写下一封长长的信。说是写给即墨，不如说是
与过去的自己告别。
晚风吹过，房间的柔软舒适令我不再严重失眠。甚至在某个瞬间，重新

热爱自己。

过往的孤独寂寞，磨难艰辛，似乎都为这一刻的到来做着预备。那个曾经清高华丽的年轻女子，曾经那般完美，挑剔，在承受了那么多自制与担当过后，终于迎来了一个希望。

不是因为对即墨报有希望，而是感受起来他像是一个希望。我的生活太需要希望，任何貌似希望的东西都好，只要可以破除那陈旧腐朽之气息。

这希望缓解了我的沮丧，使我觉得，我还有热爱生活的能力。使我觉得，我要的爱情，也许还活在世上。

尽管只是也许。

18：3

即墨终于归来。

那是一个霞光满天的黄昏，这个强大而光明的男人在我面前出现。带了一瓶德国牌子的香水给我。蓝色的瓶子。他说，看得出你喜欢蓝色。

我心中惊叹他的细腻，却佯装平静，只是简洁地道谢。若是彼此懂得，最好的方式便是体会，享用，而后给予营养和微笑，这样就好。无须发言。

他带我去吃泰国菜。这餐饭并无特别之处，只是闲闲散散地聊天。由江醒开始聊起，他们是如何认识，打牌时江醒总是输，慨叹着她与河的爱情。又蔓延到我们在艺术圈共同认识的一些人。这些普通而毫无特征的行为才真正令人迷惑，就像一个相貌平凡的人最难以辨认一样。

陌生又熟悉的两个人，普通又不普通的一顿晚餐，两种因素使得我根本没有吃饱，其实是几乎没怎么吃。那时我就知道，自己有些在意眼前人了。

有许多我不够在意的人请我吃饭，我就吃相狼吞。与他们费力地找着各种话题，交谈天气，电影和旅行，激发不起任何荷尔蒙激素。果腹之后倦倦地离开，毫无回味。无论他们对我有着如何的热情与想象，我也只能视之为中性的友谊。

精神化活动不足，男女之间很快就会视同陌路。

18：4

而我与即墨，却形同一对为了寻找对方而迟来的，又注定要遇见的人。

他送我回家，驾驶着昂贵结实的汽车，载着我行在宽阔平稳的二环路，心中没有丝毫的颠簸。

行止楼下，他竟没有任何突兀地，停车，锁车，像回自己的家一样自然。把手放在我肩头，上楼。手掌温暖，怀抱宽阔。

一个有灵魂的人，无须像那些徒有空壳躯体的男人，为想得到一个女人费尽心机。有人用的是手段，有人用的是心，这个差别极好分辨。

在我有限而又无限的想像力中，从未设想过会遇到这样一个男人。好比一种自然现象，好比微小的尘埃颗粒由于静电抱成了团。不可逆转，除非静电这种自然现象消失。一上来，就不想离开他了。

越是生性孤独的人，越是需要对手来欣赏他的孤独与美丽。这一点，我想即墨也一样。

18：5

有了一个男人的味道，我那沉寂到令人发指的房间变得明亮起来。

要喝点红酒么。

他像是发现我的无措又像是没发现地，笑着点点头。

本可以娴熟地开启红酒的我，在这一刻显得笨拙，他接手过来，嘣，红酒的香气冒出来。我手忙脚乱，取来两只最喜欢的红酒杯。那是在一次国外的杯子展览上买回的，上面手绘了几抹闲散的蓝色花朵，一眼看见，我就极为喜爱。

倒上两杯，红色的酒映着蓝色的花。杯盏晶莹。

坐下来，还觉僵紧。转身打开音乐。Anguun的声音，使人分不清红尘深浅，唱得生灵茫茫。

做完这一切，我不知道该做什么了，就只好坐在对面的沙发上望他。

忍不住想问些什么，却担心话一出口又显得冒失。我知道自己的弱点是太直，于是时常警醒学会克己，避免追问。智慧的人只需观看，无须发问。

能控制自己情绪的人，比能拿下一座城市的人更伟大。

实际上那情境也不该被打破。随着Anguun附在耳边一样喃喃地唱，房间里有种气味在弥漫。那不是荷尔蒙的气味，而是美好自在的情缘味道。松弛，诱惑，却隐隐颤栗。

18：6

他先开口，说，你写的信我看了，谢谢你对我的信任。

我嫣然一笑，说，我该替那些悲伤的故事谢谢你，终于有一个人愿意认识它们了。

他哈哈笑，说，那好，不要对彼此感谢，就对生命感恩吧。感谢上天的安排。

小蓝，他继续说，读你的故事有些不忍，因为太真。这种品质很难得，但我想说的是，真也要适时适度，斟人酌事，把握不好，好姑娘就变傻姑娘了。唉，说着他一声轻叹，看你这样我很担心，可没办法，人总是折腾过后才明白真理。

言外之意，他是经历过大把故事的，也显然已经放开自己。然而那些故事是什么，他只字没提。直到最后，我们从甜蜜的相恋，到绝望的分开，他的故事，都只字没提。

我呷一口红酒，在嘴里搅动。认真听他说话，有感动，也有感伤。

感动一个男人以这样的形式出现在我的生命路程中，所以才感伤。因为怕失去。

爱情之于我总显得很疑难，通常是以意料的方式来临，然后以意外的方式走开。总像是没有开始就抵达了结束。马不停蹄地错过，轻而易举地辜负，不知不觉地陌路。

18：7

你觉得，你对生命的体验充分么。即墨突然问我。

我沉默一下，刚要开口，他又说，来，坐过来。我乖乖坐过去。他又说，转过去，背对我，这样你会更放松。

在只有一抹黄色微灯的空间里，那是我听到的天下最温柔的声音。他从始至终像个导演，以为身经百战的我，在他面前，则像个从无表演经验的新手演员，甘心听从着他的摆布，内心还发出仰慕的惊叹。

所以一上来我就输了。我的爱恋与执着，他的善意与自私，一切隐藏于感情的弥天大雾中，使得双方都没有轻易露出过痕迹。

我乖乖转过去，背身对他。他沉缓又自然地，双手放上我的肩膀，颈椎，轻揉推动。放在我受伤的位置，停留，轻抚。我在信中告诉了他，他便记得了。

那一瞬间我努力镇定着自己，开口回应他的提问，说，以我目前的年纪与经历，只能说，我对于我的现在来说，是全部的充分，而又是全部的残缺。因为未来的路还长，不知还会如何轮回周转，遇到何人何事，我都期待，也心怀感恩。

好比遇到你，我很感恩。这是命运的安排。我们都要服从。

我说完，闭上眼睛，停靠在他那双温暖大手上。那手可以接得住我的灵魂。它那一刻不再飞翔。

身后传来赞同的气息，即墨轻轻嗯了一声。

然后他说，小蓝，你怎样看我。

为了松缓暧昧气氛，我调侃起来，你啊，太高，不是个子太高，是把自己的灵魂放在了高处，是个追求完美的人，不然，怎会这个年纪还单身呢。人呢，要相信完美存在的可能性，但不要去追求它。那只会让你筋疲力尽。你该把自己放下来，放在地面上，允许自己有缺陷，缺陷才是灵魂的出口……

我不停顿地说了一大口气，说他也是在说自己。突然就被他截断，那好，那我问你，你愿意做我的女人么。

我噗嗤一声笑了。当然应该拒绝，优雅地摇头，不可以。或者挑衅地问，女人是什么意思。可鬼知道那笑里蕴含着什么，在那莫名其妙的笑里竟然冒出几个字，我听到被迷了心魂的自己说了一句，这就对了。

天知道我究竟是在等这句话，还是在延续我的玩笑。

18：8

后来我十分后悔。什么又叫做你的女人？鬼话。什么又叫这就对了？更是鬼话。

只可惜，我已经无法回头重新再问这个问题了。即使问，他也不会正面回答了，因为我过早地暴露了自己。

后来再想，也没什么好后悔。话可以换一百种说法，可事情会因此而发生变化么。即使当时花费心机盘旋周转，既定的事情还是会以另外的方式达成。这样想，也就没什么遗憾了。

总有一些岁月，他不爱你也有人爱你，他不伤害你也有人伤害你。但不可解释的是，与其他人相爱，伤罢还可以复原，唯他，像个刺青，永远地留在了那个位置。

连一向神奇的时间也失效了，在任何一个我们相聚的夜晚凝固了。

18：9

那个夜晚，我们从话题到措辞上都没有刻意，却是淋漓的愉悦。

从一个日夜的交换，我就预料到在接下来的不知多少个日夜，我们都会如此孜孜不倦地交换着对方，对彼此的优点不吝加以赞美。我们的交谈永不感到厌倦。

在早该结束了惊天地泣鬼神的年纪，一个三十的女人，一个四十三岁的男人，迎来了一场出乎意料的爱情。完全是一种全新的体验，不需要太多，已经觉得非常够味了。

爱情的感受也有高峰与波谷，它在短暂或绵长的时间里，会被或感动或愧疚或习惯等各种因素所制约着，但总有一个时刻，纯粹的爱情到来了，没有任何杂质，只有爱情本身的面目。哪怕只有一个瞬间，也会在你的心中一生镂刻。

那个夜晚，这种感觉光临了我。

我从一颗蜜糖融化于无形，我庆幸着自己遇到这样的一个灵魂伴侣，像不小心遇到一颗高速的流星，划过内心的深处。飞翔弥漫，没有归属。

人有多少幸运，可以在理性与激情之间体味着真正的爱情，体味这之间的感动与感伤。然而某个瞬间，我的理智突然就占了上风，毅然起身，从沉醉间抽身而出。

经验让我心怀胆怯，从爱情来临的那一刻起，它正意味着告别。靠近只是分开的开始。

然而即墨也起身，轻轻拉我入怀。我试着推开，却像团棉花，揪揪扯扯推不开，于是试了两下就不再试了。像个脆弱的丝，一下断在他怀中。

巨大的生之愉悦迅速掩盖了所有真相。

入他怀中，眼泪就又流出来。奇怪自己，平日里的坚定强悍，怎么在他面前都变成眼泪。

原来是遇到一个懂得的人，就再不想玩捉迷藏的游戏，所有苦楚，委屈，感动，与爱之源泉，全部赤裸裸暴露。

18：10

即墨的拥抱，使我那满是褶皱的心，被一寸一寸烫平。烫得我心魂不定。

那双划过我身体的手，像是在为我的灵魂松绑，柔情蜜意，百转千回。令我恍生幻觉，原来是他。原来这么恰当，等也等过，心凉也凉过，终是没有荒废。好在他还是来了。

我伏在即墨的肩膀，泪水喷涌。想，即便这个拥抱过后，天亮过后，他转身离开，犹如陈升口中的自己，一个永远找不到的爸爸，都值得了。

不是每个人都可以如此幸运，遇到一个灵魂如此契合的人。

即使明知他不是你的，你也做不到抗拒。能做的，只是为他消耗岁月般地耗去青春。这是任何一个女人在爱情里遇到死穴的表现，无人例外。

都是自己的事，不必要让他知道。

我迅速毫无声响地擦掉眼泪，回过身来，冲他粲然一笑，热烈的光辉，顿时照得幽谷灿烂。男人最不爱的，是女人的眼泪。

即墨敏感，似有感知，想紧紧抱我，又担心不小心会弄疼我。他轻抚我受伤部位，那条骨裂过的脊椎，说，没事，都过去了。小蓝，你很坚强。

他的抚慰，仿佛是夜里星辰的手指摩抚我的梦魂，不是发自肉身，而来自精神世界的源头。

那么不要怕吧，不要怕那不真的幻影，从夺取你一切的所有的人那里，领取你最后的礼物吧。旧的夜晚过尽了么？那就让它过尽了吧。

激越的魂交与长久的抑郁在顷刻间交集，此时的我和即墨，两个孤独太久又意外相逢的灵魂，从对方身上看到光亮的出口，再也无法各自独立成两个。那是一个凹字，终于遇到了一个凸字。骨肉相逢，百般契合。

18：11

激越之中，我脑中出现他的一幅画作。两具交相缠绕的身体，退却而又无法退却，结合而又无法结合的纠缠，不见表情，只有疼痛。

我平生第一次抵达了心理高潮。那一刻，我感觉自己灵魂升空。清晰地感知，疼痛与快感的感觉如此接近。

18：12

不经意间会碰到精神里的骨头，才是真正的对手。

自从有了关于即墨的第一次记忆，我越是想多记住一些，越是迷失在其中。

对于我目前的全部人生来说，那个夜晚都值得回味。以至此后的所有时日，都成了那个夜晚的囚徒。

十九

19：1

我写给即墨的信很长。是这样的。

19：2

即墨。

我该怎样为你讲述呢。

女人的悲伤一定与爱情有关对不对。是的，在这一点上，我可能比所有女人都傻，时常想，没有爱，怎么活呢。

年轻时都是这样，炽热如火，娇嫩如花，因为缺少雨打风吹，对世界保持着好奇与勇敢，什么都妨碍不了我快乐，我恋爱。那时真是好。

只是比较要强，固执而骄傲。好像一个喜欢糖果的小孩子，望着橱窗里

面却始终不肯说要。不轻易接受一个人的帮助与馈赠，也不肯轻易认定
低于什么人，所以一直一直很努力地工作，以此来壮大自己。出了些不
值一提的小小成绩，稍有安慰。而后来的感情部分，却由敞开的院落，
变成封闭的城堡。

因早年太像个战士，也如同无所畏惧的小兽，每次爱都像不会受伤一般
热烈。热爱艺术的我，把爱情也谈成戏剧，一出出，一幕幕，都精彩暴
烈。当时不觉得伤，后来才觉得疼。

都是代价。

这些部分，我无法一一讲给你听。相信你也如是。每个人的青春开过
花，自然也就中过毒，在无处安放的时期挥洒着自己。从没遗憾过什
么，都很好，很精彩。它们给了我充分的营养，让我熟成一个丰满的果
子，不再像一个少女那样吃进去满口苦涩。

19：3

即墨。

我想讲的却不是爱情本身。有些故事听上去像是爱情的事，却给人带来
伤悲的人生。

我想说的是选择。

一个选择，决定一条道路。一条道路，到达一方土地。一方土地，开始
一种生活。一种生活，形成一种命运。

人一旦做下一个错误的选择，它便像一个毒瘤，扩散，蔓延，直至侵蚀
你整个人生。

可你也知道，有时人一旦上路，即使明知是错路，也丧失了中途喊停的
能力。尤其往往越是在逆流行驶的时候，越是只能拼死一战。当然，出
发之时我们并不知道路是错的，反而还会以为对极了。我遇上那个人
时。喔，那个人，暂且称作他吧。认识他时，我就以为对极了。没料一
始不终。

说起来都久远了，远到多年前，可是我必须要讲，是那个因，才造成如
今的果。由此带来的一系列变化。我不再是从前的我，变成了你眼中所
谓的不快乐。

大概凡事开不得头，一旦开头便有了重复，重复变成习惯，习惯变成熟
悉，熟悉的气味里包裹着某种自我惯性的情感，这时，事情就由不得自
己了。

19：4

即墨，耐心些，我讲给你听。

如果当初把它定位成一段艳遇可能是好的，适可而止。错误之所以能成为错误，是因为人对欲望的过度追求。

他从英国回来，我们在青岛的海边相遇，一见钟情。

像是我少女时期的一个梦。高高的个子，英式的影响与气质使得他在海边的人群中一下凸显出来。我在黄昏的沙滩上捡贝壳，他看见，捡了各种色彩的过来，放进我的瓶子里。他爱抽烟，不爱笑，看起来很酷，狂野不羁，不谙世事的我像是看到像汤姆克鲁斯一样，心怦怦跳起来。

极巧，他也在北京工作，我们又恰是同行。他任职一家双语杂志的主编。

那时的我年轻得像阵风，吹来吹去，对一切充满热情与激情。我不认为那时有几人比我更快乐。所以，与我同伴旅行是件极为有趣的事。我们一同玩了几天，双双回到北京。开心极了。

回来之后，没有任何表白和约定，我们很自然地就好了。

你知道，我总是不禁被这样的男人迷惑。高大，不羁，浪漫而又捉摸不定。不解的敏感，想要探知的欲望。

他有时想念在英国的吃食，我们就满北京城地找。他会在吃饭时突然与我接吻。我们偶尔也去跳舞，他引起许多女孩的注意，那时他就转身用眼睛跟我说话。我光看那些女孩嫉妒的眼神就很满足了。他忙时，我就帮他做些稿子，熬至凌晨，拖着疲惫的身体继续自己的工作，神经却亢奋不倦。

由于在英国多年独立生活，他做得一手好饭菜。周末时来我这里，做饭，吃饭，看碟，聊天。回想起来，他的身体相当性感，那时都顾不得享用。一个年轻女孩是不贪恋身体欢愉的，精神之花开满全部心房。爱情不染庸俗生活气，是一个正值恋爱年华的女孩迷恋的方式。

他喜欢CK香水，大黑瓶的那种。与烟草味，雄性气味混杂一起，以致我对那气味深深着迷。至今，我的香水架上始终都会放着一瓶黑色CK。

梦轻轻一个翻身，就从梦里翻过梦外。我的爱情来了。这是一件多么令人兴奋的事。

与自己梦中的人相爱，体内是有声响的。我时常能感觉到有股愉悦的水流淌在体内，哗哗哗的，泉水般，很解渴。

那些日子，我欢欣得像朵盛开的小花，为爱情疯狂开放着。

19：5

他知识渊博，从古到今，逗得我花枝乱颤。给我讲些英国留学的经历，看在英国拍的黑白照片，那些画面让年少的我怦动联翩。

我说不如我们在一起吧。我指的在一起，是搬到一起住，一起生活。他说，他多年独立生活，习惯了拥有自己的空间。并不过分，我屈从。因为我也一样。

有时几天见不到人，我问他，他说出差了。回来后，就变戏法一样掏出礼物给我，我又重新欢喜地盛开。

我们就这样延续着，交往着。

直到一年之后，他告诉我，他有事要回老家了。一个电话简单的告别，就没有了音讯。我难过至极。

后来从他的朋友那里得知，他其实已经结婚。妻子带着刚出生的孩子，守在老家。

这是什么事情呢。我有点蒙，不可置信。

不过年轻时的愈合能力还真是快，我醉过几场，事情也就过去了。

年轻真好，心是完全是敞开的，不会定睛一处，各种人事都有可能吸引我的注意力。那时我就职一本娱乐刊物，正风风火火体验着演艺圈的丰盛。联络，采访，写稿，出刊。看演出，参加PARTY。走路带风，神采飞扬。

很快，便与一个歌手相爱。那个故事是个好故事，有机会我再来与你讲。

重新以一个女战士的勇敢热烈，拉开幕布，迎面走上舞台。

19：6

即墨。

你是否看得累了。请耐心些。

这个故事开始不像开始，结束不像结束。在我三十岁之前，人生始终以被动的姿势向前滑行，我像个痛苦或甜蜜的尾巴，被长长地拖在后面。

在我与歌手进行甜蜜爱情的时候，他突然回到北京找我。我一阵痴怨，怨他欺瞒，狡黠，不忠。他没有急迫地做任何解释，只告诉我说，他离婚了。那是一段他出国前就该结束的婚姻，他回去就是处理此事。告诉我太早，倒不如处理清静后为好。

纵然有了欺瞒，但理由听上去也无懈可击。我说我现在不能爱你，我不能像你背叛你的妻子一样，背叛我的男友。

他说好，应该这样。你是个好女孩，善良，纯净。我祝福你。扭身离开，几天之后，告诉我他回了英国。

这个要强而倔强的男人，从不低头做勉强之事。

假如事情到此结束了，也就没有什么看头了。两年之后，他阴魂不散地再次出现了。先是打了一个电话给我，说想回北京。其实是在试探我的反应。

巧极，那时我刚与歌手分手不足一月。我猜想，在异国的生活是艰难的吧，否则怎么会令这样一个坚韧男人如此难为。我说好吧，你回来。

我愿意重新接纳他，是清楚自己的那个少女梦还没有醒。需要完结。

他熟门熟路，来到我家。因为心高，他一时没有合适的工作，就每天为上班的我买菜做饭，在家上上网看看书。我像头小猪一样被他快乐地喂养着。我重新喜悦起来，以为安定了，稳妥了。

纵使对他的欺瞒与现状也有不满，却想，日子就这样过下去吧，轮回周转，重新能在一起，大概，我该与他天生一对。

他这些年的积蓄，离婚时全都给了前妻。我体谅到，生活的吃住开销不用他来分担，我有不错的收入，也倒没什么埋怨。可男人的尊严使他变得焦虑不安，俩人的关系变得敏感起来，奇怪不可言说。

那时我不懂，男人，总要强过女人一头，才可以确定自己性别的。后来遇我朋友办了杂志，需要人，就说，你不妨先屈就，再找机会重新来过。人总有波谷一时。

他考虑后应诺。人也变得不如从前那样开心。略显颓沉。

19 : 7

即墨。

男人究竟是多么贪心，果真不可一日无权么。就在我以为日子可以相安无事时，不曾想，却迎来了一个爆裂的结果。猝不及防，让我完全没有接受的能力。

那天傍晚，他打电话回来，说有朋友来北京，要陪对方住酒店，今晚不回了。我正开会，问了大概住哪里之类的，就顺口答应。回家后再打电话给他，关机。女人的直觉，提醒着这事不对，他刚回北京，哪来什么朋友。

那天下雨，窗外电闪雷鸣，我心头乱撞，如何都不安宁，总觉有事。一遍遍打电话给他，关机。事情经不起执著，一执，便是要撞进死胡同了。

后来实在耐不住，于是起身出门去找他。电话里他只说在樱花东街那边，具体哪家酒店并没有讲。此时女人的斗志被激发了，她们是天生的侦探，最好的真相破解者。

不是蛮缠，是因为爱。她们是最敢爱的人，爱得起的人。这一点上，男人真的比不起。

那斗志让我一时丧失理智，下楼打了个车，直奔樱花东街。开始还撑一把伞，后来索性扔掉，淋得湿漉漉的，从第一家酒店开始找起，小旅馆也不放过。

不知该感谢还是责怪上天，以他名字登记的那个房间，竟然被我找到了。

当我淋得湿漉漉的出现在房间门口时，是一个极其爆裂的画面。他站在门口，显然是蒙的。房间里一个女人，穿着睡衣，端着一杯红酒，望着突然出现的我不知所措。一时无人反应，谁对谁都发不出声响。

我写小说，都不屑于编造这种情节。太过卑劣，却发生在了我的真实生活。不曾想我的梦，是被这样击碎。

我不知道自己站了多长时间，血液似是顶撞又似是凝固的。视线从清晰到模糊，又从模糊到清晰，定定看了看，看到他们正在喝的红酒，面无表情，走过去，拿起酒瓶，狠狠往自己头上砸了下去。而后，知觉全无。

习惯了伤害自己的人，都是恨自己太过真诚的人。

醒来的时候，我躺在酒店的床上。地上和身上，血迹混着红酒汁液，触目惊心。他像头战败的狮子守在旁边。另一个女人不见踪影。

我看到他，看到自己的头被毛巾包扎着，歇斯底里叫起来。他按住我，抱住我，一言不发，两眼通红。

19：8

即墨。

你能理解么。现在的我可以理解，也不会去找他。那么愚昧啊，有时不清楚真相，反而是一种幸福。何必留一个大伤疤给自己。

他倔强，极不愿意解释。就像当年不愿意解释他已婚的事情一样。三言两语，说这个女人答应给他一笔投资，他不想过现在的生活，无法接受自己失败，所以出卖了自己。

他说，清汀，你真傻，不该来。有些事情只是一时，不知道，也就过去了。我做这事，不是为我，是为我们。

不知是因为酒瓶的撞击，还是听到他如此的言语，我内心翻涌着想要呕吐。我想任何一个女人，都无法从这样一个蹩脚的解释中得到任何慰藉。即使他出言为真，我又怎会接受男友出卖自己来换自己的未来。

多么难过啊。一名女战士，付出几年青春，张大眼睛，守着那个梦，拼命给，从不闹着要。以为心中有爱，就可以改变一切，以为经过这两进两出，坎坷流离，终于熬到一片好景。可他，他反反复复，牵绊我五年时间，换回的却是如此结果。

我几乎疯了。

努力清醒着头脑，想问点什么，可脑子一片空白，什么也问不出来。

除了头也不回地走开，我想不出更好的方法。

他没有拦我。我想，留下的这个男人，大概比离开的两个女人，心情要复杂一百倍。

天微微发亮，雨也停了。我头顶血迹，走在街上的时候，有种向天质问的冲动。然而力气丧尽，身心疲软。回家吃了几粒安眠药，一睡，就是两天两夜。

醒来，发现他已经收拾走了自己的物品，桌上放一张字条，压在钥匙的下面。字条上只写了一句：假如我让你失望至极，也请不要因此而去怀疑我对你的感情，它们从始至终都是真的。

还是如初的倔强，连对不起三个字都没有，恨得我牙根都酸掉了。

19 : 9

即墨。

齐泰有首歌你知道么。歌词中说，幸福是个假象，我还要去为你装模作样，你若要灭我绝我只消无情不用布置这么大战场。

19 : 10

即墨。

年少的爱情，要血肉横飞才有快意。所以请不要笑我。

只是你会如何看待一个勇猛的女战士。现在的我，是这样看的。如果没有打胜仗的把握就草然上场，必定会成为笑柄。可那时，真有从战士到烈士的勇气。

难过归难过，却没有什么怨恨。成长是需要代价的，没有它们，我们不足以成为今天的我们。

只是这次，我代价深重。

现在阴天时，我脊椎三、四节的位置，还会隐痛。这伤不知是否会成终生记号。

19 : 11

在我睡去两天再醒来时，突然就觉得生活不真实了，无法判断发生的这些，究竟是梦还是真。后来确定是真的，是因为我无法继续工作及正常生活了。第一次开始出逃的念头。

那时我刚刚做主编，事业的上升期，都不要了。去单位，毫无解释地办了离职手续，收拾行囊，上路出发。

梦结束了，要做一个了断。女人喜欢给自己一个仪式。

登上去往草原的车也没什么理由。或许潜意识里，觉得辽阔的天地，可以缓解内心将要爆裂的悲伤吧。

出发的一刻是崭新的。那是对不满的生活的抗拒，只有主动上路，才是对自己的真正探索。

我沉默着面容，登上悲伤的路途。心中默念着泰戈尔的诗歌——只管走过去，不必逗留着去采了花朵来保存，因为一路上，花朵自会继续开放的。

19：12

即墨。

你听过葛根塔拉这个名字吧。我浑浑噩噩不知怎么抵达那里。

当晚在一个农家旅馆住下来。遇到几个来游玩的年轻人，大家遂成一体，建议明天一起包车去撒欢，晚上烤全羊。不失为好的建议，反正是孤独。

一大早就被叫醒，我脑子木怔怔地，随着众人，坐进一辆破旧的吉普车。开车的小伙子二十出头，冲动毛躁，为了增加气氛，打开节奏强烈的舞曲，载着一群撒野的人向深处开去。

现在想起来，对我来说，那险些是向死亡的深处走去。

那深处不是一马平川，尽是一沟一壑的坎坷路。其中两个小伙子在音乐与速度的刺激下，来了兴致，要求开快点，再疯狂一点。小伙子受到鼓舞，开始炫起车技。我在后座的中间，左右摇晃，没有支点。

因为神经是涣散的，麻木的。那么就晃吧，疯狂吧。

车越来越快，人越来越疯。他们兴奋到尖声叫起来。直到一个坡与另一个坡之间，车弹跳起来，我由于双手悬空，无所依托，被撞上车顶，眼前黑暗一片，黑暗中冒出一片火花。我惊叫起来，可那声音被他们误以为是兴奋的反应，众人叫得更欢。

然而，又一个坡，车起，车落。我起，我落。再落下来时，身体一阵巨痛，便卡在了车的前后座位中间，昏迷不醒。

一阵慌乱。

后来他们讲给我听，我在昏迷之中，被他们拉到四百里之外，才终于找到一家可以拍X光的医院。我浑身瘫软，痛到无力。只听到有人说，脊椎骨裂。

我的旅行，甚至没来得及上路，便被迫中断了。他们找了一辆十二座的金杯车，用绳子，板子，把我固定在中间，以免颠簸加重骨头错位。

就这样，在我离开北京的第三天，以比出走时更难堪的姿势，重新被运回北京。

我欲飞翔，可刚一升空便遭遇断翅的劫难，就这样重返更加痛苦的囚笼。

19：13

即墨。

命中若是注定揭开戏剧的哪张幕布，我们无可预测，也无力更改。

以为只有柔软的心是易痛的，没想到坚硬的骨头更痛。

上帝给了我更真实的疼痛。那时我还没有认识上帝，可他用了那样一种方式，作为我永生的警醒，让我知道，路可错行，情事不可妄为。

19：14

即墨。

你最爱什么季节？我最爱秋天。我把所能经走的每个秋天都看得无比珍贵。

然而在那一整个秋天，我是瘫痪的。作为一个活生生的人，我从未想象过竟有一种疼痛是那么那么地疼，直钻到心里去而又无可奈何。

人大概只有在那时才能记起身体的存在。身体在健康时，几乎是被主人遗忘的，只有疼痛才提醒着它的存在。从腰际到胸部，剧烈的疼痛，酸软。吃喝拉撒，都要家人来照应。

一个热爱飞翔的人，转眼之间，几乎是一个废人。

我一言不发，也不哭泣。

彻夜失眠。因为太痛，夜间安静时，更加痛到难忍，就服用治疗癌症疼痛的重度止痛片来缓解。如此维持着。从早到晚躺在床上，望着对面窗口的那一小片秋天。一躺三个月。

第一月抵抗挣扎。因为太疼。是那种让人绝望的，难以理解的疼痛。

第二月绝食断发。躺着进食，难以吞咽，于是开始拒绝进食。长长的头发开始打结，妈妈含着眼泪，一刀剪下去，变成一寸长。它们再也不为自己的好看骄傲了。

第三月沉默不语。所有的挣扎抵抗都做过了，没有什么新的花招了，也就放弃了。从清晨到日暮，没有人知道我在想什么。

有朋友探望我，建议我向肇事者提出赔偿，因为是雇用关系，我又付出了太大代价，赔偿是理应的。不必了，我对这建议一笑而过。

人在那时是丧失了欲望的。唯一的念头，就是不瘫痪就很好，可以像从前一样，站起来走路。真的，足够。

其他什么情事，什么功名，什么赔偿，我都不要。

19：15

即墨。

你可以想象么。我从一动不能动，到别人帮我翻身，到自己可以轻轻移动，再到在别人的搀扶下下床，直到我终于可以自己站立。那一刻，即墨，你可以想象么。

一个爱美如命的女人，三个月没有照过镜子，不愿看到自己。等到那天，终于可以下床走路，惶恐走到镜子前面，看到一个完整的自己。面色苍白，消瘦，凌乱。头发长短不齐，腿部肌肉萎缩，那么陌生，那么不堪。

可是都还在。我是完整的。我又站起来了。

我看到镜子里的自己笑着流出了眼泪。原因只有一个，我还活着。

19：16

即墨。

所以之后的两年时间，我都不去触碰感情。那几乎是令人丧命的东西，怎能轻易触碰。

我花时间来认识自己。宁可兀自独立，也要获取坚定。所以为什么你见我时，说我是不快乐的。我在一个思想的囚牢，对自己都还不够确定，不够理解，一切行为也只能是枉然。世间的陌生面孔来回穿梭，彼此也只能潦倒草草。

所以这就是我想说的关于选择，一旦错误，就要花大量的时间去扭转。

人活在世上，总是习惯给自己一些问题，然后再用毕生的力量，时间，去排忧解难，疗伤止痛。

以一种重新的姿势站起来，搬家，清零，想要埋葬过往。从什么都有，到什么都没有，有解放式的轻松，也有手术后的虚弱。

原以为劫难就这样过去了，以为可以大洁净，不料却是大荒芜。世间无不是一个事物连着另一个事物。

19：17

即墨。

我搬居新处后，把自己与世界隔离开，一个人吃饭，睡觉。看电影，听音乐。发呆。轻轻地行事，小心地生活，生怕不小心又伤到自己。

一不小心，就此复原，停滞了半年时日。突然就发现自己迷路了。整个人开始变得空洞，看不到方向，困顿在原地，徒劳望着生命并与它对峙。这让我很痛苦。

对于一个对生命有着使命感的人，想要朝着梦中的方向前进，然而却迷路了，必然痛苦。

首先所面临的是心理和身体的松弛，其次面临的是意志力和创作力的衰退和弹竭。按照常规来说，人很容易陷入这样一种窠臼。

不想工作。想要写作，可进行不下去。每次照镜子看到头上的那块疤，后背的脊梁便一阵疼痛。那时我就明白了，无论你怎样描述生活，小说都不会比生活本身更加曲折离奇。或者说，无论你把小说表现得怎样混乱，怎样不合理，都不会比生活本身更加混乱，更加不合理。

你看，我的身体恢复了，心却又病了。

许多人吵闹着要获得自由，当自由真的降临于你，是否能够撑起这一份松散的，气流般轻飘的重压？

天下最不值得怜悯的败事，便是还没有获得盖世武功，却要匆匆投入战场。

而更不值得怜悯的事，是还没有认清岁月的模样，便独自决定关闭了岁月。

嘿，精神之徒都是这样逐渐成长并通达起来的么？我不得不对自己充满嘲弄。

19：18

即墨。

精神的执真是个害人之首，像块沼泽地，越挣扎，越深陷。成事不得，也安宁不得。那时我日日夜夜，天地孤绝。封闭了人群与自己的关系，作茧自缚，围困其中。

所谓一个人就是一个秩序。我开始乱了秩序。

那种无边无际丧失任何制约力量的闲散，把我完全地消融，吞没，令人抓狂。心依旧尖锐，它执著在每一点上，却并不活动。每天在极度的自我责备中昏昏睡去，第二天在一片茫然中毫无支点地醒来。

就放弃了。一心只想，好吧，不再做什么抗争，把自己扔于孤独的明澈之中，耐心等待真相的浮现。

19：19

即墨。

感谢神。正是在我穷途末路之时，神拣选了我。我被宗教填充，成为一名基督教徒。

感谢神。我在困苦中，你曾使我宽广。

我每天跪拜下来，完全摆在主的面前。我说主啊，你看看我，你看得清楚，究竟是什么在做我的魔鬼。你亲手埋葬了旧我，使我不再骄傲，冷风刮过胸口，我愿意在你的面前谦卑下来，把自己当作活祭摆上。你究竟还要如何试炼我，让它们统统来临吧。

我开始认清这世间的残酷。关于爱情，早已混淆不清，谎不可辩。我已放下。而现实，却也这样锋利逼人，没人可以在它面前撒谎，这种赤裸令我难堪不已。

歌者也如是唱着：是谁给我戴上银甲，世世都不得解脱。是谁给我捆上银锁，一生都不容于水火。

我说，神，求你更新我，怜悯我。赐我生路，抵达光明。

恳请你垂听我祷告，让我与你在复活节相见。

19：20

即墨。

你相信神灵的存在么。信我们都是有罪的么。

我信。我不得不信。

他拣选我的那个过程，是我人生中最为奇妙的经历。

容我在这里多说一句，上帝拣选每个人，并不是凭照个人愿意，而是根据他的时间表。看到这个孩子，是时候到他的怀里安息了。经了苦难，走过错路，该是明澈的时候了。

人们口中常说的，上帝让你承担的，都是在你所能承担的能力之内。不是一句枉话。你看到我现在所为一切，去接受自己不喜欢的工作，是接受神的安排。

至于红尘扰攘，我选择退后一步。终究做不到放弃，只能暂时放下。

不快乐，是自己的境界不够。与神无关。

19：21

即墨。

我遇到你。

不知神的旨意何在，我不去揣测，也测不透。

感谢你，让我今天把这些心怀意念讲出来。它压在心里太久，在我心里几乎发出腐烂气味。谢谢你让我放它们出来。

但是我知道，未来还有许多许多的试炼，不确定，我必将继续在岁月中潜行，直到与自己和解的那天。

故事太多，无法一一说尽。不能再写了，太长了，你会看得累。

祝你在德国的画展顺利。

你是一个很特别的好人。

小蓝　于北京

二十

20：1

在大理的日子，简单实在。

医生嘱咐，服药期间，要多晒太阳。云南的太阳一如我曾经的爱恋，热烈灿然，它们把我晒得黝黑，看上去健康茁壮了一些。

人却还是易倦，慵懒。我查了大量关于抑郁症的资料与个案，看到很多人花上三五年的时间来放松，治疗。我从中得到些许慰藉，也不再过于自责逼迫自己。若在这一关垮掉，未来还有什么希望呢。

就松散着性子，去街上走走停停。看到色彩艳丽的衣服和首饰，还是忍不住想要购买，尽管它们被关在衣橱里的样子是那么相似。累了坐在路边抽一只烟，观察过往的人群，有时会在心里给他们编一个故事。

也不再急于强迫自己快乐。几年来接二连三的事，给予我的最大收获，是平静。

周日去教堂做礼拜。由最初的赎罪与哭泣，渐渐变成高声的歌唱与赞美。

有时跟简一三去酒吧演出，或者看他在桥头打手鼓。我守在旁边，像个迷路的孩子，看他在阳光下皮肤透着光亮，笑容也泛着光。睡眠不好的我，则被阳光照得眯起眼睛。他捏捏我的鼻子，好像安慰一只流浪的猫。

我跟他在一起时最安静，心中宁和。仿佛侧耳，就能听到万物在自然中生长的声音。

20：2

鸟吧是个避免不了要去的地方。那是来自北京的文艺青年们的聚集地，思念北京时，那里总可以找到朋友，或者朋友的朋友。

一个周末，简一三去那里演出。一个当地歌手先上来暖场，他没唱自己的歌，唱起许巍。《故乡》，《方向》，《我思念的城市》，一连几首。这些歌对于热爱许巍的人烂熟于心。于是酒吧里的游魂们自发地合唱起来。

你是永远向着远方独行的浪子，我是那茫茫人海之中你的女人……

这首《故乡》，我曾一遍一遍放给即墨听，不知他如何意会其义。只是说，我们就是我们所占有的东西，我们也是我们执著的那个东西。

歌中有情，话中有话。从何时起，爱情变成了一场智力游戏。

如今我走在异乡，遥远的城市陌生的人群，有风吹过也有歌声回荡，任何一种声响，都没能吹走我心中那厚厚灰尘。

无尽的旅程如此漫长。

即墨，你在我的心里永远是故乡。而我，永远再不能归回故乡。

20：3

演出完，简一三背着吉他，我们沿街走回客栈。

南方凌晨的夜温润凉薄，酒吧街上寻欢的人人头攒动。我们绕过繁华，走一条清静小路。走着走着，我突然就想奔跑起来。跳跃，旋转。

简一三从后面追上来，嘱咐我道，你慢点跑，喝那么多酒。

一二三，我停在远处，似是问他，又似是自说自话，你说，那些神经质的，直接的人，那些诗意柔情的人，苦于无法表达爱恨的人，那些有着复杂的善良情怀的人，谁会和这些是一类呢？

他想了想，说，你要相信你自己，也要相信这世界。每个人都不是独一无二的。

我们是一类对不对，可是我们依然不能相互安慰。我点一支烟，在路边坐下来。

听上去像是对简一三质问，实际上是和心中的即墨对话。这个男人几乎封了我所有前进的道路，任何男人都无法超越。我以为我们是那样契合，畅快，以至在他面前放逐了自己，尊严丧尽，经过了破败与大痛，可是最终，却落了个空忆情殇。

我对自己恼怒。世界上有那么多的人，人之中有那么多男人，而我却怎会偏偏走进了他的世界？

20：4

你到底发生什么事，这样不能释怀。以我来看你，不该是不洒脱的人。
简一三的口气里充满好奇与不解。

其实也没什么，就是心里长了一个东西。也不是属于我的东西，可就是扔不掉。

肯定是一个人。

或者，只是一种情怀吧。我吐一个烟圈，长舒一口气。

起初我也以为是一个人，以为就是即墨。到后来慢慢发觉，人其实充满了局限。昨天他可能无限迷人，是一个伟大的希望，一个可以畅游的大海，有些恍然瞬间，竟也觉得那不过是一个小池塘而已。

是我们习惯对自己热爱的人事，赋予了神奇色彩。一旦发现了人的这种局限性以后，就会觉得很没意思，连人生都变得没意思了。

不是情感的反复。别的不敢说，对即墨的爱我从未反复过，一直十分确定。是真的，他的什么我都爱。他的精神他的身体，他的一呼一吸，他的动作和言语，他故乡的任何一则新闻与吃食，我都孜孜不倦地关注着。唯有一点不爱的，就是他不够爱我。自从我知道了这个真相，疼痛的感觉就成为了我体内的一部分。

往往都是事情改变人，人却改变不了事情。从那时起我就一边往心口捅着刀子，一边为自己尝试各种各样的治疗。

那不是伤害。没有谁能伤害谁。那是痴。痴是看不破，带着无限哀怨，它只肯，葬身一处。

痴让人懂得原谅了他人的苦衷，从而难为了自己。

苦于无法表达爱恨情仇的人就是这样，轻信，容易原谅，擅于发现每一个人的动人之处。每个敏感的神经脆弱又多情，很难留下什么怨恨，那美好有足够力量，令我们制心一处，懂得什么是爱，什么是偿还。

20 : 5

我跑回简一三身边，拉他在路边的石阶坐下，嚷，拉开琴包，取出吉他。说，你弹许巍的《故乡》给我听。

简一三笑笑，熟悉的前奏响起，我大声与他唱和。

——天边夕阳再次映上我的脸庞，再次映着我那不安的心，这是什么地方依然是如此的荒凉，那无尽的旅程如此漫长。

——我是永远向着远方独行的浪子，你是茫茫人海之中我的女人，在异乡的路上每一个寒冷的夜晚，这思念它如刀让我伤痛。

没有比这首歌再适合我这个痴人的了。

再唱，就被我改了词，互换了角色——你在我的心里永远是故乡，我总为你独自守候沉默等待。

——总是在梦里，看到自己走在归乡路上，我站在夕阳下面容颜娇艳，那是我衣裙漫飞，那是你温柔如水……

我边唱边起身，扯起衣裙，随音乐舞蹈。像只断翅的蝶，歪歪扭扭。

用尽力气地唱，唱到跟不上旋律。大笑。唯独不说悲伤。再不想说。

像个孩子。倔强的孩子。内心充满了爱的，聋哑孩子。张开双臂奔跑。旋转。舞蹈。

默默地，奉献给你我所有的美丽。唯独不说伤悲。

就这样倔强地坚持着。在坚持中等待毁灭，或是老去。

即墨。我的君王。我永远不会亲口告诉我，我曾有多少日夜，奉献给了你。

总有一天，总有那么一天，或许是你头发花白时，你才知觉，因为失去我，你有多遗憾。

因为在这世上，没有人比我更爱你。

简一三拨弄着琴弦，边弹边即兴编起蹩脚的歌词——有一天，我遇见一个傻姑娘，她长的好看却很悲伤。爱情真的不值当，它像颗子弹穿越人胸膛。傻姑娘受了伤，却还在她的爱中想象……

那声响与落寞，随着吉他的音符，朝向无尽的天际奔跑。没有回还。

20：6

有时我们眼睁睁看着回忆从身边走过，回到他们爱人的脑海里。

爱是一道光，如此美妙。对于爱，我不会在意任何人的嘲笑。

21：1

我与即墨，曾经百般欢愉，炽热与爱情交手。

我娇嗔地唤他作墨叔叔。墨叔叔，你可知道，一见到你，我就要开得要凋谢了。

他说哇，谢了不好吧，要慢慢开，等等对方才是。

21：2

人在枯萎时，最好就是遇到一段适时适量的爱情。爱情是女人最好的养料。而今我的养料如此充足盛大，怎能抑制不让它开放呢？

即墨的界入，在我黯淡无光的生活中，及时地打了一针兴奋剂，灼灼生辉。每天工作十个小时还神采依旧。老板哭笑不得的脑震荡会，我听得趣味横生。编辑的稿子混乱不堪，我耐心从头改过。

爱情匮乏的女人就不同了。无论如何妆扮，都无法掩饰倦怠的神情散神的眼，浓妆艳抹也遮盖不了出骨的寂寥落寞。夜再清澈，月也是残缺。

所以，那段时间，我生命的作用发生了变化，它不再是用来解决问题，而是用来享用爱情。每天像个新娘，等待着即墨的电话，与他的约会，交谈，缠绵。他如是，与我缠绵悱恻。

我们的相逢似乎迟到了千年，使得彼此的生命涌起更高的浪花。起了又落，落了又起。

21：3

我们都热爱大自然。

一个热爱大自然的人，必然是对生命有着深切热爱的人。只有在大自然中，才能感受生命最原始的，毫无修饰的能量。除去这万物之奇妙，我几乎想不到还有什么能够表达造物者的伟大。

曾有半年的时间，我们在不同的时间，不同的地点，做着相同的事情。

我们在光芒万丈的黄昏走进大自然。开车去山里，一路经过沉没的夕阳，经过庄稼弥望的田野。车子飞驰在路上，霞光照射着面庞。他喜欢开车时牵着我的手，我在那速度和温度里上升，不知不觉中就飞了。飞向梦中的自由之地。

在即墨面前的我，松弛，自在。人有很多面，遇到不同的人会激发不同的特性。身边这个男人，让我深感幸运，遇见自己喜欢的自己。

我们在一片荒野停驻。溪水边，一匹马孤独地立在夕阳下，棕色的皮毛闪闪发亮。它仰头眺望远方，像是在天空寻找什么。孤马凝望天空，即墨凝望孤马，我则深深凝望即墨。万物之间，有时以为毫无瓜葛，却在瞬间构成某种联系。我如何能不为这上天的恩赐深深感恩？

感恩于上帝让我遇见即墨，让我清晰地感知着爱之涌流。那奔涌之流让歌者为此唱着——你始终不明白，一万个美丽的未来，抵不上一个温暖的现在。你始终不明白，每一个真实的现在，都曾经是你幻想的未来。

最销魂的感受，不是身体之欢愉，不是心灵之虚妄，而是你分明在现在，却恍似进入了幻想的未来。

21：4

上帝说，有傍晚，有早晨，但他从来不说黄昏。黄昏属于相爱的人。

有爱人在身边的黄昏，比晨光更灿烂，比黑夜更安宁。日落填充着，主宰着审美和灵魂的感觉，华美，温存，充溢。万物灵动，美不可言。

而当每我独自一人处在黑白天幕交替之时，则有轻微的黄昏恐惧症。仿佛整个世界只留给了我和黄昏。一天消逝，未知的另一天即将开始，生命在无意识中进入交替，反复，那几乎是对一个擅于感知生命的人最伤感的考验。

21：5

我嗔问即墨，上帝派你来，旨意何在。

他样子认真，回答笃定，说，是来帮助你成长。

那自负神情，换作别人我一定很不屑，偏偏是他，我只能噗嗤笑出来。

他真让我讨厌不起。不仅不讨厌，反倒还迷恋起这般的霸道。

我的君王，我心中的英雄，大气豪迈。

他迈起的步伐，稳如磐石。吃饭，购物，他带我去那里，我就跟去那里。找不到理由说不，心里没有念头说不。

与朋友吃饭聚会，只要他在，从不会让别人买单。像座山，坚硬，强悍。

与我一起，他又敏感细腻，温柔如水。带我一同出去，总关切问，冷不冷，饿不饿。只有偶尔暴露孩子气，在我怀中娇纵，令我心碎了再碎，柔了再柔，总希望他伏在我胸口多一些时候多好。

每个女人都有英雄情结，如此这般，刀山火海也要追随他去。

他作画时最令我着迷，比欣赏任何一幅画都要沉迷。可他大部分不许我在一旁，说是紧张，我执意要求，才偶有几次。我说，我在远处写作，你画你的，我写我的。每次打开的文档中，却写不得几个字出来。

我写道：飞蛾扑向光亮，是本能。在我绵长杂乱的爱情经历中，这个男人如此特别。我们的交好如诗歌中美妙的颤栗，即使他不对我做什么，只是兀自在这里，也足够我欣赏回味一生了。

21：6

我想要知道他，照顾他，终其一生与他一起，在这座迷人的迷宫里弯弯绕绕。最终被围困其中还是顺利找到出口，因没有任何出口的坐标，所以让人非常不确定。可恶的是我却被激发了斗志，诚然有些许惶恐与不安，但这一切也无法阻碍我被紧紧地牵着，无法走向他途。

然而，关于他，始终像个谜。除了他是个画家与家人在美国以外，过去，现在以及未来，他从未表露过心声。

迷恋一个人的表征，是花费自己的所能去了解与破解关于他的一切。我卯足了劲关注着一切与他相关的事物。狮子座。自信，甚至自负。大男子主义。细腻，尤其敏感。喜欢黑白色。内心柔软，光明。喜欢听赞美之词。会说好听的笑话，偶尔也骂几句脏话。喜欢喝可乐。睡觉打鼾。爱流汗。发丝柔软，发梢微白。手掌很大，粗壮而修长。爱吃泰国菜。身上总有香水与雄激素混合的迷人香气。是个接吻高手。

这些，几乎是我所能破解的关于即墨所有秘密了。

21：7

当然他性格中还有很多面，都是些艺术家的通病。比如单纯。单纯到让我非常怀疑他的高等智商纯属偶然，却又觉得这品德珍贵价值连城。

某天我们在丽都喝咖啡。过程中他走神，想起什么似的，突然摇头苦笑，我问他怎么了，他从包里取出一张字条给我看。我接过来，是一张别人打给他的二十万块钱的借据。只简单一句借款数额，一个简单的署名，其他什么都没有。

他摇头苦笑说，这人当初十分恳切，通过朋友来找到他，今天才知道这名字是伪造的。人消失不见，朋友也直呼上当。

我听得瞠目，觉得恼人。他却把纸条一撕，脸上闪过释然神情。纸条与这个事件就被一并扔进了垃圾桶。

无数次了，我听到他接电话，有人找他借钱。他心软，慈悲，有时不明原由，也尽能力帮上别人一把。朋友做画展，他也热心相助，出钱出力，无论换取感激还是骂名，他都担当。

后来我想，他爽声大笑时，有多少是他真正开心，多少是他对人情冷暖的消释。

21：8

说这男人是世间奇男，大抵都不为过。

无论何时，发生什么，他都从容淡定，我一次都没见那张脸上有过慌乱神情。即使正在酣睡，我突然闹他，他也瞬间清醒睿智，换我一句温存甘甜的爱语，弄得我是又甜又叹，不能入睡。

我们的每次相聚，都很值得回味。好比是生命当中最后一次的相聚一般，集中性地消耗着各自给对方。就像两个青春期的少年，他坐在沙发上，我躺下来，把长长的腿伸展在他的腿上，DVD放着电影碟片，茶几上放着红酒香烟和各种吃食。他给她一口，她给他一口。我敢保证的是，每次电影看得都不如我们聊得精彩。我们总是有话题，总是聊不够。且令人惊讶的是始终都那么开心。

我向他撒娇。墨叔叔，我真幸运，成为一个优秀画家的作品。

他装模作样，认真打量着我，这幅作品恐怕很难卖出去的吧。

聊得饿了，缠绵得饿了，会突发奇想去吃宵夜。假如一方发懒，便由另一方负责来蛊惑，把那吃食描述到不能抗拒。吃饱喝足，回来继续聊天。

白天又要工作，我心疼他，就催促他说，老人家，你年岁大了，要赶紧睡觉了。他便倒头昏然，从背后环抱我，我用身体最大面积的肌肤紧贴着他。最无法忍受的鼾声，从他的身体发出，都是满足动听的安慰。

我希望他健康，希望他顺利，希望天下最结实的所有好事都能临到他。

有时我睡不着，便翻过身来看着他，贴近他的鼻翼，呼吸他的呼吸。有时像个小孩子一样没完没了地闹他，他亦没有烦乱，变换着各种方式应对我。再聊。或是不自禁缠绵起来。常常是这样天就亮了。

我们在第二日的天色中面目憔悴地对望，弄不清是幸福还是不幸地摇头感叹，怎会如此这般，还像是初恋的小孩子，熬过一夜又一夜的谈情说爱呢。

他问我，我问他，谁也给不出答案。

徐志摩口中所谓，我将于茫茫人海中寻访我唯一灵魂之伴侣，得之，我幸，大概也就如此吧。这个男子，有种掌握天下的气流在他身上升腾，环绕。我想，与君王般的男人相爱一场，是每一个女人的心愿罢。

长久的爱情是在地上的，它等同于吃饭睡觉，繁琐平庸，是生活中与其他行为平等的一部分。而与他这一场，如同飘在天上，虚幻而诱惑，令人激动，沉迷，忘记了吃饭睡觉，阻碍了现实生活。

在生活中，但凡超越了生活的东西，寿命一定不长。而且死相会很难看。所以即使有着经验与理智，警醒着这场爱情的危险，也已无法喊停。

有毒的花最美。谁能忍心在花最美的时候止住了它的芳香呢？

何况女人，哪里有中断爱情的那番能耐。

21：9

如果爱情滋养了精神的丰盛，必定削弱了生活的能力。

我做饭给他吃，很努力地做，却一点都不好吃。就像有时，越想把字写得好看，手就越是抖起来了。因为太过在意的事情里承载了感情，它们也就变得不再是它们本身那样纯粹了。

菜做得一塌糊涂，他吃得津津有味。他那么聪明，一定能吃出个中滋味。

我煲汤给他喝。鸡汤鸭汤排骨汤，照着书本，样样买来。像个母亲爱待一个孩子，一口一口喂他吃。

他望着我，莫名其妙说了一句。他说，不怀疑了。

怀疑什么，不怀疑什么，我没有追问。他眼神热烈温柔，那么近，是一汪溺死人的火焰。烫了我心魂。

我一早就溺就在那眼神中了。作为一个四十几岁还维持独身生活的男人，无论他有什么疑虑，我都应该表示理解。我问不得什么，只能用天真无邪的自己，奉上热烈而绵长的爱，献给他所有的支持与耐心，令他的所有怀疑——丧尽。

这感觉真是美好。怎会这么美好呢？每次我冲他感慨，他都似乎发现我的诡计似乎又没发现地回一句，那我们就分享这美好，而不去探究了吧。

像是从一开始就知道了结局的人。

唯愚爱之人还在这未知里细细地编织着未来，探索着过去。然而不断的猜想无果，以致今日，我都没能彻底知道这个男人究竟经历过什么，又从那神秘经历中获得了怎样的成长，使得他对待人生如此宽厚博大，虚怀若谷。

这种直接的寻觅，时常让我产生一种感觉，似乎清晰地触碰到了即墨生命的律动与中心。可是一旦当他走开，在我的视线中消失不见，他似乎又只是个梦中的主角，在醒来时触手不及。

21：10

请原谅我的痴心不改。一个女人，在恋爱的高峰期，通常有着强大而盲目的信心。那信心，足以使她对痛苦似乎毫无记忆，忘记了悲伤曾经逆流成河。

倒不是因为女人好骗，只是她们很爱中自己的计谋。也不要耻笑她们罢。自古以来的或是高尚或是悲剧的爱情，哪个不是一个痴字了得。

痴的结果易见，只有合与散两种。至于痴的原因，我看未必是这个人有多完美，而是他恰好填补了她心中的那个空，符合了她长久以来的爱情美学。

是这样。一个人爱上另一个人，并不见得对方有多优秀，而是应和了一个女人对一个男人的理解。

21：11

总之，遇到即墨，我变小了。小如一首歌，小如一个永恒的吻。

衔来那花的是你。我从没见过拈花动作如此微妙到心颤的人，那花就像为他而生。

那花被他拈在手里，即使他忙起来把这花丢在一边，这方也盛开得滋滋作响。走路吃饭看风景，他都在，在心头久久地盘旋，深深地回味。忍不住就不忍，就笑出声来。

爱情中的女人就是这样变成水的。水在活水中流淌着，在君王的思想中光溜溜地畅游着，如同世上没有寂寞。

21：12
总之我对即墨，他爱什么样子的我，我就给他什么样子的我。

他使我体验到了爱情的最高境界，是呼吸之间的意会，灵魂的最高化合。

我的佳偶，你全然美丽，毫无瑕疵。

我视他亲如一人。那是最简单的生命形式。

二十二

22：1
我能献给我君王的，除了自己，还利用公职，为他做些采访。这不是假公济私，这叫为爱情服务。

新一期杂志出来了。刚到办公室，助理就搬了一箱过来。

我取出一本，急切地翻到他的版面，像个幸福的偷窥者，再一次把目光长时间地停留，第无数次地读那篇文章，看那些照片。尽管在看校样时已经看过无数遍，可还是不够，还是要做最后的检查，生怕有什么纰漏。

确认无误之后，取出两本，留给即墨。

他不会有任何挑剔，他只会感激。这让我不安。对自己的女人充满感激，证明了爱的匮乏。

他不能给她爱，所以只能给她感激。

我在意，又不能在意。因我根本没有能力放弃，只是咬了牙，迷迷糊糊往前走着看。

22：2
读古人笔记，看到明代有一个人，对于买卖古董的看法，说了特别高明的三句话。他说：任何一个人，一生只做了三件事，便自去了。自欺，欺人，被人欺，如此而已。

我当时看了，拍案叫绝。岂止是买卖古董的人，古今中外的英雄豪杰，平民布衣，哪个不是如此。关系的可贵之处，在于它本身非常不安全。

对即墨而言，爱情已对他不足为重，事业占据了他的全部世界。他对工作的重视程度，是生活里其他内容的总和。像他在采访中所说，只有作画，才是他对生命最好的表白。

作画，是他的命。是命运，也是生命。

22：3

采访是委派一个热爱艺术的年轻女孩去做的。她不知我们的关系，得知即墨是她仰慕多时的艺术家，便欣喜不已了。一切做得不动声色。

几乎没有一个成功而又成熟的男人，会主动对外炫耀自己的女人。何况我之于他，也没什么值得炫耀。他或许就没打算揭晓我们的关系。我真恨自己的软弱，以为保护他们，也算是爱他们的一种方式。

在爱情的模式上，我是清楚自己的。只能付出。求索的爱情做不来。

稿子出来，我反复审看，删改了女编辑在文中表现的崇拜语调，尽量客观，尽量保持即墨的原貌。

只在稿件的最后，加了一句——即墨，在他的画中，独自一个人走进了未来。

他是属于未来的。我是他的女人，亲密无间的枕边人，都从没窥知过他的过去，亦抓不住他的现在。他不过与我灵魂相交的一个印记，命中一个虚无的情感归属。

22：4

我一头栽入这场幸福的灾难。只顾爱着，遗忘了这样棋逢对手的爱营，其实是战场。

就爱的能量来说，我不以为有多少人可以胜过我，可到了战场我就不行了。战场需要真正的战斗，需要计策与谋略，而这些东西我通常是以挂科告终。

爱情是一种幻觉，情感形式亦然，但它们产生的效应却是真的。

即墨，事至今日，你已经开始今天的生活了，而我还留在昨夜。

它变成了与时间并行的一种东西。它种下种子，却不收割。它收割一切，却不告知。它告知一切，却不解释。它解释一切，却不预示。它预示一切，却不改变。它改变一切，却不知疲倦。

22 : 5

即墨，在经过你之后，我想，再不会有什么男人能够令我痛苦了。

叫我如何不在有生之年祭奠你。

二十三

23 : 1

赶着出刊，连续加班，终于送下印厂。疲惫不堪。

下班回家，莫名烦躁，忧伤。也许是生理周期在作怪。

打电话给他，墨叔叔，我想见你。

发生了什么。他问。

没有什么，只是想你在身边就好。

可是我在工作。他说。

可是我需要你。我说。

小蓝，要学会自己照顾自己。他说。

当女人需要一个男人时，这话听起来真是刺耳。口气听起来平平淡淡，一点都不柔和，一点也没有解释的意思，几句话就打发了，仿佛我是一个捣乱的甲乙丙丁似的。我很沮丧。

他听出来，强调了一句不像安慰的安慰，说，我真的要工作到很晚。

我很少主动对他要求过什么。于是尽管如此，还是克制情绪，半真半假开玩笑说，有时女人需要一个男人，就像逃机者需要降落伞，遇难者需要救护车，如果此时不在，那么以后也不必在了。

他听了笑起来，又叹一口气，说得好，等我吧。

他答应过来，我心里就一下子欢喜。跑到楼下去等他。远远看见他的车灯开得明晃晃的，所有坏情绪全然消失，比一点都没有还要欢喜。我都怀疑他见到我，是否会担心我在骗他，哪里看得出有心情不好，简直好得很呐。

这就是女人，她们的相思病其实很好治。

刘若英在谈到陈升时说：我心情不好的时候，就开车去找他，一见到他，就好了。什么也不说，他摸摸我的头，我就转身走了。

路灯下，看到即墨高高大大地走过来，永远的不急不缓，从容阔定，像我第一次见到他从人群中走过来一样。看见我，像个孩子，冲我瞪瞪眼睛，一把揽我上楼去。我仰头望着他笑，幽谷灿烂，说，看到你我就好了，你可以回去了。

他摸摸我的头，目视前方，叹一口气，说，每个人都需要解药。

我反驳他，你分明是毒药。

23：2

这些年，我不止习惯了一个人睡，简直还习惯了自己解决自己。却是那么喜欢与即墨相拥而睡。

每当他把头像个孩子一般深埋我怀中，便给了我无限想象，激发了泛滥成灾的母性。不断感受，猜想着他那具高大身躯的内里，藏有怎样的宝藏与秘密，令我这般不可解释地迷醉。梦呓一般。

我想。

即墨，你如此偶然地出现在我无法预料和掌握的梦境里，却又好比早已住在我的心中，贯穿于我整个的生命。我曾读书写字，接受教育，都只为来到这一时刻。似乎我们早已知道，我们终会相爱。

你是因为接受我的爱而降生，然后，我们邂逅相逢，似乎不需要明天再来临。这爱得温柔缠绵，它偷偷潜入无所不在，流遍我的全身。我对此并不畏惧。我就这样爱上你，爱那个真实的活在世间，并希望在每一段路途都与我相遇的你。这让我热血沸腾，肌肉刺痛。

可我却不知道你是谁。只知，你是一切。

23：3

我在这女奴思想中越坠越深，恨不能所有美好的事物都与他分享。

单位发了电影票，我打电话给他，墨叔叔，我们去看电影，然后晚饭，然后一起散步回家，如何。

这是我所能想到的，与心爱之人，对生活最朴素的相处方式。一个人或许无法享受看音乐剧吃西餐的高调恢弘，但一定不会拒绝生活中最平实的浪漫。散步回家，多好的建议。

他却说，小蓝，抱歉，今天不行，我要工作到凌晨。

寥寥几句，没有安慰，也没有漏洞。

他在自制？收敛？擅于掌握全局的人除了怕不能控制局面之外，还怕什么呢。

他到底是怕了什么，还是厌倦了呢。或者莫非，还有其他女人？

类似事件渐渐多起以后，我激烈炽热的情感产生了纠结。所有无果爱情走向消亡结局时，大抵都是这样一个模式，就是即便他没有对你撒谎，可显然已经不再那么用心了。而且直觉告诉我，即墨忙工作是事实，但事实的背后，一定有其他潜事实。

上帝在拿走了一个女人陷入恋爱时的智商的同时，弥补给了她们另外一种东西，就是敏锐的直觉。在情事之中，女人的直觉有时比刀子还要敏锐。对那些有过出轨行为的男人来说，大概都有过一种经历，就是在他们以为毫无破绽之时，妻子却突然地盘问，侦察，愣愣惊出一身冷汗来。

每次如此，我都惶然着，克制着情绪，竭力地轻松，说那好，你要早点休息，不要熬太晚。挂掉电话，却有一小股一小股的怨恨在体内酿生了。

23：4

男人与女人的问题，究竟有解么。

解开的程式是什么。

在毫无新意的模式里，争取还是放弃。

如何才能不让自己以一个难题的形式出现在感情里。

还是要走自己的路，与爱情兵分两路。

乱了。爱情之花在某个孤寂之夜散落一地，全乱了。

23：5

夜，从甜蜜思念的绵长，开始变得无尽。

我躺在床上像个热锅上的烙饼，翻来覆去不能入眠。

打电话给江醒。

亲爱的，我玩完了。

怎么了。江醒那边传来一阵音乐调试的声音，她正准备录制节目。

我爱上即墨了。

好啊，这是好事啊。一片嘈杂之中发出江醒的惊笑。而后我还来不及说什么，她又话锋一转，提醒你啊，爱上他这样的男人很辛苦，你要悠着点，别把自己一下全给交付了，免得回头又是一身伤。我在录节目，回头再电话你。

电话挂断的盲音。

辛苦，这两个字重新刺激了我。早年的我，对高难度的事物永远充满了兴趣，哪里畏惧这些。现在不同了。怕了。因为明白了有些事，不是付出一腔热血就能得到。

单凭一腔热血，有时还会让人吐血。

23：6

自此，我开始走上了漫长的探爱之路。放不下，爱不得。

冷静下来，尽最大气度地说服自己，也许这正是爱之中的性别差异。男女之间，火星动物与金星动物之间，本就千差万别，否则爱情怎会是恒久的话题呢。

为了处理好这个问题，我开始了女人在恋爱中最可爱也最可笑的举止。开始暗暗补课。

买一些平时很不屑的分析男女情感的书籍。关注所有涉及情感的垃圾资料。做测试。研究星座。总之，完全丧失了理性分析的能力，头脑混乱恍如初恋的小小少女。

女人就是这样可笑。平时，爱情不以一个难题出现在自己身上时，每个女人都是爱情专家，对他人的恋情分析头头是道。临到自己，那些爱情理论，精细剖析，顷刻间消失殆尽。只剩了自己在自己设置的圈套中团团打转，迷在了局中。

23：7

读了一本书，《男人来自火星，女人来自金星》的书。我被自己骗得相当好，因为从中得到了不少慰藉。

该书作者分析说，因男人的本性使然，他们的情感像橡皮筋，通常在满足了对亲密关系的需求后，开始需要独立自主。然而脱离一段时间后，又觉得需要爱，就会再一次弹缩回来，恢复亲密关系。假如女人明白这一点，给予男人支持后，他回来时就会有更大的力量和弹性。反之，不懂这一点，而是不停追问，加以指责，那么男人也就可能真的因此而离开，再也不想弹回了。

再看女人。女人的情感如波浪，当她身处爱中时，波浪上升，充满力量，觉得自己可给予对方无穷无尽的爱，所以在男人莫名脱离时，女人会有被伤害的感觉，好端端地，怎么突然冷淡。于是波浪跌落，内心空虚，便开始产生那些曾经被压抑的消极感觉，与尚未被满足的需要。

在这样对峙的过程中，拼得就是谁爱得更多，谁更能控制自己的情绪了。势必要有其中一个更妥协与宽容些。

从人性的根本上弄清楚了些，我想，也该释然些。即便不是即墨，换另外一个对手，那么多学习一些导向心灵成长的功课，也还是有益的。

于是，作为有幸也是不幸遇到君王的我，一边咀嚼一边吞咽着这爱之阻碍，想，最终还是需要智慧吧。爱一个男人需要智慧，爱一个强大的男人更需要足够的智慧。做比尔盖茨的女人，总统的女人，巨星的女人，若没有智慧，一定比天下最平凡的女人更要悲惨。

既然两个人，可以在茫茫世间相遇，相互识别出来，温暖而亲切。他启动你心魂，听你讲一个长长的故事，无论在人生中发生一段或长或短的陪伴，都是幸事了。那么好吧，既然他很特别，就要为这特别，付上特别的代价。

我以一个具备奉献精神的女人的所有心怀，为他为己做着各种评判与慰藉。回想起来，十足的傻蛋。

23：8
海岸线还是那么长，而年光有限，总胜过遇到一些无关紧要的甲乙丙丁，一面之缘过后，再不温暖。

23：9
有人说，做人不要太懂事，那样人生太辛苦。

可如何才能管辖自己的心跳呢。如果每个人都固执地坚持自我，那么爱情该如何继续呢。爱一个人，如何才能变为不爱呢。种子发芽时要比开花时更容易夭折，那么是否可能试着再向下扎根稳固一些呢。

爱情充满了未知。何时来，何时走，以何种面貌进行，何种姿态结局，无人知晓。像小时候放烟花。炮竹的火线在那里隐隐诱惑，注定与火发生交叉。可最终是绽出漫天烟花，还是炸得浑身是伤，只有等待时间给出答案。

我给自己找了无数个继续的理由。原因是我知道，与即墨的事，没有那么快结束。我没有那么快就甘心。

唯一能做的，就是眼睁睁看着它们的发生，与之对峙。答案总会浮现。

苦了自己，也就苦了罢。

糖，不吃过，终生都不会知道它原来是甜的。

二十四

24：1
有一种声音在秋光和诗云里回旋。

那是音乐的声音。音乐是一场盛大的幻觉，它有致幻的作用，可以令悲伤痛苦的人躲过情境，也可以令虚若无物的心怀爆发出隐匿的能量。

江醒打电话给我，清汀，晚上我们去看演出。

我说好。我需要音乐，也需要见你。

流浪天涯的人，看到自己的孤独，被众人虎视眈眈，是音乐将所有孤儿收留。人张开心灵就奔着音乐而去。

歌唱者好似看尽人世间悲苦，唱得血泪混交。

音乐的心事就是人的心事。人心破碎，音乐也支离破碎。它不曾停止，空气也耗不住它的重量，音符自由地飞向天空，引得所有执著人朝它沉沦。

毫无诚意的生活令人无从慰藉，连拯救人的爱情也稀薄无着。内心的暗涌从脚趾涌到发尖，顶撞得我即刻要放下手中的事，片刻不能停留。

我安排好手头工作，去与江醒碰面。已是晚八点，据我起床的早八点过去十二个小时。上班族们长年累月地过着这样的生活，赚到了一些钱，丢掉了一些快乐，出卖了一些自己。

生命本身其实很无趣，是一些感受赋予了它丰盛。诗词歌赋，春花秋月，卿卿我我，插科打诨。甚至必要过上一段无聊的日子做些无聊的事，生命最终才值得俯瞰。否则回味什么呢？

而音乐，是我虚弱时最好的补充。

24 ：2

这是一场疯狂的摇滚乐演出。

那些摇滚灵魂们纷纷出动了。崔健，许巍，郑钧，张楚，汪峰，姜昕，谢天笑。这些我尊敬与热爱的朋友们，打造了一个疯狂而震撼的精神盛宴。

他们每一个人上场，我的灵魂都几乎都要扯开一个洞，把所有腐朽的压抑释放出来，让这摇滚精神的自由与呐喊填充进去。如此销魂，天地不在。

我夹杂在人群中，挥舞着手持酒瓶的手，像个从前的自己一样，挥舞，和唱，尖叫。

每个孤独的人尽情孤独的同时，都深知躲避不开这精彩世界。

24 ：3

散场。我和江醒沿街走在二环路上。

除了飞舞的衣衫，我们看起来不像是两个女人。一肚子酒精，醺醉了清醒的天空。

江醒说，这个夏天真长。

我却说，这个秋天真短。

短到来不及看到未来，来不及回忆过去，这个秋天就匆匆过去。

短到街上的恋人来不及看到秋日透过树枝的碎影，就因为寒冷，匆匆交好，或者离别。

生命真挑剔。过多关注自己之内是痛苦的，关注自己之外也那样吃力。
总之什么都不对。

清汀，听我说，对感情的事太认真很伤元气。

亲爱的，我们怎样才能变为一个不认真去爱的人呢。

清汀，我不想让你沦为同我一样。爱一个人其实是一件很疼的事情，因
为他早晚会以不同的方式离开你。

那我们又该如何管辖我们的心跳呢。

Shit！江醒突然发狠骂了一句。那么就让尽情欢乐吧，像个男人一样的欢
乐，像不需要男人一样的欢乐吧。

我把一饮而尽的酒瓶用力扔出一个抛物线，砰一声丢进护城河水。丢掉
丢掉，一切都丢掉。即使是面临不可避免的失败，也要选择最好的方
式。只有在失败中求新的成功，我们失去的才是最少的。

江醒说，我最爱的人失去了，我已经没有什么好失去了。

那么就祝福吧。欢送离开我们的，欢迎未曾抵达我们的。亲爱的，要相
信我们的生命不会缺乏。

我和江醒在夜归的路上如痴如癫，彼此安慰着，鼓励着。醉着笑着。

那是每个生命都免不了的一阵痛。

24：4

奥修说，什么都不要想，只需要做一个目击者，停止自己的思想，丢弃
自己的思想，就有一种宇宙思想临到你。

假如我是一名彻底被抛弃的流浪者，天当床，地当被，一路高歌，沿街
乞讨，都未必做到什么都不想，大抵还要考虑第二天的吃食与住所问
题。何况我不过是个在尘世修行的普通女子，一个平庸而不甘于平庸的
人，一个意愿抵达终极智慧，却还在路上数算欲望的人。一个需要创作
和爱情来确定着自我存在的人。心中的梦翼，燃起的暗火，怎能阻止欲
念的丛生？

无法安宁。

想跳脱出自己之外，又知那是无出路的逃亡。

所以，耶稣只有一个。佛陀只有一个。奥修只有一个。

其他都是效仿者。这世间的不完美，不是因为缺乏计谋，而是缺乏简
单。

即使如即墨那般，一个对生命有着特别禀赋的人，也没有完全的能力准
确表达自己的内心。生命总有一些本相不可被描述，也许是狂喜，也许
是悲恸，在它们没有找到自己可以舞蹈的舞台时，统统是群魔乱舞。

它们有源头而无归处，所以谁也不必为此担忧。一个精神之徒的苦，谁也分担不了。世界给不了什么补偿，它给予天给予地，给一口呼吸接纳着你，已是最好的恩惠。

一次次的酒醉，也不过是暂时地回避一下情境。个体苦乐，只消自我承担并消解。

24：5

晚风吹过，我和江醒一路说着胡话。

江醒，我感觉自己要飞了，这样多好。可我怎就那么怕做一个轻飘飘的人。总苛责自己有重量的存在，即使是痛苦的重量。

清汀，我们都一样。有人不能理解我们的纯粹，是因为自身污浊不堪。

是的，我信在未来的路途中，这些苦痛与思索总有一天会实现它们的价值，带着我们醇香的体味变成营养，那时候也许就温暖多了。

是的。总有一天会结局。

所以不要对残缺心存畏惧。

因为这是生命的一部分，谁也回避不了。

所以要丰盛而热烈地活，即便是幻觉。

所以我永远支持梵高式价值观。

梵高式价值观万岁。

万岁。

两个因美好而孤独的女子，在夜灯下仿佛两株脆弱的蒲公英，风轻轻一吹，就散向自由天际。

既然宿命已定，那么也无须谁人挽留。如云朵般漂浮，何尝不是梦中的向寻。

幸福无论来还是不来，更替还是依然，只要在旷野还能见我之时，就唯愿一如既往地通过既定的日子，祈愿着人间的痛难，少之又少。

二十五

25：1

醒来，看到自己睡在江醒家里。昨晚喝太多酒，头疼欲裂，没有去上班。打电话安排了工作，从江醒的药箱里取出阿司匹林。倒一杯清水，看它滋滋地化开，十分快意。

对于生活本身，我更愿意观察一些不被重视的小游戏。比如抬头寻望空中可见的最高雨滴。小小的虫蚁是如何吃力地拖着大大的食物。公园里

的民工在长椅上与女友谈情说爱时，粗糙的脸上是否也弥散浪漫。行乞
的残疾人如何在地铁车厢里移动。许多小细节，我都显得神经质，细细
观察，体味。

世界的心轴有许多，可要学会不再为制心一处而烦恼，却是不易。

25：2

门锁转动，江醒买了庆丰包子回来。

即使月薪三万的收入，江醒也没有买房安定下来。每月花五千元，租了
一套高级公寓。是按照河喜欢的风格布置的，舒适妥贴。没有任何一个
男人来过这里过夜。遇到不错的男人，江醒就说，去你家，我家有爱人
在。

河的照片一直挂在床头。在她心里，那是她一生不变的爱人。

她家永远拉着窗帘，一年四季开一盏昏黄的灯。微暗的光线使人颓靡，
慵懒，有隔离日光下赤裸裸现实的幻觉。

河走后，她就这样，人前张扬，人后隔离。变得分裂。

两人无声，窝在沙发里吃素三鲜的包子。

江醒，你认识的即墨，是怎样一个人。我像被包子噎住了一样，突然冒
出一句话。

贵族。她去接两杯水，递一杯给我。

他有很好的家庭背景，小时候我们家后院还是菜园子的时候，人家就已
经在后花园画画了。听说他这几年画卖得不错，豪宅，名车，该有的都
有了，只欠娇妻。就是不知道他为什么始终不肯结婚。

我打断她，我想听的不是他的财富，说说这个人。

好人。很仗义。他很富有，可骨子里是一个纯真朴素的人。这是我觉得
最可贵的一点。

我产生兴趣，不停追问。可是越听，越觉颓败。几近完美的一个人，怎
么会唯独等着与我相遇。在我命里，从没有过零星嫁入豪门的预兆，那
对我来说不是享福，是受苦。能享那种福的女人，要贤良淑德，有聪明
心机，懂见机行事，懂讨好公婆，且一切做得深藏不露。我一介埋头写
字之人，哪里有那种本领。

那你觉得，他到还单身的原因是什么？我问江醒。

大人物轻易不结婚是一个规律，也许担心别人的目的不够纯粹吧。清
汀，我劝你，就尽情享受恋爱吧，试探着往前走，不要太认真。你知
道，男人都是爱不起的。河是上帝宠爱的造物，因为奇特，所以早早就
收回了。

可是，已经晚了。我听得颓然。这么说吧，从跟他好的那天起，我没有一天是枕着枕头睡觉的，每晚都是想着他入睡。他像是长在了我脑子里，很苦恼。

啧啧，江醒摇摇头，笑我。你什么时候才能学会善待自己呢。学学我现在，太多的起起落落，及时行欢，早让我丧失了长相守的欲望。清汀，要把男人当作消耗品，在他眼前时，是一束璀璨的烟花，只开放到他从你眼前消失这么多，就够了。

可怜在爱中迷惘的女人，听得惆怅焦灼，宛如天真的懵懂少女，竟毫无办法起来。

即墨，你不经心地开启了我，可我却被实实在在在挑战了。一面因怕受伤害而退避产生纠结，一面又对这个灵魂的吸引而无法自制。状态变得尴尬。像个断翅的蝶，歪歪扭扭，飞得辛苦，却不得不上路。

它不能停止。因为飞翔，是一只蝴蝶的使命。

25 : 3

对于那些成熟沧桑的男人，我常常不能自控地想要窥探他们的内心世界。即使我不是故事的主角，也阻挡不了我对故事中的孤独主人有着永远的好奇。

尤其是带着孤独和节制气味的男人。我会小心翼翼地呼吸他略带尘土气息的房间气味，也会对他的洗漱用品和床品发生兴趣。希望从一些细碎而神秘的无声中，探听到一个孤独的男人潜藏的秘密。

学会了只是忍住不问。什么都不问。不停发问是小女孩的方式，因为缺乏判断和耐心，便想直接地索取答案。而往往，男人是吝啬给予一个直接的答案的。

这是那个曾令我爆裂留下伤疤的男人告诉我的。他说，不要问，要用眼睛观察，用心去体会。我深以为是，牢记于心。

所以在感情上真正赢得幸福的女人，聪明都是隐性的，懂得沉默地展示爱意，必要时适时发用。三四十年代的美女，阮玲玉，胡蝶，她们安静可爱，能力不比独立的现代女性差，却懂得温柔静默的力量。这种美通常对男人有着强大的吸引力。

如今世代，太多性情浓烈的女人，却因爱情的荒谬与现实的责难，使得她们不得不过度强调了自尊与自强。她们有足够的能量爱，却无论如何努力，都爱不对一个人了。

我用力吞下一个包子，难过地想，能不能就不忍了呢。可是念一生出，等不到真的放弃，心就疼起来。虚弱得无力。

一个秘密太少的人，活得太过透明的人，对于复杂的心念，真是生生折磨，毫无办法。可是，谁又能从自己这里得到关于别人的答案呢。

25：4
从前不是这样。
在我的年轻时光里，爱情如蕾丝般光滑，童声般干脆。没有踌躇，没有揣测与劳累。人越成长，该庆幸还是悲哀，连一件简单到要与不要的事，自己竟都搞不清楚了。

25：5
曾有一个男子，从法国回来。我们相爱。爱得纯粹淋漓。他定期从法国回来看我，每次回来，我们都与世界隔开，吃饭或对话，洗澡或倒垃圾，都可以让细胞幸福到裂开。
年轻的爱情听起来都很空洞。等到可以填满空洞的年纪了，爱情也变得不易了。
他后来跟我说，清汀，走，跟我走吧，去法国，去生活。
瞧瞧，去生活，多么动听的乐曲。我笑得像个没脑的米虫，一下跳到他背上，说好，带我走。我们开一个小酒馆，你来招待客人，我在酒吧的角落看你，写你，一辈子写你，一辈子写我们的那些客人，一直到老，这样的人生好不好。
他听了兴奋极了，一把举起我，放在一张喧闹酒吧的桌上，说你真是这世界上最棒的女孩。全然不顾众人惊讶目光。
然后我快速地办理辞职，办理护照。一切准备妥当，去跟父母辞行，卡在了要最后一关。妈妈严厉地说，我尊重你这样的人生想象，但是我生下了你，必须为你的冲动你的幸福为你的一切负责。
最后的结局，是两个建构了一幅美好图画的人，亲手将那幅图画撕碎。
我送他，看他的背影，像是一个超了负荷的骆驼行在沙漠中，步履缓慢，无奈不甘。
一场极致的，疯狂的爱之舞蹈，虽无结局，但起码，不会对现在及未来造成负面心理。行至今日，路弯弯折折地走过，以为终于熬到锐刃无痛，不料却是大痛。人们再谈爱情，哪个不是畏惧，思忖，疑问，反复。随之而来的是些五花八门的心理障碍与心理疾病，哪个长久的幸福又是由这些基调铺垫而形成的呢？
人越成长，真是苦不堪言。
只在梦中，一次次期待那个最动人的相遇。不用选择，不必耗力，有个人径直走到你面前，相互对视，点头，是你吗。是我。犹如冰河逢暖，从此生命之水缓缓畅流。一直一直，没有尽头。

默然欢喜，寂静相爱。从此得救。

可是现在这个世界怎么了呢。

25：6

想起科学家做过的一组实验。几个很小很小的小孩，大人们告诉他们说，现在我会给你们五颗糖，但是如果你肯再等上十分钟，我给你们的就是七颗糖。那些最终肯等上十分钟以获得更大利益的孩子们，最后证实比那些不肯等待的孩子，要成功得多。

故事讲完了。有人的选择，是做那个不肯等待的孩子，因为五颗糖对他来说足够了。

可是，容易满足的孩子，和太识趣的孩子，是离幸福远还是近呢。

又该怎么解释缘份这回事呢。被命运捆在一起的人同样是一辈子，勉强得到的也可以长成自己身上的心肝。而我，要不要让胃口大一些，脸面无耻一些，行动下流一些呢。

所谓的顺其自然，是放弃的另一种说辞。那么究竟是放弃，还是迎头而上，坚持等待十分钟以上而得到更多更好的糖果呢。

越是想结束这种折磨，越是不可自拔地陷入更深。

25：7

在我使出全身力气疯狂地畅游在这场爱情的同时，也比任何一种时候都期待着退潮。

退潮之后，就知道谁在裸泳。

二十六

26：1

有句话说得好。说道，蠢，原来都是资深的。

事情就是这样。起初骗自己，是为了好过，可骗着骗着，就果真骗到了。在迷失的初始，直到后来，后来的后来，它们变本加厉地进入了我的生活。

我终于耐不住，说，即墨，我想我们应该谈谈。

他见我严肃，便又玩笑安慰我道，皇后且喜怒，不要气坏了身子呢。我是真的忙，等我忙过就好了。

这个心怀善意，情商高之又高的男人，他的不动声色，留有余地，也许在给自己考虑的时间，也许是不想这么快分开。也许是我不知道的什么别的。总之，不离开，也不更靠近。

只是每当觉出氛围不对，便会讨巧玩笑哄我几句，惹我开怀不得也气怒不得。反复几次无果。于是落我失神，受控于这无尽的暧昧之中，独恨自己不争。

遇到一段纠结爱情，女人会暗自消耗许多精力。翻来滚去，失眠，走神，分裂。一次一次暗暗地放弃，悲狂。他的电话号码被我删了又填，填了又删。明知对方一来触碰，所有决心都会化为青烟飞走。可还是忍不住默默跳着一场又一场独自的群舞。

大抵除了恨，人间的所有情绪，该用上的，我都用上了吧。它们被孤独地存留在了我与我的爱里，没有第二个人知道，这样的爱有多狂热又有多悲凉。

即墨更不会知道。永远都不会知道，一个人女人为他消耗了多少自己，夜夜都险些老去。所以女人感情中有一大部分，都掷给了幻影。

世界是冲突的，男人与女人也是冲突的。可我不恨他，除了对自己，我没有恨人的经验。

只是我与我心爱的君王，开始了另一种爱态，像各自旋转的陀螺，虽然没有停止交叉，再撞到一起时，慢慢变得激烈而眩晕。

26：2

终于有一天，他来电话，约我吃饭。尽管口气一如往常，可我那般爱他，怎会察觉不出那平常之下隐约的郑重。我若那么笨钝，他定也不会爱我了。

他工作室离我公司路途遥远，一南一北，可我必然要去。争吵都好，只要可以见他。

我用微颤的手在神情复杂的脸上形成一个不够完美的妆面，抛弃所有慌张，像那只最执著的飞蛾，翩跹飞向我的明亮光源。

下班高峰，一路拥堵不堪。还下起了大雨。路边的车站下挤满了避雨的人，个个探头探脑，焦灼不安。我利用这长长路途，对自己默默说话。

姑娘，既然爱他，就得允许自己屈服。尤其做艺术家的女人，做大人物的女人。你看比尔盖茨的女人，还不是遇事泰然，甚至还主动制造一些空间给他。所以要学会牺牲某些坚固的自己，因为他们比你更要坚固。

不是委屈自己，是解放自己。

他爱工作，他爱朋友，他爱玩，爱做梦……他爱你，不代表他最爱的事是和你在一起。 不要询问你在男人心中的位置，他的爱只有那么多，肯给一些就好，多些诚意就好。换作自己不够爱的人，还不是一样，又岂能快乐呢？

总之说来说去，我没办法说服自己放弃。

总之我的爱，就是无条件地支持着即墨。像个没有生活经验，对一切充满好奇的孩子，在受伤或生病后能够迅速恢复，再次露出微笑。

26：3

老地方，他又带我去吃那家泰国菜。

开餐前，先让服务生拿了两只新鲜的椰子来喝。把吸管插入两只毛茸茸的椰子里面，分别尝一口，拿出其中一只，这个好喝，给你。

世上没有比这更甜的汁液了。我掩饰着心中的惴惴不安，尽量欢欣地吮吸着。期待着他开口说点什么。即使不说什么，我也得接受。他做什么不做什么我都得接受。这男人是一块强大有力的磁铁，吸附着不知多少个女人超那方向走去。个个不知死活。

小蓝，后天我要去美国，你好好照顾自己。他说。

啊，要去多久。我一阵失落。

他急速觉察到我心怀，夹一只酸辣虾给我。别像个小孩子，我很快回来。

又说，多吃点，吃完饭带你去画室。

他超乎往常的体贴，却让我如何也吃不下去了，这男人时冷时热，真是要命，于是心一横，今晚扯开了心肝也要问个结果。要么及早让我死，要么让我好好活。

他大概由我的神情察觉出了我的所谓庄严，开始讲些开心的事，画家圈里的见闻，相传的一些不可思议的行为艺术给我听。

他说，有人搞了个艺术作品，把一头猪挂上房梁，然后用以一把锋利的明刀，一刀一刀把它捅死。鲜血滴在他头上身上，他却觉十分快意。

他说，还有一个人，邀请观众去看他的作品，结果是什么呢，是一个漆黑的房间，观众进去之后，他在黑暗中放出一屋子的老鼠，弄得一群人与一群老鼠吱哇乱叫。

他说，还有一个人，趴在地上做抽动状。有人问，你做什么。他说，我在跟大地母亲做爱。

我听得想要恶心呕吐，说你们艺术家整天就搞这些啊。他却讲得大笑不止，说，这就是你的狭隘了，你从社会文化现象看，就很有意思。这些人的病态，恰恰说明了社会给他们提供了病源，不然怎么会有观众去看呢。

而后话锋一转，小蓝，你知道我为什么那么认真地画画，因为我希望自己有真正的艺术作品出来，现在太多哗众取宠的所谓艺术家了，这样的人生有什么价值呢。我所追求的是希望"有限无界"变为可能。

这精神固然是好的，可此时我的心思却不在此处，甚至还为他总是在谈他的工作而有些不满。我多希望听他谈谈我们，关于我，和他。情话，未来，甚至告知不能专注爱我的原因，都好。起码说明他在意这个事件。

他没谈。我内心的夜夜纠结跃至面容，他苦笑着摇了摇头，夹了些菜给我吃。

其实我也为自己的不会伪装与自控感到不满，可伪装好难啊。达利说，由于我是个伪君子，所以我的行为像个真正的绅士那样。如果把这句话换成一个女性的语言，那么就变成了这样——由于我总是不会撒谎和欺骗，所以我的行为不像个真正的淑女。

我想，也许以即墨的身份与地位，他需要的妻子是一名面孔百变的淑女，一百种场合，一百种得体的面孔，而我，这一生都不会成为一个真正的淑女了。

26 : 4

到了画室，景同往常。

他冲泡一壶普洱茶，坐上那张红木圈椅，点一支烟。椅子两边的扶手上雕两只小狮，他好比一个狮王被围在中央。丙烯颜料，照片，纸团，十米长的巴西木桌上一摊散乱。

烟灰缸里满满的烟头。我皱皱眉，起身去把它们倒掉。说，你要少抽些烟。

空间旷大寂静，夜间的高跟鞋敲在地板上让人很敏感。我极不自在，不由把脚步放轻放慢。为了他，我开始学习穿高跟鞋。

在这之前，我是从不穿高跟鞋的，更不喜欢夜间高跟鞋的声响。它在夜间被发出，总让我觉得充满戏谑，在那一停一顿的喀哒喀哒声中，总觉随后该是一个女人的浪笑或者大大寂寞。填充着一个无眠的男人的想象。

所以多年来，我只穿球鞋，布鞋，或者从云南买回的少数民族手工缝制的鞋子。它们支撑我走过人生的每一个阶梯。柔软无声，宁静如猫。

是为了爱情，我一口气买了好几双回来。其中有双宝蓝色，鞋跟极高，可是皮的细带一层一层环绕脚间，从脚面到脚踝，着实性感。我自己在

镜子前都忍不住流连起来。有些昂贵，走起路也打晃摇摆，可为了穿给
即墨看，我还是狠了心买回。因为即墨喜欢女人穿高跟鞋。

我们去逛商场，他的眼睛会有意无意停留在女人的鞋子上。那些细细高
高的，像一只女人的口红的鞋子，他觉得很好看。喝咖啡时，他有时听
到高跟鞋的声响，也会观察她们细细的脚踝，转头与我评论，赞美或者
玩笑。我倒不计较这些，会同他一起欣赏，评论。有些女人穿起来确实
好看，只是我终不得其解，她们是如何会穿的，且穿得那般扎实稳健。
怎么到了我的脚上，就变得摇摇晃晃不堪忍受呢？

这是一个对女性有着极高审美的男人，尤其对女性之特权的细微之处非
常敏感。

有次我去参加PARTY，出门之前，脚趾涂了梅红色的指甲油。他低头
看着，鼻腔里发出一声酸酸的坏笑，道，这个，怎么了得，好像不安全
呐。

我笑，别人看得了哪一时，还不都是给你看。

心中却欢喜万分。说明他介意我。

26：5

果然，我倒烟头出来的一路，他盯着我直面而来的双脚，发出一个确定
的微笑，说了两个字。好看。

我稳住双脚和心神，感觉自己走了好久才走向他。在他对面坐下来。

这个空间复古又现代，有点文艺的小颓废。放着七八十年代的西洋老
歌。我和他在其中，像是村上春树小说里那些多少有些障碍的主角。

他看画。我看他。

小蓝，你最喜欢哪一幅？突然，他夹着香烟的手指在墙上环绕一圈，问
我。

他画室放着很多幅画。墙上，地上。有些是他不满意的，有些是舍不得
拿去卖的。

这个。第一次看，就喜欢这幅。我指着其中一张。

他笑，好，那也是我喜欢的。

灰暗的底色。中间团起浓烈，各种颜色的红，火烧般灼烈。一个没有面
目的女人，镇定又委婉。风起。她立在荒漠之中，依在一棵树旁，好像
隐在生命之中，又悬在时光之外。一股强大的内力从那模糊面目中喷薄
而出，安静，隐忍，又悲绝，神秘。没人知道有着这副表情的女人真正
的面目，这幅笃定身姿背后又发生了怎样的故事，使得她长久地兀自独
立在一片凝固的时光中。

画中人，有着一切的可能性。可能是你，也可能是我。也可能是你我身边任何一个擦肩而过的隐忍而坚定的女人。她是一个象征，是内心充满爱恨而又无法言说的所有女性代表。

我面对着她，仿佛一面镜子，折射出自己。可她的力又使人怯懦，似乎她是活的，而我反倒像是框在那画中，因为局限而进退不能。那反差直逼人心，令现实中人一阵震撼。

即墨说，这幅送给你。

我惊呼，哇，这么贵重，我不要。

是真的，送给你。曾经有人出很高的价钱卖它，我舍不得，送给你吧。

为什么。

不为什么。

26：6

世间万物没有一个事物不连着另一个事物，没有一个结果缺乏着原因。

不为什么是为什么。他不愿意给出答案，我也没有继续追问。即墨这样一幅画，可以买上百万。他因何送这样一件贵重礼物给我，是出于哪一种形式的弥补呢。我心中的猜想，在脸上泛成一个苦笑。

我自然不会接受。接受男人物质上的馈赠，对我来说是艰难的事。总觉那关乎尊严。

有些其他朋友，另外一类女子，时有聊天，谈论起男人。她们热衷的话题是，如何欲擒故纵，如何利用着男人保留着自己。一个自称感情专家的A女说，懂得为男人花钱的女人才是可爱的，男人为你花费，你要开心地接受，这样，他才会觉得有成就感。B女说，不错，他投入的成本越高，就越不会轻易离开你。每个人对自己的付出都会心怀不甘，无论感情还是物质。

这类话题，总是听得我恍然莫辩。

这世界宽阔深远，每个人存在的方式不尽相同。这是她们的方式，没有不对。不能因此下定论说她们不好，任何一种状态，都不能被一个词语断然界定。

只是我做不来。我只愿意在我的基础上比我更好，不会被改成另外一种。有人懂得，便来欣赏，不懂，也无须费力解释。

世上有哪一样是比去做不是自己的自己更辛苦的事？

人很难成为自己成为不了的那种人。

26：7

然而，对于那些动辄试图用物质来收买女人的男人来说，这样就显得不够圆融，不够可爱了。于是乎，有些价值观念不够坚定的女人，自以为聪明又可爱的女人，就在这样的奉迎中被弱化了，被动了，纵容了他们的自私，屈从了他们的物质交易。

我倒觉得那是出于男人的自私。他们做这些，为的是得到一些什么，或者弥补一些什么，或者炫耀一些什么。为的是让自己好过。

也许有人会觉得我这样太较真，爱情到今天，哪里比得过心理平衡与荣华富贵来得实在。这样想的女人，大概最终获得幸福的几率也没有自己以为的那么高。

交易终归不是真情。

于是在这个美好又充满遗憾的世界，一系列的固执己见，使得我在青春时期，显得棱角分明多少有些格格不入。

如今柔软多了。这个世界，以及这个世界的苦难，很好地改造了我，使我觉悟，要懂得上楼谈恋爱，也要懂得下楼看过往。小部分的保持着自我的原则与坚持，大部分柔软而宽阔的学习中庸之道，尊重及理解着这个世界的异己。

26：8

圣经上说，聪明人，往往会中了自己的诡计。
那始终是最高的智慧。

二十七

27：1

一个躯体两个女人，仅仅是故事的开端。
愿上帝保佑她和她的无数个影子。
保佑一个女人独自的群舞。

27：2

那天，即墨送我回家的路上，一路飞驰，超过一个又一个车辆。街灯与夜归的人们，像是个个废弃的记忆，被沉默的我们甩在身后。

这让我产生了一种不祥的预感。虽然经过时间的打磨，我与即墨的默契得到升华，情感更加深切。与此同时，距离也在我们之间慢慢弹缩，为这深切带来了不安。

爆裂的气息隐隐将至。

黑暗中，即墨犹如一头沉潜许久猛然爆发的伤兽，强硬地侵占我。我在眩晕中，热泪满面。他给予的痛苦与幸福都那么极致，令我的心理与生理反应都乱了应有的分寸，无法再做矜持与克制。

心中酝酿已久的抛却，在这一刻的激烈眩晕过后，却化成另外一句话。

我说。墨叔叔，我们结婚吧。

那声音发之深切，忧伤而甘心。是一个女人爱一个男人最好的告白。让我感动了自己。

我靠上他的胸膛，紧紧抱他。他拍拍我，缠绕的手臂一寸一寸散落。这一进一退的姿势，令两人不同的心怀显尽。我心一阵下沉。

某一刻我们相互拥抱，给予对方的体温温融对方，以为能忘却世界的荒芜。可还不等你的汗液在我身上一层层干去，你就变成了你自己。

世界瞬间寂静。

一个女人发出生命中最甘愿的声音，而一个男人用沉默无声替代了他的所有回答。爱情，世间最伟大也最狭隘的感情，在遇到核心的部分，通常禁不起几个字的追问。它们变得不再高贵。

他的沉默令我自尊受到伤害。加之之前的纠结折磨，眼泪一下滚出来。又被迅速地抹掉。倔强地坐起来，点一根烟。

即墨，我说错话了是么。

他依然沉默着，手臂掩在眉眼处，回避看我。似乎思索如何开口。

小蓝，我想……我已经做好了终生孤独的准备。

短短一句话，在我听来一字一顿。好比遥远旷野传来一声一声的枪响，一发一发的子弹穿过我的体膛，疼痛冰凉。

穿过或者被穿过，人人都在成为子弹，在这场战争中像子弹一样生存。原来竟是真的。

27：3

读心理学的书，上面讲，你心里越是恐惧着什么，担心着什么，其实是一种期待，那种感觉就真的会临到你。这是吸引力法则。

我无数次地恐慌着即墨的离开，想着如是那般，我该如何面对一个没有他的将来。现在，它来了。说得善意委婉，让对方知其结果的同时，孤独二字包揽也解释了所有原因。面对这样的说辞，我该如何抗辩，如何争取。我如雕塑坐立一动不动，抽燃的香烟明明灭灭，我死死盯着那火光，竟产生了一种果然不出所料的疼痛之快感。没有挣扎。

一片空白。

沉寂。

打破空寂的是他。起身，冲澡，穿衣。一切做得沉默而坚定。我始终没有反应，一根接一根抽烟。

我要回去了，他说。我亦没有回应。

他定了定，转身走到客厅，穿上鞋子。下一个动作，便是要拧开房间的门锁，这时他才停顿，冲着卧室的我说了一句，小蓝，我走了，你要照顾好自己。

这话一出口，是那颗伤中要害的子弹，击中了对方。我赤着脚，一下冲过去，上前拽住他衣角，你究竟去哪里，这究竟怎么回事。

平稳的爱情里开始出现颠簸时，再隐忍的女人都要忍不住发问了。忍的时间越久，发问的力度越大。

他表现出克制的平静与耐心，语气听上去轻柔和疲倦，说，告诉你了，去美国做画展，顺便看看家人。

你家人出了什么事情么。

没有，都很好。小蓝，不要想太多，你现在最需要的，是学会爱自己。

没有像样的交谈，什么都问不出来。

我激动起来，倔强地堵在门口，用期待的，挑战的眼神望他，问道，墨叔叔，你爱我么。

与他在一起以来，他做什么不做什么，这个女人为他的舞蹈他关注与不关注，我都从未说过什么。可现在，他竟然毫无解释的想要离开，我终于忍不住了。爱让人丧失理智。

这个发问，使两人片刻震惊。

即墨的反应更是令我震惊。他沉默了一大阵，也许在思忖如何回答眼前这个天真无邪的女人。他真狡猾，或者说真真够善良。他竟然用了一个便捷的方式解救了措辞的艰难。在他的对面，我的文化墙面上，张贴了满满一面墙的海报，他伸出手指，指向了其中一张，同时伴随着我见过的天下最尴尬的歉笑。充满艰难。

我回头，看到那张黑红色彩的海报上，赫然几个大字——豪猪式恋爱。

胃开始打结，五脏六腑一阵下坠。

小蓝，不要这样，我回来打电话给你。

不知是他不忍我，还是不忍自己。用力给了我一个拥抱之后，打开门，决然离开。

27：4

豪猪式恋爱。

那是我们一起看过的一部话剧。讲的是现代人的某类感情状态，相互依偎，却不能永久依偎。

豪猪生长在非洲，身上的毛硬而尖。到了冬天，因为天气寒冷，它们就聚在一起，互相依靠，借彼此的身体取暖。但是当它们靠近时，身上的毛尖会刺痛对方，使得它们必须分开。分开后因为寒冷又聚在一起，因为被刺痛又分开。在这样的反复中，寻找着彼此间的最佳距离。

所以，豪猪式恋爱的含义是，在最轻的疼痛下得到最大的温暖。

二十八

28：1

张爱玲说，人世间没有爱，因为人的本性是自私的。爱都在一寸寸的磨损中毁灭了。看看吧，这世间有哪样感情不是千疮百孔的。

即墨开门离去。

我似乎还在半梦半醒的梦中沉睡。没有疼痛。

把门反锁，赤着脚轻轻走回卧室，套上一件睡衣。又轻轻走回客厅，平静地打开冰箱，取出一瓶冰凉的啤酒，重新坐回卧室。点一根烟。

行为轻得异常，惟恐惊到什么人似的。

28：2

轻巧与平静，是自我的刻意，警醒，想要异于往常。

往常的暴烈令我恐惧和厌倦。每一段感情结束，眼睁睁地看着他们离开时，看着爱情们离开时，我都不可遏止地陷入恐慌。反复成了习惯。习惯继续造成反复。

而每次到了事后我便迅速明白，那并一定代表你有多么爱对方，而是因为太爱自己。

到了真正疼痛的时刻，每个人都不由自主地深切爱着自己，本能地回避着疼痛。谁会舍得切肤之痛直逼自己，舍得心瘾生划去，舍得不去抓住一点慰藉而令自己的疼痛减轻一点呢？

爱情早已消尽。令人疼痛的，是爱的习惯。

28：3

这抑制的寂静惶惶恼人，不知过了几秒还是一世，我便在这寂静中不知所措了。

直到烟燃出长长灰烬，啪一下掉下来，打在我赤裸的脚面上。无声，却惊扰了我的平静。如此轻易的被惊扰，证明那平静是空洞的。感情还在升空，却要强迫降落。一阵眩晕。

终于，是这眩晕如一针清醒剂让我醒来。恍然，悲伤，惶恐，它们因为重击半天才缓过神来，追击而上。心开始剧烈疼痛。

我随手抓起一件衣服穿上，追下楼去。一边拨电话给即墨。

墨叔叔，我有话跟你说。

我都走了。

那你回来，我有话跟你说。

等我从美国回来吧。

我等不了。就现在。

他沉默。

我越发急迫，你回来吧，就现在，我在楼下等你。说完挂了电话。

我第一次在他面前表现得执拗。我爱上了他，他却要离开，没有更好的办法。

秋天很快过去，空气变得寒冷。我心脏紧缩，坐在楼下的河边抽烟。

这男人果然是危险的，我早有预料，却没想到来得这么猝不及防。无论真情还是假爱，作为当事人，我至少有权力清楚因由。况且，事至如今，我依然坚信即墨的善良与光明，他不是玩弄感情的人，一定不是。可到底发生了什么呢。

再好的修持，再理智再包容的女人，这时也乱了方寸。我不能确定他是否会转身回来，因为这时候男人都会明白，转身回来迎接他的，一定是场或大或小的战争。

我坐在河边，纠结地像团乱草。突然想到那个绑起手脚归尽河流的女孩。一阵颤栗。

28：4

灯一晃，即墨的车停在我旁边。立刻，我抽搐的心松弛下来。

到车上来。即墨摇下车窗叫我。

我像个倔强的孩子，上了车，紧闭嘴唇，一言不发。

他点一颗烟，疲惫而无奈靠在车窗上。你想说什么，说吧。

那压迫一面令我更加不能开口，一面居然又自责起来。兀自独立时，还好好的，还有骄傲，有矜持，怎么触碰到爱情，爱到最后，总有或长或短的那么一个时刻，不可避免地成为墙上的一块烂泥，甩不下，也扶不上。

这种快速的自省，令我竭力克制着情绪，寻找着这激动时刻里尽量得体的语言开口。其实大脑分明一片空白。

即墨，这是一场游戏么。

话没经过大脑，就这样翻着跟斗滚出来了。最艰难在于开头，既然开了头，就好办多了。

你怎么会把事情想得这么负面呢，你这样想我是有委屈的。他惊讶的口气，让我有点意外。

他不等我回答，继续说。小蓝，我知道我的解释毫无力量，因为已经对你造成伤害，但是请你仔细回忆一下，我跟你在一起，只是一个游戏么。你对自己那么没有信心么。没错，我不能逃避责任，但是我没办法说服自己，结婚对我来说充满恐惧。我们的成长经历太不同了，我不可能要求你去理解我。

听起来真是混话。我激动起来，既然如此，又何必当初呢。

他声音也大起来，说，感情这回事，谁能控制得好呢。我也是一个人，一个正常的男人，我无法不去为一个心爱的女人动情。

小蓝，他急速地说完一番话，松缓了口气，又说，每个人都有很多无奈，我接受自己是个孤独的动物这样的事实，我心里有多无奈你理解么。我也渴望家庭，渴望孤独时有爱人陪伴，可我也清楚自己的性格根本不适合婚姻。小蓝，这份感情很美好，真的，我很感谢你给了我这些美好的感受，我会珍藏起来，希望它可以升华为一种情怀。小蓝，你可以理解么。

多么隐讳的拒绝，好了，一切猜想被证实。

这恐怕是深陷爱情中的女人，听起来最艰难的话。因为它们听起来根本不像一种解释。天地孤绝。

我心中迅速升起一群声音狂轰乱炸，想大声责问，既然你明知自己，又何必跟我在一起。现在又来说这样的话，让我陷入以后又来说这样的话，你们男人永远这么自私，你让我怎么办。你当初一点点动情都不能克制，事到如今我已经把自己全然地交付于你，我又该如何克制。让我来理解你，那么谁又来理解我的无辜呢……

这些声音成群结队，挥舞着刀斧，愤愤不平地在我的心里翻滚，搅得心脏生疼。却是一个字都没有出口。沉默到令空气凝结。

经验告诉我，这种发问犹如白白扔向空气，男人给不了你更新鲜的词句，永远都是那三个字。对不起。而恐怕天下的女人也都有体验，这三个字任何一种时候使用，都比这时候使用要来得好。那只会在悲伤的心上徒增重量。

某种感觉经历的多了，心理反应会变成生理反应。瞬间，我的胃和心脏都剧烈地痛起来。俯身按住。

然后抽动嘴角，冷冷一笑，说，像个梦。

这三个字冷静地替代了另外三个字。为什么。假如此时女人问为什么，也如同男人的对不起一样，是忌讳，是虚费。一切已经形成，摆在眼前，唯一能做的，只有尽力保持平静，而后接受。我不想做一块烂泥，那是愚执女人的痴相。自痛他耻，何必。

我为此付出过大代价。是那代价教会我，事情无论是否结尽，对别人对自己，都要学会留有余地。

至于究竟为什么，也只有耐心等待在未来的时间中，自然浮现，或渐渐沉底。

要命的是，事已至此，我还在替即墨着想。我想，越是表面强大之人，内心越是有个部分脆弱如丝，一碰即断，所以他们才会把自己包装得更加强大，好与虚弱的部分达到平衡。我并不想逼迫他。

即墨，我冲他虚弱地微笑，你可知在我心中，是如何待你，在你心里，竟是豪猪式恋爱。也许你得到了最大的温暖，我却不是最轻的疼痛。

我抬头直视他眼睛，说，很疼。非常非常疼。

他听了沉默，亦直视我眼。焦灼不堪。

我们就这样直直对望，是他终于忍不住，一把揽我入怀。对不起。小蓝，对不起。

我从他怀中挣脱出来，继续盯着他眼睛问道，那么你的意思，日后我们就不要再联系了是么。

话一出口，被自己发出的这些字句吓了一跳。眼泪在眼眶里灼得滚烫，最终忍不住，大颗大颗滚下来。说出这句话，不知怎么，感觉像是一道测验临场反应和感情最低需求的考题。

即墨第一次像个战败的狮子，双手端住我的脸，把那些眼泪一滴一滴擦掉。低头，沉默。

我眼睛眨也不眨的看着他，生怕错过任何一个表情。他面带艰难，挣扎。思忖许久，我看到他不坚定地点头，口里似声无声发出嗫嚅。嗯。

是真的么。

他受惊一般，猛然抬头看我。那眼睛里的内容在当时我无法清晰识辨，非常之复杂而少有。他重重叹口气，迅速恢复自己的坚定，摸摸我的头，好了，先不说了，说不清楚。我要走了。

这个狮子般的男人，不想在女人面前暴露自己的脆弱。他急迫地要把自己躲起来。

即墨那天的表情与眼神，在我的记忆中永久定格，日后被我不断地回忆起。自责，惊讶，隐忍的痛苦，以及欲解释又无法启口的无奈，或许还带有委屈与茫然。我一次次回忆，一次次想要探索，想要看穿那所有表情，在里面揪一个所以然来。终于，在后来的某天突然清晰，在即墨那天复杂的眼神中，最为凸显的，竟然是求助。

那是遭遇生命的疑难之色。

那双眼睛里，含着万古忧愁的颜色，染上我的心，我的思想，我的爱以及我的未来。

28：6

即墨没有马上走，也没再开口说话。我也停止了独幕剧的表演。

我们好比两个疲倦的哑巴，无力交流也无力分别。一直安静地呆在车里。再没有埋怨和责备，没有争吵与质问。

凌晨四点。我说，你走吧，太晚了很抱歉，耗这么晚不是我的本意。

他说小蓝，不要怨恨我。

不，不要再说这样的话，我不想再听到只字的抱歉。我虚弱地举手示意他停止。

即墨。我说，我从不会怨恨一个人不爱我，可我无法接受别人欺骗我。即墨，你为何不

早一些告诉我，让我待你亲如一人，深陷如此地步，你才来告诉我你是个孤独的动物。

他费力地解释，而又不像一个解释。小蓝，我承认男人有时是自私的，可是感情的事没有办法从一个层面上被界定。相信我没有想要欺骗你，相信我。

此时有声比无声来得伤人。这些混话必然无法化解我心中的结。这结打了许久，在我一次次无疾而终的爱情中，在我对男人的认识和判断中，它越来越成为一种固执，僵硬，深重。无法释怀。

即使是我认为配得上的君王，他作为一个男人的角色出现时，我也无法从他的解释中得到任何的慰藉。

爱情令人无望。

28：7

黑夜在一片绝望和迷失中，慢慢划向白昼。

黄昏与黎明时分，都是我最敏感的时光。它们的变换充满神秘，令人伤感，疑惑了过往亦看不到永恒。

有时凌晨，我行在回家的路上，看到零散的车辆和不归女子，涂脂抹粉的面孔下有绝望的落寞，然后黎明突然就像个调皮的孩子，摘下面具，天就由黑暗一下亮起来。每当此时，我都有种被抛出时光之外的罪恶感。

黄昏和黎明有同样捉弄的戏法。忠贞和放荡是同样憔悴的脸。

我的忠贞在循环往复的昼夜交替时做下记号，划入时间的河流之中席卷不见，只留在一

个孤独女人的内心，无人能够识辨。

连你，即墨，我的君王，你也要离开我，与其他男人无异，令我无法区别。

28：8

我们直呆到天几乎全亮了。

光亮惊扰了在爱中迷惘之人。即墨说，我真的要走了。小蓝，我想我只能对你说感谢，然后把一切交给老天安排。

说完他用力地发动汽车。我从未听过这样惊恐的引擎声音，像是一种哭泣，一种别离。我平稳下来的情绪一下又被惊恐的别离打破，疲倦与委屈，使我终于忍不住哭出声来。

墨叔叔，我们今天说的话不是答案对不对，你回来还会见我对不对，你说好带我去看画展的对不对。

这是检验爱的时刻，那一刻我清楚了这爱的分量。一想到不能再见他，我就浑身瘫软，无缚鸡之力。于是扔倒所有矜持，一下低到尘埃里。

见我如此，他的某些克制似是也被激起，俯身轻轻抱住我，像个爱恋的父亲那样，摸摸我的头，说，好。

听到这个字，可笑的是，我打结的胃似是涂了膏油，一下松弛许多。这话因为他的心实在是心怀善意，还是真的在意我，一时无从验证。爱情这游戏玩多了，其实没有任何意义，意义的标准需要自己赋予。拼比到最后，比得是自我安慰的能力，谁先学会为它选派一个令自己心中舒服的意义，谁的痛苦自然就少一些。

即墨的善意，与我的低俯，让我十分清楚，不过是自欺欺人地躲过了当时情境。那珍贵的高尚的宝贝，它已裂开了一道缝隙。也许终生无法弥合。

28：9

我回到家，躺下来。无尽之夜。

再想即墨，突然觉得自己其实并不认识他。

要完全认识一个人，一定要认识他的恐惧。我只知自己的恐惧，却对他的恐惧全然不知。

我的爱人，你可知道，你亲口对我宣判了离开，那感觉与被人宣判了某种徒刑无异。就像被剥夺了生命中的某种权力，一切充满跳跃与欢乐的部分被抽空，似乎在未来的日子，只能沉默地与悲伤执手，而毫无驳回的能力。

那是一种全新的疼痛。

28：10

这游戏一点都不好玩。

要改变。起码，要尝试改变。

我忽地爬起来，发了一条长长的短信给即墨：爱情是一枚硬币，支持和和挑战是它的两面，我们必须同时接受二者。我们受到越大的挑战，就会得到越多的支持。我们既然与大多数不同，就更应该带着灵感阔步前进。亲先生，祝你早日落地。脚踏到实地，才会获得真正的安全，带着断翅只能是自欺欺人地飞翔。

在很多个时刻，我甚至都觉得自己对即墨的爱是高尚不可超越的。不是狭隘的男女之爱，毫无勉强，没有索取，没有占有欲和控制欲，那是从自然之中流淌升腾起来的爱恋。我为爱他而生，而来。温暖，舒适，没有欲望，没有痛苦。等待都充满甘甜。

短信在完全明亮的天色中被发送，我重新被自己的力量所鼓舞，甚至为这幻象感动不已。所有的悲伤与破败疾逝不在，只想加倍地，更好地，奉献出自己，即使遭遇了这倾城之恋，那么即使终其一生支持他的孤独，也就认了罢。

只因从对方的镜子里看到自己，深知一个孤独而自制的人，有着怎样难以言说的快感与痛苦。

28：11

我迷恋一个男人过了头。

在真相浮现以后，依然痴心不改。自我的尊严，就是在这样一次次的低俯中被渐渐消损，使得从始至终不对等的这场爱恋，渐渐包含了另一种意味。他一次不伤我，我就好过一次。那是最低的索取。

爱得过于多，不赢会觉得羞辱。

事情的可怕之处在于，有时转着转着，就转出了我们本意之内的那个圈。

28：12
夜至尽。情意不绝。

二十九

29：1
人生真是无休止的反复。

好不容易积攒力量，捱过艰难困境，以为前方是光明坦途，可走着走着，突然就没了光。

是谁把光关掉，还是所有光亮都是假象。即使最后我和即墨貌似有了一个约定，但我心中清楚，男人要走，是留不住的。

人在找不到任何解决方法的时候，比任何时候都想找到方法。接下来的几天里，即墨像一条迷惑的花蛇，紧紧地缠住了我的心。疯狂是最大的清醒，清醒则是十足的疯狂。我夹在首鼠两端，进退不得。

29：2
我左右思想，在纸上列出一条条理由。

我想。

早该识破这真相，他是落拓不羁的浪子，大人物，有钱人，自己不过是他餐毕的甜点，偶尔消磨时间的零食，自己却还在他的舌尖里甜蜜地融化。

我又想。

自己面对挑战，是否太过缺乏耐心。日久见人心，见的不是别人的心，是自己的心。不是每个人都能如此幸运，遇到灵魂如此契合的人。或许，于他于己，都该再多些时间与耐心。毕竟，一名四十多岁还保持单身的成功男人，内心必有他难以逾越的障碍。

我想。

愚昧时代该结束了。青春挥霍过，代价付上过，够了。艺术家爱的都是自己，爱上别人也是爱自己的扩充与延展。以为即墨不同，可以助我规划和净化病症，殊不知也是虚晃一枪。枪声过后，男人转身离开，留下残破结局，给女人惊恐承担。莫再心怀妄念吧，在已如蜂巢的心头再伤一次，情何以堪呢？

那么好吧，即墨，假如你同那些男人一样，不能把完整的爱给我，还是别与我为好。与其被人伤，不如在孤独中独自流放。

我又想。

都是宿命。

哪次投身灵魂之恋，不是情难自禁，哪次不是身不由己。即使它动荡无着，我也始终无法说服自己去与一个平庸无奇的男人相爱。没有对谈，不能意会，相互费力地消耗，最后死于庸流与疲惫。

强大的男人之所以强大，是有一套清楚的生命版本在心中。即使是遇到好的养料，一旦破坏或影响到他制定的自我版本，平衡被打破，必然会产生不适应。因为他觉得不像自己了。既然上帝安排了他来，大抵是让我磨炼无限的宽容与耐心。如何撒种，便如何收获。不要再去怨恨，倒不如种下爱，比爱本身更多的爱，将我的爱亲手赎救回来。

我想。

这样的人生太辛苦，不是一个聪明女人的选择。爱情是天上的，婚姻是地下的。死执于精神是害人的，到头还是该找个体贴善意的平庸男子，栽花种草，结婚生子，读书看报，厮守到老。才是实在的人生。

我又想。

有什么方法能够抑制一颗爱着的心呢。花在怒放之时被折断，是否残酷了一点。谁是在最饥饿之时而放弃进食呢，谁能在最爱一个人时戛然而止呢？他的睿智，幽默，柔情与豪迈，每天以各种花样填充着我的每一个脑细胞，细小而巨大，怎么好谈放下？

那么好吧，允许自己最后一次的冒险。不再碰他敏感的部分，即使是自己再加倍克制，加倍委曲求全。被婚姻吓跑的男人未必不是好男人，或许有时恰恰是好男人，才对婚姻庄严。那是一生的责任，总要有些时间来决定吧。

我想。一个人的思想质量决定他的生活方式，既爱他，必要接受他的一切。

我想。我想到快要疯了。

29：3

一个被爱火灼烧的女人，就这样对自己失望了。享受着自虐的快感，不甘愿地寄住那个黑暗和潮湿的洞穴，却并无其他地方可去。

万念俱灰。

最后得出结论，劝告自己说，一个人被挑战的反应过于迅速，是不可能得出任何深思熟虑的结果的。

该对自己和世界都保持耐心，总会守得云开。

29 : 4

如我一般痴相的女人们，你们是否也经历过此种心怀，一旦爱一个人，总爱透过理想化和精神装饰化的棱镜来看待他，花大量时间找来这些冠冕堂皇的理由，以提供自己与他人做笑料。

总之无论如何装饰，借口还是借口，假的变不成真的。一戳即破。

承认与否，说到底，根本就是因为不甘，与不舍。

三十

30 : 1

礼拜日。

我叫上简一三，一起去教堂。

与他交谈让人沉静。简一三看圣经比我看得透，了解宗教也更宽泛。他更深刻，更宽博。

从这一点上来说，也是我偏好欣赏男性创作者的缘故。虽然男性是线型思维，但他们天生的理性与逻辑能力，致使他们看待事物宽博宏大。他可能是一个发问者，也可能是一个观察者，但他们关注和探究的是内里的根源，而不仅仅是情感和情绪的细微涌动。

相比之下，女性的世界虽然丰富，却局限得多。她们过多关注细节，情绪，感受，所以她们可以安静下来绣花，一针一线。所以她们在各种情感中劳累，过多陷在细节的纠结中，被情绪占用去了时间，以致忘记了真正该做的事。

所以，男女冲突时，大概女人最令男人最头疼的事情之一，就是吵架。讲来讲去，花费半天口舌，男人以为这场战争差不多该结束时，结果女人话锋一转，又绕回原地。原谅可爱的她们是环形思维，绕来绕去，最终还是要绕回内心的那个小圆点。想起来很是可笑。

如果有来生一说，我倒愿自己是个男人。大刀阔斧，不拘一格，简化，归一。不会如此劳累。

30 : 2

大理虽然是个小地方，但每次到教堂做礼拜的人都很多。

敬拜。听道。祷告。简一三坐在我旁边，充满敬虔地观看，体验。

每次来教堂，我都感动不已。这是心灵的净化与洗礼。人在无常世间，有信仰归属的人是多么幸福，知道至少有一个人，是那么无条件地爱着你。

30 : 3
聚会结束，我和简一三留在教堂聊天。

我问他，你宗教情缘那么深重，为何没有归属基督。

他说，无论老子，庄子，还是耶稣，佛陀，无论是古希腊文明，还是东方文化，一切都是生命体验的结晶，是由无数鲜活的生命所体悟出来的。所以，我崇尚的是体验，正因为有体验，每个人都能发现和悟到真理。

这一点我赞同。宗教的缘分如同与人的缘分，都是定好的。无可争议。只要正确地认识信仰，内心有所向上就是好的。恐怕这真正的认识是有难度的。许多人歪曲了它，把它当寄托，护身符，保护神，甚至传说，迷信。这不是信仰的本质。

信仰的秉性是恒常的，弥漫在自然中。它们不是诗人七零八落的梦。那是在伟大的光辉中对自我的温暖，而这温暖，其实来自我们的本身。

那你呢，你是怎样信主。简一三拧开一瓶水递给我。

说来话长，那是在车祸发生之后。上帝真是慈悲，他俯首在苍茫人世间，看到有个孩子，需要他的怜悯与关爱，然后，就叩响了她的心门。自此以后，我就认识到，苦难，其实是一种化了妆的祝福。

30 : 4
在给即墨的信中，我只提到神拣选了我，并没有为他讲述其过程。

那是一次奇妙的体验。

我在车祸之后重新站起来那年，对未来一片茫然焦灼，这时被一位信神的朋友拉了去，十分偶然。因那时我对信与不信，并无预设，对于基督教义，也近乎无知。迈进那扇门之前，只是一个有着善良情怀，对宗教本能敬畏的一介愚徒。

那聚会融洽得一塌糊涂。我作为一个虽活犹死的人，一个有着悲伤属性的人，一个宗教之外的人，觉得这世界真是虚幻。他们以弟兄姊妹相称，以无私奉献的姿态相待，一起做饭吃饭，交谈，弹琴唱歌，欢歌笑语。宗教之外的人，颇有疑虑。

我想，这个房间之外，分明那么多的灵魂还在哭泣，何来如此的融洽欢乐。不，房间之内也有一个。我僵硬地坐在角落，像个悲观的看客，拘谨地卡在一群欢乐当中，显得那么格格不入。有人带领着弹起吉他，大家欢欣地歌唱起来。似乎人间没有忧愁。

那情景简直要让我哭了。他们的欢乐更加映衬了我的悲伤，使我退缩。
我那么像个局外人。

后来，就变了。

那位从澳大利亚归来的牧师十分和善，他召唤着大家说，主已经来到这里，已经在叩门，还有谁没有开门呢。

众人微笑，把目光投向我这个陌生的加入者。我面对众人目光，惊恐局促之中举起手。

主已经在叩你的门，你是否愿意让他进来，你同他，他同你，同席而坐？牧者一脸和蔼地问我。

我有些蒙，不解其意，只应道，哦，那我该做什么呢。

请站到中间来。

我茫然起身。

——亲爱的主耶稣，我感谢你，今天让我听到十字架的救恩。我现在愿意接受你做我个人的救主，请你帮助我审查我过去所犯的罪，在你的面前认罪悔改。现在我站在你的面前，承认我是一个罪人，将会面对死亡以及其后的审判。

亲爱的主耶稣，请你照着你所应许的，赦免我一切的罪，赐给我永生，收我做你的儿女。我恳求你来到我的心里，做我的救主和一生的主，带领我余下的人生，活出一个更丰盛的生命。以上祷告是奉主耶稣的名。阿门。

牧师伸展双手接应我出来，带领我做了以上祷告。可念了没有几句，我的喉咙突然就被塞住，哽咽，不能发声。救赎，将不再独自面对苦难，神必擦去一切的眼泪，从此洁净等等，那些字眼背后的光芒刺激了我，全身的血液都化作泪水，无声喷涌。

面对如此大而清洁的爱，每个人都是罪人，必将俯首下来。

30∶5

真的，简一三，世间哪个人不是带着原罪而来，所以没有信仰是一件多么可怕的事情。

信主之后，我整个人轻盈许多。走路雀跃，心无羁绊。独自在独自的世界，欢心徜徉。前所未有的喜乐。

旧我在破碎而重塑的生命中，幻想起，幻灭去。

对且行且远的长路，心怀单纯而有力的意愿。内心明澈，不知幽怨。感谢发生的一切，并对此感恩与宽悯。

江醒十分讶异，说看起来你好像恋爱了，因为走路都有风声，似是长了翅膀。

嘿，我在阳光明媚中回报以大笑，说，我在谈一场与耶稣的恋爱。这比与任何一个优秀才情的男子都喜乐。

与人谈恋爱是快乐，与神谈恋爱是喜乐。喜乐要比快乐结实得多。

也常会在祷告时，因为感恩而泪流满面。感谢神埋葬了我过去，赐予我新生。重生的感觉真好。

可是简一三，人真是个愚顽之物，是罪让它充满了反复。也许我们正是在这起起落落的反复中不知不觉地到了坟墓吧。那时我一头迷醉在奔腾花开的芳香世界，缺乏了警醒，忘记世间，还有个词叫做乐极生悲。

极致的乐过后，极致的悲必定要来造访。这是命运的规律。等到觉醒时，才发现内心已经丧失了完整感。我以为自此我就可以走那条明清之路，就像一个刚刚生出翅膀的小小雏鸟，就以为自己可以翱翔天空。实际上还不等起飞，就一头栽倒在地了。

不要以为有了神的庇佑，他就会把苦难从中途截去。因为爱，他更要试炼世人，终生都要对你修剪，完善，以便可能成为那个不可奢望的义人。一路行在坦途的人是不会成长的。

我曲解了神的美意。竟埋怨起他来。

怨这世界在我头顶，在我脚下，却将我死死包围，不给一点出路。想起来真是可憎，乔扮成一个无辜的完美主义者，高声向世界讨要好运，却又死死抱着顽固而愚执的自我思想，以为每一次苦难都是自己的不幸。真是一个不可救药的愚昧祈求。

简一三，你知道那感觉像什么，像小时候，吃了一些好吃的糖，就以为整个人生都是甜的。好像少年时爱上一个人，便忘记了世界的宽阔一样。炼净人性里的原罪是一生的功课，怎能草草就想索取成果了呢？

简一三听着会心地笑起来，没错，我也有过这种自以为是，以为只有自己长大了，别人都是小破孩。

是的。若是朝向山谷发出质问，听到回声时，你一定不肯承认，那荒谬原声竟然是发于自己。不安宁，是因为自己的欲念丛生。

30：6

上帝造人也有遗憾，有些人是天生有着悲伤属性的人。

我时常想，我与我的执著同伴们，活在文艺复兴时期可能会好得多。

那个时期的人们，奇特地赋予忧郁症一些高贵的精神品质。悲伤和痛苦是那个时期文学界流行的风尚，相反，那些快乐无虑之人反而会被看作是傻瓜。英国文化界尤其如此。诗人约翰·弥尔顿就生活在那个年代，在他的《失乐园》中，伤心，悲哀，痛苦这类词语随处可见。他说，被悲伤击倒，让污秽缠身，我们失去了天堂。

再翻翻19世纪后期的文学作品，也不难发现到处充斥着满怀悲惨沮丧之情的各色人物。从契诃夫剧作中没落的贵族，到伊丽莎白笔下愁闷伤感的女主人公，处处都弥漫着存在主义的失落感。

简一三，你读没读过斯托达德的小说《我和儿子》，我读的时候，觉得自己就是那位年轻的寡妇。她经常独自一人坐在窗边，思索这个虽有阳光照耀但确实单调乏味的世界，发问道：是什么让凡夫俗子快快乐乐？这些既不读书，也没有漂亮的衣服，平淡的生活中也缺乏艳遇，人的命运难道就是一辈子沿着某条固定的街道走来走去？

是的，对于悲伤者来说，再开阔的风景都是一片空白。尤其白日，平庸的日常情景会让悲伤更加苦涩。弗洛伊德说，白天的忧伤到了夜晚，会奇特地有所减缓。随着时间的满满流逝，悲伤终会结束。

所幸运的是，这个世界存在着真正的救赎。悲伤终会结束。

终会结束。我相信。

30：7

长久的交谈与自省让我轻松了许多。与简一三走出教堂时，心情大好。

我们去买些菜回去做饭吃吧。我建议道。

直奔菜市场。

大理的菜便宜又新鲜。一条鱼。一群活蹦乱跳的基围虾。一捆豌豆尖。几颗鲜艳的胡萝卜。再买一些豌豆粉，凉米线。几个热腾腾的摩登粑粑。一瓶青梅酒。红红绿绿，拎着菜的我们，不再像两个异类，走在大理的阳光下，好比火烧的葵花。

我对简一三说，谢谢你，让我遇到了生活。

他把拎着的菜并到一只手里，腾出一只手捋了捋被风吹散的头发，笑一笑道，不要感谢任何人，所有的能量都来自于你自己。我希望你能尽快好起来，尽早把药物放弃掉。

街道一旁的墙上开满了紫红色的三角梅，绵延一片，夺人心魄。长此以往的路人或许早已习惯，没人在它面前驻足欣赏，它们细细的藤萝却自顾自地向上攀爬着。

上帝呵，我信你最终还是会厚待那些勇敢的，坚强的，多情的人。什么都不该多想，只需像个聋哑的孩子一般，深切热烈地张开双臂奔跑。无声地，用力地奔跑。即使无人喝彩，即使没有终点。也许会受伤，但那是使人生完整的唯一方法。

敢于承担最大风险的人，才能得到最深的爱和最大的成就。

30：8
阳光炙热，走得累了。
我伸手拦下一个踩三轮车的本地农民，问他是否可以送我们到客栈。
他黝黑的脸上绽开一排洁白的牙齿，三块钱。
我说，我给你五块。
简一三把菜放进后面的车厢，对我和车主说，你们两个坐上去，我来
骑。车主有点为难又有点兴奋地笑了，推托道，还是我来骑吧。
我说没事，你上来，就当借用你的车。
简一三展开架势，重新挽好脑后的发髻，载着天地南北的两个人，鱼和
虾，酒和菜，穿过大理的阳光和风，穿过古城的墙和门，一路朝前方奔
去。风掠过耳际，他唱起自己的歌谣。
三轮车主坐在后车厢里，高兴得合不拢嘴。这样的客人，不知他是否遇
到过，又遇到过多少。谁与谁的相遇，是可以预测而永恒不变的呢。
路总要走过去，回头才能看得清自己。
过去隐在过去之中，也隐在未来之中。这需要消耗一些年华才会懂得。

30：9
奥修有句话我很喜欢。
他说，思考，是你的思想生病了。
这个世界完好无损，是你病了。
没有人可以让你安静，除了你自己。

三十一

31：1
转眼到了十一假期，晨光的客栈一下人满为患。
清静的小院喧闹起来。从四面八方汇聚而来的人们，自由，友善，带着
一些陌生的兴奋与新奇。每个自由的灵魂都是火光，星星点点引燃起周
围。
夜晚，院子里燃起小堆的篝火。一群青年男女，围坐一圈，喝酒，交
谈，纵情欢乐。
有人建议玩接字游戏。每人一句话，字头接字尾，音同即可。
我坐在简一三的旁边，不快乐也不忧伤。喝酒，观看。

游戏从一个广西口音的男孩开始。

他说，爱是一颗幸福的子弹。

旁边的姑娘一时接不上，捂起嘴嗤嗤地笑。半天才想这是个多音字，又绕回去说，弹出一个个的幸福。

福不只是用在过年的春联上的一个字。

字字确凿。

凿开黑暗就会看到光亮。

亮亮说我昨天做了一个梦。一个男孩子接得蹩脚，说完自己先笑起来，主动端起酒杯罚酒。大家对他唏嘘。

继续往下接，梦。

梦想是鸡蛋，如果不及时孵化就会变臭。众人哄堂，给予掌声。

简一三。臭……臭在如厕时。

轮到我接。时间仍在，是我们在飞逝。

逝去的岁月塑造了我们倒映在墙上的人像。这个姑娘喝得有点多了，做出的逻辑不清的诗句招来罚酒一杯。

像蚂蚁一样工作，像蝴蝶一样生活。

活着是最重要的事。

看不出来大家都是哲学家啊，来，干杯，为我们的活着干杯，为我们的相聚干杯。

31：2

欢声笑语弥漫在这个古老小城的静谧夜空。人简单地活得真好，就像酒醉一样容易获得快乐。

几轮游戏下来，有个姑娘兴致盎然，说，简一三，你不是做音乐的么，唱歌给我们听吧。

简一三大大方方，爽快答应。取来一把吉他一只手鼓。把手鼓递给我，说，你来帮我打。我说我不行。他说没关系，玩乐而已。

那姑娘快言快语，你们一对恋人还那么客气。

简一三也不解释，冲我一笑，自弹自唱起。

他竟然唱起锋芒的歌。

我手中的鼓一下乱了节奏。世事玄妙无常，有时在一个毫无防备的情景下，某个情节就突然与你有所关联。

从未听过简一三唱锋芒的歌。唱起来，他们的声音竟是那么想像。这帮天南海北的游魂，显然对锋芒的歌无比熟悉，跟着合唱起来。

他现在红了。越来越红。

时光恍惚交错，仿佛锋芒的歌友会。

31：3

在北京时，我去看了锋芒那场轰动的演唱会。

一个人去，有头没尾。看不下去，歌都太熟悉，听得难受。我无法像一个粉丝一样挥舞着手臂跟着唱和，也无法像一个局外人一样无动于衷。

听到那首为我写的歌，心中悲裂，转身离开。

走到门口，看到他的新女友，身材娇小，姿态灵动地忙里忙外。

第二天在电视上的娱乐新闻中看到铺天盖地的报道，我发了一条短信给他：恭喜你演唱会成功。你为音乐而生，希望可以一直唱到老。

他只回了三个字，沉甸甸的：谢谢你。

不然，还能说什么呢。

31：4

我与锋芒，曾是美好一对。爱得欢乐灵动，水流花开。

那是一段美好时光。

锋芒天生应该做音乐。

好的歌唱者之所以能打动听者，在于与音乐的能够合一。有些歌手，用尽力气拼命地唱，却还是唱散了旋律与词句，分裂，松散，各自漂浮在各自之外。而好的歌唱者，当他进入音乐时，是融化在其中的，他钻入了每一个音符之中，每一个音符又都成为了他，自由而又成一体。

未成名之前，他吃很多苦。他向我撒娇说，我的小爱人啊，知道为什么我始终胖不起来么，都是当年一家一家的跑唱片公司，把腿给跑细了。

那时家人反对，身无分文，住地下室，卖打口碟。他说你看，那些天桥上地铁里卖艺的，我比他们还不幸，因为我放不下自己，只有在黑夜里默默痛苦，一个人撕头发什么的。

我坐在他成名后的昂贵汽车里，笑得前仰后合。他说所以我们要好好在一起，以后不会比现在更幸福了。

我上前亲吻他一口，说，我支持你，你为音乐而生，此生不做，是对生命的辜负。

他成功了，一下子红火。万人之上。成为音乐界重要的一分子。那些经典歌曲，陪伴许多人，在孤独时度过难过的情境。

31：5

时光倒转。我认识他时，虽有些名气，可没有现在这么火。

去采访他，是因为杂志做一个关于音乐的专题。他只是其中之一。

是个秋天，凉薄清爽，阳光投射在地面，被树影割裂开，一丝一丝的斑驳。

他选在三里屯一家咖啡馆见面。见面之后，发现我们居然撞衫了，穿了一模一样的蓝色外套，巧得像特意挑选的情侣装。一个小小的偶然，造成了巨大的微妙。我们聊得十分自在。

采访变成了一场自由的交谈。

从他的音乐风格聊起。我说你的音乐好像树叶，有源头而无归处，四处都是它的故乡。

他说他追求的音乐根本，要有根，有魂，却不局限一种形式。所谓风格都是不能突破自己的借口。

后来，我们就从音乐聊到媒体的现状，从艺术境遇聊到国家体制，从经过的一个穿粉红色高跟鞋的女人聊到麦当娜长盛不衰的秘诀。又聊到一些相互交叉认识的圈内朋友。我们都爱吃香辣蟹，爱相同的电影。我们都爱旅行。

我们说，我们这类人，长到老也都像个小孩子，饱经沧桑的，纯真朴素的老小孩子。

他说起《这个杀手不太冷》的台词。

里昂说，玛蒂尔达你该学着长大一点了。

玛蒂尔达说，我已经够成熟了，再长大我就要老了。

里昂说，我已经够老了，现在，我要学着成熟了。

我们还相约去马尔代夫，去看一看传说中的真正的海。

一直到黄昏。一直过了黄昏。离开。

经过的橱窗，我看到一双蓝色的鞋子，漂亮得让我尖叫。冲进去，他也很喜欢，巧极的是也有大码，他就陪我买了同样的一双。我说我们穿上吧。他说好。

我们就穿着蓝色的纯棉上衣，崭新的漂亮的蓝色鞋子，双双走在微微凉意的秋天夜色里。得意忘形。好像两颗海蓝色的人球，自由地滚在街上。滚到任何我们想去的地方。我说给他听，他说你这个念头很摇滚。

走着走着，他拉起我的手。后来我们就好了。

特别简单，特别自然。一点都不冒失。

我们都有一颗敏感而柔软的心，应该在一起。

31：6

锋芒浪漫，多情。才华出众。有一双清澈的眼。

我们像两阵自由的风，甜蜜地裹在一起。

那时他常去一个酒吧排练，我是乐队之外的唯一观众。坐在台下认真地听，等他中场休息时，为他们送上买来的咖啡和红茶。他毫无顾忌地亲吻我。乐队的人哄得厉害，锋芒说你们是嫉妒。

他去外地演出时，就发诗句般的短信给我。

比如。

我走在路上，像是在你的世界里舞蹈。

没有爱的时光是固体的，爱通过一个简单的动作让我们流淌。

也会像个孩子一样要求我，清汀，你要想着我。

天下到哪里找如此好的男人与我相对。

我们一起见朋友，吃香辣蟹，一起回家。他开车时也拉着我的手，遇到红灯时会抽空亲吻我。我们听音乐看电影，吃饭洗澡，像是彼此的影子也像是小尾巴。

一个年轻跃动的灵魂，对另一个暗流相通的灵魂欲罢不能。连忧郁都是快乐的。我们单纯地以为幸福就这样迎头砸了下来，就这样疯狂而矫情地彼此拥有吧。日夜厮守，直到老去。

而如今，在这遥远的时光后面，我放逐自己在遥远异乡的夜，听着多年后相遇的另一个人，唱起我年轻爱人的歌，恍然如梦。

31 : 7

年轻就像一把镶满宝石的匕首，流光溢彩的同时也刺伤了身边的人。

我与锋芒分手，是发现他吸食毒品。

无论这东西在艺术圈子里是否普遍可及，那都不是我的人生。我劝诫他，他总说不会上瘾，只是灵魂的一条出路。

我们开始吵架。

直到有一天，朋友家有PARTY，他先去，我加完班去找他。去了不见人，推开其中一个房间，锋芒已经飞大了，搂着一个女孩，面无表情，虚弱地靠在墙上。当时我就崩溃了，扭头离开。

他心灵如婴孩般洁净，却在沾染最不洁净之物。人如何才能拥有真正的智慧，懂得克己，而不再对自我的私欲加以放纵。

后来我实在忍不住，跟他说，锋芒，我们分手吧，这个世界太怪异了。你不应该是这样的，让我不知道你是谁。

他没有解释，也没有挽留。我知道他爱我，也知道他爱自己。和平分手是唯一的路。

我只能选择决绝的方式。我爱他，无法以不爱的姿势与他在一起。

31：8

若要判断一场爱情，是否是有意义的浪漫，通过遗留的东西可以检验。

爱情走后，有人留下的是愤懑包裹的痛楚，有人则会生成继续美好前行的力量。这取决于爱情中的那个人。

我对锋芒没有任何责怪与怨恨。不是只有圆满才是结局，导向心灵成长更重要。与懂爱的人有过交手，破碎也会导向完整。

后来听说他有了新的女友，但不妨碍我们依然是朋友。中间没有芥蒂，在各自新的轨道上滑行。没有刻意联系，也没有刻意不联系。

年轻时认识的世界，都是自我的小世界。之外，有着许多大洁，与大不洁之事。

我们都是这样长大的。

三十二

32：1

歌唱不停。

大家兴致未了，又八卦起娱乐圈的人事。

一位长得白白圆圆的姑娘是锋芒的歌迷，兴致盎然，说得最为起劲。她声称熟知锋芒的一切事情。说锋芒的音乐制作人姓郭，爱抽的烟是五毫克中南海，女友是位主持人，爱吃的冰棒是绿豆沙。

我想我是喝醉了酒，跟那姑娘碰了一杯酒，说，不对，是红豆沙，相信我。

众人正说得欢，被我直刺刺插入一句，声音虽小，却无比确信。大家聚集向我，原来你认识他呢。那女孩哗然。那你来说，他生活中是个怎样的人啊，他耍大牌么，花心么。

他是个很好的人，有一双清澈的眼睛。我嘴角泛起笑容，轻轻地说。

来，我敬大家一杯，我喝多了，要出去走一走。

起身，走出院子。

简一三从后面跟过来，这么晚，你去哪里。

没事，走走而已。

简一三从后面跟上来，我陪你。

32：2

大理的热闹繁华，都聚集在古城里。这家客栈在古城之外，往居民人家的小道走，十分安静。

走在石板路上，我和简一三像两只夜游的猫，没有声响。

又勾起什么回忆了吧。简一三像是问我，又像是自言自语。他的声音让夜显得更加寂静。

我答非所问，说，简一三，我们过几天出去走走吧，到一些偏僻的地方去。城市和人还是让我感到紧张。

可以。但是清汀，你不要对自己灰心，这些都是暂时的，是你的病症在捣乱，服药一段时间，你肯定会很好。相信自己。

你信命么。

三十岁之前信，之后不信。没有谁可以造就或改变你的命运，除了你自己。

我也不信，可觉得人还是有定好的格数与命数。曾经有人看我的命盘，说，你有不安分灵魂，一生都会在情字和对美的追求中打转。他说得很对，你不是也给我看过么。自古最难成全的两件事都被我赶上了。

一路笙歌，一路升格，一路成了未来。

除了粮食，我在爱情的喂养中长大。得到，失去，成长，并将老去。眼睁睁看着自己一寸一寸被时光占据，爱情夹在时光中间，到底算是什么呢。它们在的时候那么真切，一转身，就虚幻不见，空留忆想。

可是，可是没有爱，该怎么生活怎么创作呢。

面对着它们，就像时间一样，简直毫无对策可言。

今天接字时我说，时间还在，是我们在飞逝。飞逝的过程中，男人倒是比女人好过些。因为听人说，女人活着全靠回忆，男人活着全靠遗忘。

32：3

后来我还在一个音乐圈的聚会上遇到锋芒。他突然出现，伏在我耳边轻轻说，你好。我回头，最先看到那双清澈的眼。人看上去更稳定，温暖，蓄起短短的胡茬。

我开玩笑，早知道你今天在，我就不来了。

他说，你就那么不想见我啊。声音温柔，是个调情的高手。

我说，相见不如怀念。你现在过得好，专辑也卖得好，恭喜你。

他说，你成熟了，更有味道。

我说，我已经够老了，现在，我要学着成熟了。

这句他曾经背诵给我的台词，让熟悉的气息毫不费力就回来了。他笑了。仍像那个秋日夜晚一样闪光。

有时我想，是否越是有才华，越够聪明的人，就越是令人惋惜呢。是否因为有了生就聪明的禀赋,而站在智慧的边边上不肯靠近呢。

锋芒如是。即墨如是。似乎我爱上的每一个男人都如是。足够才情,足够聪明,而唯独缺少那一点通融的智慧。而又执又愚的我,不聪明也不从追求聪明,只夹在愚钝与智慧中间张望,左右打晃。这晃动影响了生命的观感,我只能变得更加沉默。

32:4

沉默是因为自己的无力感。因为吸引别人以那种方式对待我们的,不是别的,正是我们自己。

假如一个人总在重复同一种情感模式,喜欢着同一类人,那么选择的一定都是自己。人选择什么,便是在暗合着自己的什么。这都是危险征兆。

张爱玲,三毛,艾米莉·狄金森,我喜欢的这些女人,因为无人分享和读懂她的生命,所以注定了孤独悲切。只有她们自己知道灵魂深处的激情和华丽。她们都在自己的舞台上默默舞蹈,而后不可避免地进入悲剧结途。

她们也都曾为自己的君王神魂颠倒,爱到兀自凋谢去,也不能用来被选择。

那是对某种华丽和飞翔的毁灭不可遏止的迷恋。这种迷恋在潜意识里,是梦般的失真与牵扯,召唤着双脚不由自主地朝那方向迈进。

时光已经证明这个梦想的愚昧。神啊,请来帮助我,使我心清洁明亮,朝向真正的幸福奔跑,为那沉重脚镣松绑。

32:5

时至今日,我将自己流放,在一个遥远城市的深夜与回忆相逢。它们如此温暖,又切肤之寒。

像是没有主人的爱情孤魂。

那些带着不同标签的男人从我生命中经过,留下不同印记,却纷纷像是天上飞鸟嘴里的种子,落在田野里,开花结果,自生自灭去。无一存活。

反倒是那些不爱的执著之人,不断地叩门,像是来提醒着你在情路上的坎坷与悲伤,惹人烦恼。倒不如有些转身就忘的短暂交错,从不相互蹉跎对方的年华。在平静的水面打一个转,迅速消失不见。

无人统计这世间的每个黑夜白昼,发生着多少爱恨情仇,它不为别人所知,只在经历的人心中留下印记。经过岁月,那些不重要的人的名字被抹掉，如同被丢弃的衣物，不再温暖。

说到底，都不过是相互流浪过的一个地方而已。区别在于，有人停留短暂，有人则永世不忘。

也曾在一个失眠的凌晨，产生奇怪的念头，想给我的爱情们逐一打上编号，看他们最终通向哪里，是否会走出我的猜测。

当然这很无聊。每个人的生活都充满密集的无聊，假如不赋予它们意义，它们会吓我们一跳，原来那么大段大段的时光，在不为人知的自我消耗中溜走。可是当它们到来的时候，还是被不由自主地卷入其中。

生命本身就是如此真实而虚妄。除去这些，无法找到更具真理的事情。

32 : 6

也唯有忘却罢。在广阔中继续寻找与提升，以便为人生找到更舒适的落点。

只怕忘不却。

我们都是被自己宠坏的孩子，习惯于对生命敏感，习惯于记忆，且宁愿对过往的美好记得很牢很牢。一放就喊疼痛，觉得缺失，觉得生命的完整被破坏，一寸一寸支离破碎。

破碎的结局有两种。

一种很正向，它可以造就一个完整的母体。

反之，就会将自己禁锢于亲手打造的囚牢。

三十三

33 : 1

简一三，讲讲你吧。你浪迹天涯，怎样消除孤独感。

我们走至一个桥头，下面有水哗哗流过。坐下来，仿佛侧耳就能听到时光穿过胸膛的声音。

很简单。他说。清汀，你听这水声，它们一年四季流淌，永不停息。万物都有生命，人不过是其中的万分之一，所以在爱人之外，也要学会爱这些河流，树木。爱增加的时候，孤独便会减少了。

你说得真好，这是理想中的我。

现实中的我还做不到。身处现实的我，有时站在这古城僻静的石板上，与自己对话，孤独地面对上帝，在围墙之间收缩心灵，沉淀思绪。不幸的是，思念突然会在这里深得无望。站在十字路口，就会有落泪的冲动。

清汀，每个人都会为上帝给我们创作的这个世界的不完美而伤感，因为悲惨的事情从未停止过，且从不问青红皂白就随机降临在人们身上。

嘿，你千万不要安慰我。我只习惯与人交谈，并不需要别人安慰。所罗门不是说么，他说作为一种有爱的情感动物，我们必须为自己失去的东西感到绝望。绝望过后，必然会出现新的希望。我相信在美好的未来到来之前，必然要度过许多黑暗。但美好的将来一定会来到。我十分确信。

女人真难理解。这次，简一三笑得有点无奈。他说，说实话，我不怕世界里的任何事，最怕的就是女人。

那我猜你一定被女人严重伤害过。轮到我笑他了。

当然有。

说来听听。

那，给我一支烟。

简一三从不抽烟。我取出一支，帮他点着。看他笨拙地抽了两口，被烟雾呛到。咳嗽过后，清清嗓子，像他上台演出时那样。开始讲述。

33：2

她有副天生的好嗓子，唱爵士。我们曾在同一家酒吧唱歌。

真的，她长得很美，是那种神秘的美。第一次见她，我就有种想保护她的冲动。她长得就像个小孩子，小女巫一样的，我都怀疑那么小的身体里面，怎么有那么一副浑厚迷人的嗓音。

过程就不讲了，反正我们俩就好了。一好就是三年。这三年里吃一起，住一起，在同一个酒吧演出。觉得跟夫妻没什么区别了，就领了结婚证。

直到有一天，一个醉酒的客人对她骚扰。男人哪能容忍有人侵犯自己的女人，我一时血涌，拿琴就朝那个客人砸了过去。把人打伤了，伤得很严重。我们都被酒吧开除了。我去拘留所了一阵子，出来之后，她已经走了，留了一张字条给我。她说我让她看不到未来，人生不该太辛苦，女人应该追求更好的生活。

清汀，你想想那滋味。我为了她跟人打架，却换来被抛弃的结果。愤怒，想不通。发疯地找她。她走得决绝，毫无声息。对爱情的执著，让我遭受了别人的轻蔑。

从那时候起，我开始把自己关在家里，拼命练琴，学习各种乐器。太阳升起，我就起床，练到中午，吃一顿简单的午饭，一直练到深夜。一年时间，基本每天如此。你看我的手，满是琴茧。

夜如黑幕，伸手不见五指。我把他递过来的五指抓在手里，摸上去僵硬坚实。

两年之后，我们的婚姻自动解除。我一直都没有找到她。直到她主动出现了，知道我组了乐队，发了乐器演奏的专辑，回来找我。

看见她的时候，我几乎要哭了，特别心酸。她容颜憔悴，老去许多。显然她没有过上更好的生活。我给了她两万块钱，说你去买些好看的衣服吧，一个追求更好生活的女人，不应该是这样的。

她哭着恳求我，希望可以让她留下，毕竟夫妻一场。清汀，你要知道，一个男人会从一个相信他的女人身上获得神奇的力量，假如当初她相信我，支持我，那天我一定不会看她哭着离开。

这是我生命中不能回避的一个女人。我不怨她，反倒很感谢她，因为这件事，让我的人生从此改变。那时候开始了解宗教，也渐渐觉悟，这扰心的红尘是地狱，贪恋越多，越不得解脱。

我很满意现在的生活，存在主义。做音乐，游走，体验。与生命中相逢的人给予微笑，并不执著更深的关系。与万事万物交谈意会，这种移动的生活和思想丰盛而有力。

等等，我打断他。并不执著更深的关系，这一点你认为你真的做到了么。

我之所以这样问，是因为中国是一个关系大国，所有事情的复杂化都是来自关系。一个人很难做到只为自己活，那些自己之外的眼光，牵绊，事事扰心。仅是处理这些就会消耗去太多心神，处理不好，自己还会迷失其中。

他笑，人完全出世谈何容易，我当然也有欲望。想继续发演奏的专辑，需要演出赚钱去旅行，想走更多的地方，看到漂亮女人也会欣赏发出惊叹。摒弃欲望没那么容易，只是学会了如何更好地与自己相处。

嗯，这点已经不易。我应和他。每听到别人的故事，总会让苛责的我有些安慰。毕竟，那么多人都在从深渊中往上爬。

但有一点他说得不错，人最先要解决的是处理好自己与自己的关系，只有这一层和解了，才有可能为其他人带来真正的舒适。

每个人最终，还是要放下执，才有可能获得真正的自由。

33：3

关于真正的自由，我想多说两句。因我似乎与简一三相反。难道说，女人恰与男人相反呢？我反倒是在拥有爱情时，才会产生自由的感觉。或者说，跟即墨在一起时。

真正的自由，不是时间和空间上的局限或延展，而是一种精神状态。没有恐惧，没有勉强，没有求取安全感的冲动。是毫不费力的生活。

到达这个境界并不容易。那首先要具备宗教情怀，对万事万物具备敏感之心，从这种敏感之中，就发散出了善意和爱。缺少了这份敏感，如果一个人的心只关心着自己以及自己的活动，它是无法感知到真正的美的。

美是这个世界上最值得追求的东西。当然我指的不是形式上的美，不是设计出来的美，而是生命的美。

每当我的爱情在我的生命中流转时，我就心情大为愉悦广阔起来，可以注意到群叶扶疏的大树，绿色的原野上开满的芥末色的小花，有条小河从其中缓缓流过。愿意猜测一个核桃般面庞的老人的皱纹里，藏有多少故事。一个孩子的笑声是如何纯净悦耳。那时，我就变得柔软了，宽大了，被拉伸了。

反之，就会变得僵硬，挑剔。尤其遇到那些生命缺乏深度的人，腥臊而显得浮夸的人，他们若挑战到我，我会毫不客气。

33：4

在大理时，我也常独自一人去喝酒。若有男人摇头晃脑地走过来，看上去并不讨厌，可一张口便暴露了浅薄。

举个例子。有一次，一个男人过来，看上去倒是一派端庄。

他说，我可以请你喝杯酒么。

我说，当然可以。

他说，那我可以跟你交朋友么。

我说，怎么交。

他说，不不，不要这样说话，姑娘，你太严肃了，放轻松点。你看你的面孔多标志啊，你的眼睛充满多情，可是表情不好，太大义凛然了，俨然不可侵犯的样子，不好。不要怕受伤害，敞开你的胸怀拥抱所有的男人，一定要执迷不悟，持续地执迷不悟，人生不在受伤中废掉，多无趣啊。

我说，那你现在还没有被废掉，真遗憾。

他说，你觉得我不够优雅么。

我扬起嘴角，还他一个优雅的微笑，再迅速地收起。问他，我刚才那样的表情好些么，可它不是为你预备的。

为什么。

你不会清楚原因，因为你太自以为是了。不过不怪你，因为你太忙了，你的心早就被娱乐，应酬，说笑以及彼此的戏弄所占据了。

另外，我还要提醒你，你要是用脑子里的那些东西填满你的心，你的人生就危险了。

说完我喝下一口服务生刚刚送上的他买的酒，谢谢你的酒，还不错。然后转身离开。

遇到比他更像小丑的人，段位更低级的媚俗商人，更高明的文化流氓，那些没有灵魂的人挑战我，我都会像一发犀利的子弹，毫不留情地瞄准他们的体腔。

另一个极端则是，一旦遇到打动我的人，我就成了中弹的那方，以心中留下一个枪眼而告终了。

三十四

34：1

回到客栈，已是凌晨。

走到大门口的路灯下，简一三突然变戏法般从背后拿出一束花。说，回去插在房间里，大自然会给你力量。

真有你的，何时采的我都没发现呢。我高兴地接过来。一些小小的野菊，像一个个小小的火焰。他真是个好人。一个智慧又浪漫的好人。

晨光还没有睡，等在院子里。见我们回来，他面带坏笑，说，今天要让你们帮个忙了。客栈又来了人，住不下，清汀，我把简一三的行李放到你房间了，今天委屈你们俩挤一个房间吧，反正也是两张床。

简一三学着外国人的样子，耸耸肩摊摊手，回头问我，清汀，你觉如何。

我正为野菊找来一个瓶子，弯下腰，在水管处接水。在哗哗的水声中我听到自己说，这一晚也许很温暖，但温暖也只有这一晚。

我见两个男人互相笑了笑。却不同。晨光的笑是性，简一三的笑是爱。我手持野菊站在他们一步之遥的中间，想，也许男人与男人的区别，就在这里。

没有预谋，却是巧意。像个玩笑一样没被介意。就这样，我和简一三住到了一个房间。

34：2

标准间，我们各睡两边。两个人都轻轻地躺着，没什么声响。

入睡困难。我继续着每晚的练习。闭上眼睛，在四面黑暗中寻找一个点，努力制心于那个点，以免思想四处漫游。这是心理学家教的一个练习。

简一三突然说话。他说，一个对着美有着深度追求的人，这让你看上去很特别，但是会苦了自己。

我致力寻找的那个点一下就被分散了，睁开眼睛，回答他，美的尽头也许就是毁灭。在来大理之前，我就试图在做这样的事。

简一三叹口气感慨，女人真是难懂。

其实要把住命脉，女人很简单。多给一些爱就是了。她们终其一生，不过是在追求爱，确定爱。需要爱人，也需要被爱。

却少有男人能懂。

或者说，女人自己也不懂自己。我曾经徒劳地与自我对抗，但怎样努力，还是无法隐匿于自己之外。这就是悲伤，密集无法稀释。但是就在今天，简一三，在我们刚才坐着的那个桥头，听着你的故事，听着哗哗的水声，我突然就原谅了自己。人在一生中，总有一个时刻会背叛自己，才能真正找到自己的内心地址。

相对于躲藏，我宁愿寻找，一生都走在找寻的道路上。找到属于自己的字词或者秘密，找到属于自己的河流或者内心地址。路途中有疲惫有绝望，有自我背叛与怀疑，但这之后再上路，定会走得更加坚定沉实。因为在获得的同时，减少了内心的仓储空间。

人的潜力真大。我竟在一片漆黑之中，像是做着发言，又像是舞台表演，不间断地说下那么一大段话。黑暗让我觉得安全，是我飞翔的最好时刻。我在四壁黑暗中努力睁着眼睛，一眨不眨。似乎对面的墙上一幕一幕，放着关于自己的人生电影。

在黑暗的加倍敏锐中，我感觉到简一三停止了微笑。他说，清汀，我可以抱着你睡么。

你是想安慰我么。

不是，只是纯粹的拥抱。

他赤脚轻轻走过来，高高的个子在墙上映出影子。轻轻地抱我，身体干净而温暖。

像是两个圣徒的拥抱。

34：3

美好灵魂是有气味的。可以被轻易信任，识辨。

爱或不爱都是干净的。交集也是干净的。

那一夜，我们相拥而睡。宛如两个灵魂抛开了具体的肉身，没有欲望，也温暖了悲伤。

直睡到次日，太阳从东方升起。

三十五

35：1

女人爱的越高尚，就会越痛苦。我的朋友爱瑶说。

爱瑶，是我另外一种类型的朋友。杂志社首席编辑。早早嫁人，与夫相处甚欢。现实，坚定，多谋，性情脆落。致力于经济理财，情感研究。热衷讨论八卦，稍有风吹草动之事都会成为她心理分析的对象。

她分析即墨时这样说。他与你在一起，并不一定意味着爱。假如你很懂事，不花他的钱，不占用他太多时间，又能与他心灵开怀相交，又能提供床第之上的销魂，这样的好事，对于一个男人来说，有什么理由不要呢。

她极不看好这段感情，愤愤不平。说，我要是个男人，不骗你都觉得浪费。

说得我一股股冒凉气。泛腥的凉气。被她这么一说，事情就穿了。不过是一件貌似爱情的事件。还有什么看头。

不过，她吸着一杯冰咖啡，话头一转道，我觉得也挺好，有人活了一辈子，也没有这种体验，你就别想那么多，好好享受吧。

然后她低着头，嗞嗞吸着冰咖啡的底部，有条不紊地分析。乐不思蜀。

我则心乱如麻。左右的话都被她说了，我说不了什么。知道说了也没用。爱未尽，把天说穿都没用。女人的悲哀在于，爱情可以把她的智商打回到婴儿时期。只能变得简单，再简单一些。

任何一件事情，只要心甘情愿，就能变得简单。

怎样的爱情最恨人。

低标准，高质量。这样的爱情最恨人。

35：2

即墨去美国的那段时间，日子纠结得不成样子。我把时间填得满满当当，试图不被纠结的绳索绊倒。

我在杂志的卷首语中写道：这是一个从不缺乏故事的年代，它如此玄妙，每个人都是一个深渊，我们俯身看去的时候都禁不住头晕目眩。

我给某时尚杂志写专栏，在那一期写下《冒险》。踌躇只会折断理想的翅，只有那些专注的人，敢于冒险与革新的人，才有可能获取最大的成功。如今这世代，哪件事不是一次冒险。

没有人可以安慰得了我。我只能做自我慰藉。

我依旧在每天起床后吃一个橙子，在橙子里吃出清晨的味道。即墨的味道裹在清晨与橙香之间，他才是我真正的早餐。

我心不在焉地拒绝追求者的约会。你们在此时出现真是不幸，只会显得更加黯然失色。你们的殷勤与善意都是徒劳，我只等我的王回心转意。

我去教堂做礼拜。神说每个人出现在你的生命，都有美意在其中。那么即墨这个孤独浪子的到来，与我交好又分别，我参不透，只能不断不断去求问神。

我大声地朗读圣经。传道者说：虚空的虚空，虚空的虚空，凡事都是虚空。已有的事，后必再有；已行的事，后必再行。日光之下，并无新事。

我去蜂巢剧场看话剧。《三个橘子的爱情》。故事其实很薄弱，三组爱情里的年轻人，在遥远而乌托邦的故事里奔跑。跑着跑着，就有音乐响起。有人唱起来——他不爱你，也有人爱你，他不伤害你，也有人伤害你。

我再去看另一部话剧。名字叫做，《如果，我不是我》。

故事并不新颖，充满无奈。故事通篇都在提出假设：如果我不是我，如果鱼儿也能歌唱。如果我不是我，如果树木也能飞翔。结论：可是我不能这样，因为我还是我，就像石头无法绽放。

可笑的悖论。世间没有如果，人生也没有彩排，每一刻都是现场直播。

这个时代，以及活在这个时代背景下的人，显然缺了真正的创作，于是只能创作在意淫中自慰的作品。一个并不高级的论调，太显而易见，太自我安慰，可是面对生命，谁又有更好的道路追寻呢？世间众人，纷纷暴露疑难之色。

我想创作人选择这个主题的初衷，无非是想组织一些人，创作者，表演者，观看者，集体自慰。集体自慰总比一个人自慰要来得畅快，在其中释放掉命运的压抑和无奈，获得逃避式的快感。不能成为更好的自己的旁观者，除此之外，别无他法。

35：3

过于孤独的表演，总想召些懂的人来参与并欣赏。

即墨同样。我想。

有人说，男人因为孤独而优秀，女人因为优秀而孤独。在内里，我们是自知而警醒的同类，所以才会沉迷交好。

我多希望他一直做那个小孩子，感冒时会打电话依赖我的小孩子。然而极少。所以显得宝贵，惹我一次一次，重复回味。

深夜，我在写作。他发来短信，小野猫又在何处酗酒？

锦衣夜行，在工作。

那行至君王处吧。对于我称他为君王，他十分享受。

君王有何吩咐。

他直接把电话拨了来，撒娇的小孩子口气，说，我感冒了。那口气听得我瞬间母性满溢，心一下柔软起来，噢，好可怜呢，那需不需要我去看你啊。

他镇定一下，你还是工作吧，我听听声音就好了。

我心即刻被扰乱，哪里还有心思工作。能在我君王需要我之时陪在身边，是我多渴望多满足的事。我说，等我吧，我现在过来。

他像个得逞的孩子满足地挂了电话。

我带着药，带着从超市买来的吃食，在深夜按响他的门铃。那晚他对我无比温柔，全然不像一个病的人。我们腻在一起看碟，吃宵夜，你一口我一口。无尽缠绵，永不倦怠。

35：4

我们一起洗澡。他高高的个子蹲下来，从头到脚帮我涂上浴液，搓起白花花的泡沫。突然说了一句，年轻的时候，是不会因为感动跟一个人做爱的。

那么说明，今晚的特别温柔，并不是因为爱，而是因为感动。

那时，我正背对他，伸展着双臂任他涂抹。从浴室里氤氲的镜子里望着隐约的我们，没头没尾回了他一句，即墨，我们都是一块生长罂粟的土地，香气弥漫，却暗藏危险。

镜子中的他停下手中动作，用手抹了抹被水侵染的眼睛，顿一顿说，这个比喻好。

我哪有那么愚笨，我早清楚与他相爱，不过是一场年华的蹉跎。不肯说破，是怕真的伤了自己。

终究无法抵过灵魂与身体的双重高度愉悦，欲罢不能。

人说缘份分两种，一是喜缘，一是孽缘。孽缘如我与即墨，是病毒爱情。大欢与大痛。侵蚀入骨。

35：5

思念在积累中无度。任何一种随着时光累积的东西都会令人产生幻觉。

我在黎明的阳台，数算着即墨何时归来。望着星空发呆。

天地之大，无所不美。又何须难过呢。有些表面看上去大乐观的人，其实内心才是大悲观，因为他们已经看到了结局，终是孤独或者死去。看透了这点，今我不乐，岁月如驰。

也许是我出现的时机不对。无一女子可以改变一个浪子，而是她刚好在他想要改变的时候出现。

第无数次地看到天空的渐变色。

想起童年的夏天，躺在院子里纳凉，就望着星空，把自己放进去编织着童话。想象这世界是否有另一端，哪里才是尽头。

后来上中学，有个喜欢我的男同学不知从哪抄来的小浪漫，写信给我说，我是天上最亮的那颗星，看到它就看到了我。

想着想着就笑自己。爱情的洞究竟有多深呢，爬出来又掉下去。

从一个洞里，掉进另一个更深的洞里。

35：6

淡蓝的天幕大白于天下。清晨微凉的风里飘着无数剪断了的神经的尖端。

即墨，你何时归来。归来时，也许我又变得不同了。为了爱你，我也许会把自己培养成一个更好的对手。

要成为一个好的对手，该有隐蔽而轻盈的耐力。

三十六

36：1

杂志又要重新改版。

会议开了一整天。为了给广告一个更宽松的环境，投资方决定将刊物改成双封面的男女刊。他说得起劲，踌躇满志。其他人面面相觑，哭笑不得。

这好比一个男女参半的脸，一个双性人。即使这个社会如此拒绝常规，某些人的喜好出乎意料的病态，凡事也总有起码的规则。传媒不只是用来赚钱，还要用来传播。就像好的爱情，不只是用来满足私欲，还要用来净化自我。

可是哗众取宠，急功近利，早已成为通病。不明白某个道理，靠讲，永远讲不明白。

于是这次我在会议上微笑，不再发言。手中的笔在本子上写写划划，组成一句充满自我嘲弄的话——从明天起，做一枚铜钱，外圆内方，举世无双。

36：2

年轻时喜欢热烈地表达，固执地坚持。是更坚定了，还是更老了呢，开始不想再争。不认为有什么好值得争执。

因为语言的效果是非常局限的。最普遍的一种，就是争论，这时人们会用到大量的语言。而这时候的语言，大多数是冲动的，追求话语快感的，缺乏斟酌的，甚至是伤人的。对此我充满警醒。没有哪个人的改变是由一番争论造成的。

另外一种，是表达本身。这种表达里，有倾诉，有抱怨，有谈心，寻常而又冗长的琐碎交流。它们发生在咖啡馆里，电话粥中，发生在倍受压抑的男人女人的生活中和表情里。智慧内省的人，大都不向外人喋喋不休，而是选择让它们在自己的内部沉潜，经过咀嚼和感悟，去糟存精，渐渐清明。

最简单的那种，是后来我喜欢的方式。见面的问候，节日的祝福，对旁人支持与鼓励的话语。不用多，轻轻巧巧几句，就如春日暖阳。

圣经上说，有多少睿智，就有多少忧伤。知识增长的同时痛苦也随之增长。

求神赐我一悟，吹得水流花开。

一切尽可能的简单，向上。

36：3

开会。赶稿。截稿。排版。印刷。

重新一轮打仗般的忙碌过后，我拿到了带着油墨气味的新版杂志。

翻到首页，是我写的卷首。读得哑然失笑。我们无力向控制者反抗，只能服从。服从过后，引起或大或小的连锁反应也是必然。

我写的这期卷语，题为《寻找自己的性格》。

有点卖乖，给读者洗脑，架到一个高度，来讨论一个问题。人，到底该放弃自己的性格，还是寻找自己的性格。其实暗指对杂志改版的不满，或者潜意识里，也还有对人生，对爱情的无奈。

之前，我曾跟即墨讨论这个问题。讨论因一则新闻的感触而起。

某某歌手，因媒体的不实报道大发雷霆，冲进该报社怒烧汽车，引起众人哗然。他音乐才华奇特，曾经万人之拥，今天却做出这等丧失理智之事，落得境遇不堪。其实有些事，退一步也就过去了。即墨看后，感慨道，在中国，做人行事，应该放弃掉自己的性格。

我当时一震，深以为意。可写起来，又产生新的疑惑。

在这水深火热的世代，要抛弃自由的自我，谈何容易呢？大抵也可能有这样一类人，像是绝迹了的生物标本，对人生众相不做判断，活在世界之中，又似在世界之外。但这类人，应该以出家人居多。

再或者，有些大世俗者，大悲观者，性情寡淡而又声称看透的人，也是可以很好及时行乐，畅游世间。

除去这两种极致，沉默的大多数，是夹在放弃愚钝与追求智慧的中间，痛苦丛生，处境尴尬。这种关系的不对称，也会使他在面对世界及他人时处于一种零散状态。

所以，我思索的结论，还是应该下决心与世界合作起来，去寻找自己的性格。从别人之中寻找自己真正的性格。

这是一种绝对的敏感，没有一丝轻浮的凝重。

得出这结论时，我忍不住，发了一个短信给即墨。其实是私情的探访。碍于面子，我只能拿这个问题当作冠冕堂皇的幌子。

一个小时之后，他回了短信：这两种方法都没错，最智慧的方式，是先放弃掉自己的性格，然后从别人身上重新寻找自己的性格。

这契合真令人兴奋。我忍不住为他轻轻喝彩的同时，又重新激发了对他的爱意，忍不住地就问出了口，你几时回来？

他回道：就快了。

一个思想精确有序的人，命运偏偏选择了让他与别人保持有效的距离。

我回短信给他：既是如此，人就不该把自己完全交给自己，才是一种协调而有效的完善，对么？

他敏锐过人，定会明白我其中的暗喻。

36：4

爱，原就是自卑弃暗投明的时刻。

我从未像这般对一个人低俯，在爱的路途上迎候解放。几乎把即墨当作我现实生活中的上帝。如果生命注定是脆弱的，只能让信仰和爱来冲刷它的苍白。

那一刻，我突然觉得我不再是即墨的一幅画作，他也不是一个画家。我与他的关系，像是舞蹈与舞蹈家的关系。

因为画家作画时，画便开始离开画家，画家作完画，画便独立地存在了。画家会死，而他的画，可以活着，流芳百世。

诗人与诗句是分开的，陶工和陶器是分开的。而只有舞蹈者和舞蹈是统一的，他们不能分开。当舞蹈家进入舞蹈，一切都消失了，只剩下纯粹而生气勃勃的活力，其中没有自我。当舞蹈家融化在舞中时，舞蹈就达到了完美，但是舞蹈家一旦停止，你便再也找不到舞蹈。他们脱离对方，各自就都不存在。

一个热切火红的女人，渴望着变成舞，为一个男人永不停息的舞蹈，直到繁华落尽，如梦无痕。

我发出一声幸福的哀叹。因为，我再次被自己对即墨的爱之高尚感动了。

三十七

37：1

周末，江湖酒吧。

台上，一个爱尔兰的乐队在演出。吉他飞驰，博得阵阵喝彩。

台下，我与朋友推杯换盏，大口地喝酒。

从前，我经常来这里看演出。很大程度上因为酒吧的老板，他长得极像耶稣，且吹得一手好听的萨克斯。他还很会讲笑话。

他说，某天，有个导演来酒吧，见到我，喜出望外，说，你可否来我们剧组演一个角色。我推却道，不行，我不专业，都不会说台词。导演说，不用你说台词，直接绑上手脚吊在十字架上就行了。

我听了笑翻了。笑着笑着，就成了这里的常客。

那些时光很快乐。我和江醒，及一群朋友，有时绕着后海散漫地走，走到天黑就绕到这里来看演出。这个狭长的胡同里，聚集了一群热爱原创音乐的人，长发的摇滚男青年，闷骚的光头女诗人，漫不经心，一聊就到凌晨。

客人四散后，朋友们便跳上台去，弹琴，歌唱。一个来自西北的吉他手，总是耐心地为我们伴奏。每次唱起崔健的花房姑娘，酒吧老板就会放下手中的活，抱起他的萨克斯管，加入疯狂的队伍中。那始终是一段完美的演出。

有人唱到凌晨不归，上台即兴行诗。你一句我一句，没有人在意吐出的字句，有多么破碎或多么精彩。

总有某个生命阶段，重复掉在某种情绪里。诡计一般，不期而遇。

37：2

忘记了时隔多久再来，安坐角落。再看那些人，怎么都感觉变了味道。

不知是我对他们陌生了，还是我对自己陌生了，总之觉得沉闷了许多，不再像当初那样轻易亢奋。使得我忍不住猜测，与时间并行的，究竟还有什么。

世界没有变。是人的心在变。

酒吧老板每次都会坐过来我旁边喝上一杯。今天，发现他的手机上多了一个小小的木牌，拿过来看，刻有几个字：相濡以沫，不如相忘于江湖。

我笑了。也许最好的方式，正是如此。

夜深，没有归意。说不出的落寞。手机响起。

竟是即墨。我看到令我心跳的名字在屏幕上闪烁跳跃，心一下就提到嗓子眼，却佯装镇定地接起。

小蓝，我回来了，但是要倒一下时差，明天一起吃饭吧。即墨疲倦的声音。

我按住心中翻涌的狂喜与失落，说好，你先好好休息。

挂了电话，温暖又失落。怎会要等到明天，积郁无度的思念，使得那端传来的声音，鼻翼的呼吸，令我即刻想要见到他才是。像往常那样，醉在他的里面一场又一场。

那晚我确是醉了。酒喝了一瓶又一瓶。

我只能醉去，不能清醒。否则这漫漫长夜何等难耐。

次日的太阳，请早一些出来吧，为了一个痴心女子能早些见到她的心上人。

37：3

若碰到势均力敌的对手，恋爱自然是高级的娱乐，带来精神和肉体上的极端满足。虽然这迷幻如同新陈代谢一样，终会被时间消释，但也总是在不断重复轮回并被再次激活。

第二天，我们见面。

半月里所有的踌躇，思虑，不解，在这一刻重新化为欣喜而不顾一切。我重新像个新娘，用微微颤抖的手为自己涂脂抹粉。他见到我时，也无法遏制地喜悦与激涌。我们紧紧地拥抱，热切地亲吻。之前的争执与不快，惘然隔世。谁也没有提起。

我们去吃了最普通的家常菜。他说在美国，无比想念北京的菜香。看他吃得香，我恨不得自己都变成饭菜被他吃下去。

之后他遵守许诺，带我去798看画展。都是他朋友的画展，参加了五六个。他逐一去捧场，祝贺。因为名声，所有人对他客气，恭维。我跟在后面，谨慎刻意地保持着距离。

一幅幅画色彩浓烈，有的阴暗逼仄。绕一圈一圈，我细致地看，却在空洞地思索。心思无法集中。

时不时抽了空去看他。盯着那深沉背影，与人谈笑风生，超然的气概。穿着他最钟爱的黑色，身上唯一的亮色就是他的皮肤和发梢的微白。这是秘密的信号。也许是性感的全部。

我在那团黑色里，很难去寻找关于他过去的轨迹。也许他习惯了包裹自己，在他完美外表的内心深处，在身体的每根纤细的神经末梢中，有种不为人知的神秘。深藏不露，令人迷醉。

它们来自灵魂的仙境，那里变幻莫测，又像是七彩的深渊，让我为此痴迷甚至疯狂。有时你知道的越多，迷失的就越多。我只能等待，等待仙境的出现，等待跳进七彩的深渊。那是敏感精神世界的源头。

37 : 4

他在视线中寻找我，招手让我过来。并不避讳，向他的朋友们作着介绍。

朋友开玩笑说，嗯，这个好。我报以惊讶状大笑，咦，你们见过很多个么。微凉的空气中漫起他的大笑。他拉起我的手。

一瞬间，我们恍如最亲密的爱人。

介绍完毕，他与几个画家，几个男人们站在画廊的门口抽烟，谈论着展况，圈里的人事。我立在中间显得局促，跑去隔壁一个画廊拍照。过一会，他视线内不见我，打电话来，你跑哪去了。我说在隔壁。他说不要乱跑，我找不到你。

我在一个布满雕塑的院子里等他过来。远远见他，一条我买给他的黑色与暗绿相间的围巾，被他随意地绕在脖颈。步伐坚定地朝我走来。我就那样看着，犹如看到感性的距离，正在坚定地走向我们，给我梦幻的狂想，若感生命之诗。无法掩饰的浓情。

他说，你是不是觉得无聊。

我说不会啊，只是过来拍照而已。

他说你无聊我有负担。走吧，我们去超市买东西。

回走的一路，他不断与人打着招呼。我在他身旁，被他牵着手，像个电视中那些真正的大人物的女人一样，礼貌得体地对个个报以微笑。那一刻，我突然理解了他，他在这名利场，不得不披着浮尘浪世的沉重盔甲。

究竟，他在为谁独行天地间。

偏偏被我遇到。

三十八

38：1

我们去超市买了一大堆的东西。洗发水，卫生纸，面包，大量的咖啡，
等等一些生活日用品。他习惯所有东西都买最大剂量的，为了在生活的
琐事中节省时间。只有做与画有关的事情，他才觉得有意义。

我曾说，这些事情我来做，你就不用操心了。他笑言推辞，弄得我心中
不悦，也只好不再提了。

我是个识趣的人，所以不容易获得幸福。

38：2

到他家，黑着灯。

我问，保姆呢。

他笑，主动提出辞职。太闲，没活干。

他大部分时间在工作室，要么出国做画展。那个保姆无人侍奉，每天把
大房子里擦得锃亮，然后发呆，无所适从。一个单身男人的生活，简单
到保姆都不能适应。

我把买来的东西往柜子里归类，安置。

他的住所，是一座高档的别墅。

我第一次来时，被他带着七拐八绕，带到一座躲在树荫中的楼栋门前停
下。我从没想象他的房子简陋还是豪华，只想象着他家中的细节。有香
烟的气味。无法掩盖的单身男人的凌乱。深蓝色的棉麻床单。浴室里简
单的洗漱用品。或者，不小心还会发现一个女性的发夹或者卫生巾。

可真的见到，断掉了我的所有想象。

加上地下室，一共四层。院里栽种了一些竹子，竹子中央挖出一个池
塘，鱼不多，但都是昂贵的鱼种，红红蓝蓝，非常好看。

室内装饰华贵，却不花俏。黑白色调，除了墙上他的几幅画作，几乎没
有色彩。

他带我楼上楼下一一参观。我像个被遥控的木偶，跟上跟下，一阵眩
晕。不是因为没有见识，而是因为那一刻突然丧失了对即墨的好奇心。

物质的堆砌，都摆在面前。

无形的精神之于有形的物质而言，更像一个秘密。

38 : 3

别收拾了，过来坐下。他叫我。

我从进门，一直沉默地帮他归置东西。收拾客厅的杂物，换掉床单被罩。一个没有女人的家，容易蒙上灰尘。

小蓝，一个保姆都不能接受我的生活状态，所以你是否可以明白为什么我不敢娶一个女人。不知何时，他站在了卧室门口，环抱着肩膀，依靠在门边跟我说话。

我听到，没有停止动作，哗的铺展开崭新的灰格子床单，走在床的左右两边将它扯平。

我说，你的床过于大了。

他听出我的弦外之音，笑起来。走到卧室的飘窗。一张摇椅。地上铺一张纯白色的羊毛地毯。他盘腿坐下来。

关于孤独，谁也不能让它休止。他说。

那你通常怎么处理它们。我停下来，扯着床单的一角问他。

这部分也曾经让我困惑，如今也还没有完全解决。但假如，你经历过真正的破釜沉舟，就会释然许多了。

这话耐我一阵琢磨。

可是墨叔叔。我走过去，像个小孩子，撒娇地，执拗地，与他理论说，人完全把自己交给自己，只会越走越狭窄。有时自以为是，有时无能为力。一个人的能量终归是有限的，总要参与到另一些有营养的生命中，相互弥合，借鉴与警醒，才会宽阔的啊。

他看我认真的样子，发出啧啧的声音，道，你激动的样子还真可爱。

然后一个弹跳，起身拉起我，不要收拾了，走，我们去下面看碟。

走了一步又顿住，回头端住我的脸，说了一句，小蓝，你还年轻，总有一天会明白，人最终都要交给自己。

38 : 4

下楼，转弯，走过长长的楼梯。经过几幅他的画，骄傲地挂在墙上。

阴凉的地下室太大，显得空荡。主厅一个台球桌。隔壁是茶室。拐进另一个房间，是影音室，上等的家庭影院。高高的音响立在电视的两旁，好比两个威武的战士。

这个给你。他变戏法般从后屁股兜里掏出一个名片夹。彩色的贝壳拼接而起，做工精良，手感细润，在灯光下泛着光华。

名片夹，多么带有礼貌性的礼物，拉开了亲密爱人之间的距离。一个恋爱中的女人敏感地以为。

他选了《十三罗汉》，塞进DVD。乔治克鲁尼的表演让人百看不厌。他有使女人膝盖发软的魅力。在中国，找不到那样一双眼睛，令人甘愿溺死在里面。

我们分别选了让自己舒适的姿势，躺卧在偌大松软的沙发上，陷进去一个小坑。我眼睛死死地盯着屏幕，却不能全神贯注。注意力被身旁的男人分散。即墨如是。因他突然就俯身过来，热切地吻我。我们疯狂抵达对方。

缠绵过程中，我亦不能专注。幻想着这沙发上，或许综合了许多女人的身体气味。他走过长长几十年，爱与被爱，经过一个又一个的貌美如花，或者才华横溢。一路追寻，一路抛弃。不愿为任何一个女人停留下来。

人们都说男女各是两个半圆，相爱后才组成完整的一个。那么他的圆呢，是由无数个光点汇成罢，也许密密麻麻，不计其数。那会是个圆么。会有多大缺口呢。

我在其中闪耀，是光点之一，微小不值纪念。他的回忆，或者会绕开我。或许不会。

我在高潮中发出一阵尖叫。热的眼泪就流下来。

38：5

电影还在继续。

屏幕之外是另外一场戏。

大而空旷的房子，多数的房间都开着灯，为所有的孤寂取暖。

一个身不由己，打算为艺术献出终生的，发梢微白的深沉男人，和一个甘心情愿，持续为艺术家献出自己的，正值年华的，也将苍老去的女人，似有似无的亲密与距离。各自轻度地低下面孔，眼睛朝向前方，成一个直角。两个倔强的姿势，死死地盯着同一个电影屏幕。浓重的烟雾氤氲，仿佛战场。

电影中说——我听到车的声音，我听到轻声低语，一些谎言和哭泣的声音。不如你们来告诉我发生了什么事。

电影之外，发梢微白的男人突然说，把我们交给老天安排吧。

女人依然死死盯着屏幕，忍住热泪，说，布拉德皮特太年轻了，他永远不会是乔治克鲁尼的对手。

一切都变得清晰，而又深不可测。

三十九

39：1

江醒打电话给我。河的祭日，她大醉。

五年过去，她还是不能回神。

清汀，我没办法开始新的生活，没办法，没办法再爱上别人。如果河能回来，我情愿拿现有的一切去交换。

她酩酊大醉，抱住我大哭。此时任何的安慰都显得多余。我轻拍她的背，还是忍不住对她安慰，都是宿命，你要学会对命运认账，认账才会心安。

你经历过生离，但你无法理解与深爱之人死别的滋味，所以你不明白。

我无法认账，也不甘心，不明白，命运为何如此捉弄……

亲爱的，都一样。我们都在捉弄着这个世界，也在被这个世界捉弄着。

我们都是其中一分子，并没有什么不同。

那是我第一次见江醒脆弱到失声痛哭。

人生中会遭遇各式袭击，而面对它们，我们本能的抵挡过后，就再也无能为力。

等她平静一些，我对她说，亲爱的，爱是很挑剔的，从不在损坏的心里生长。如果你想让爱重新发芽，就要忘记过去，修补好自己的心。爱只在舒适明亮的土壤中才会落脚。

也是说给自己。

要么甘愿守在此岸，要么勇敢奔向彼岸。千万别是困在彼此之间，首鼠两端，不知进退。年轻不多时，爱情不多时。人走着走着，就老了。

39：2

可她太难过了，什么都听不进。我带她去看民谣艺术节。

演出在两个好朋友酒吧。

室外，血染黄昏的草地上，散落着年轻的人们，带着故事或者寻找故事的空白投奔了音乐。总在有音乐的时刻，看到这世界的美好与哀伤并肩而来。

听穿白衬衫的钟立风唱，雕刻完这段时光，我就要去远方。江醒在底下流了泪，清汀，究竟远在哪方，我们如何才能抵达。我雕刻了许多时光，为何还是没有方向。四处都是方向，为什么没有我的方向。

听赵牧牛用力地唱，我是不是你最疼爱的人，你为什么不说话。黄昏下，风吹起他一头乱发，沙哑的声音，阵阵撕裂。

弟弟赵牧阳又在声嘶力竭地唱，宁夏一马平川没有我的家。

苏阳和谢天笑唱时，大家跳跃起来。在凌晨的时分，暂时遗忘了出发的心念。也许明知等待着的，是夜归之后的更大落寞。

音乐是这个世界的重要部分，浓墨重彩了这个世界的气味。温暖的悲伤，聚在一起的都是感同身受的人。

江醒一瓶接一瓶地喝酒，胡乱地与周围人搭讪，最后一头倒在草地上。一遍一遍跟河说话，我是不是你最疼爱的人，你为什么不说话。你为什么不跟我说话。

那情景让我难以目睹。无从安慰，强行拉她回家。

终有曲终人散时。即便四周围困皆无方向，我们也要凿壁偷光。

39：3

江醒在路上就吐了一地。到家，我为她擦拭，敷一块毛巾在她额头，安顿她睡下，自己跑去客厅，启开啤酒，试图将悲观压灌下去。

打开电脑。网络上有头像闪烁。一个网名叫做沉默者的男人，每次遇到都主动与我搭话。问些工作及生活状况。一些细琐的关心。倒也亲切温暖，不显生硬。我有时礼貌回应，有时松散不理。

交流了很久，没有见过面。我也不认为有见面的必要。也从未问起他的年龄与职业。在虚拟的世界，彼此有着需求，隐秘的交流很好，它是一个秘密的出口，不会成为负担，亦没有现实的压迫。

他主动打招呼。

明天有雨，你要注意气候变化。

谢谢。

最近好么。

尚可。

你似乎不大愿意跟我聊天。

我不想和任何人谈论内心。一个心怀秘密的女人，应该一言不发地生活。

每个人都有表达自己情感的权力，即使它充满破碎，也是最珍贵的宝贝。这方面，女人更不应该自持。

多数时候，我还是能够自持的，可是一旦触及到那些秘密和过往，便会方寸大乱。

或许活得不那么清醒会好些。什么都模模糊糊，似是而非，也许会更接近幸福。我觉得，你自有天真的福分。

也许吧。生命会加重纯真的负担，但神秘却让灵魂学会飞翔。

你有很大的资本，何必自弃。我在网上看了你做的杂志，也看到照片。你很美，又有思想，要对上天对你的厚爱知足。

可我现在却不能触碰太美的东西，会照耀得我的今日无比苟且。

不要急，总会有所归宿。没有人是毫无期待地，生下来，就向着死，张望着行走。

我不甘心，我急切地为它们找到一个归宿。

也许你可以试一下不要管它，等一会儿它自己就会翻转。这是人的本性。

看不出来，你其实很哲学。

呵呵过奖，我从来都不刻意去雕塑自己，或许是你激发了我的交流欲。我很喜欢跟你聊天。

可是请原谅我并没有耐心跟每个男人聊天。

那么我愿意猜测一下，在你内心，也许期待着找到一个旗鼓相当的对手。

每个人都需要对手，期待着那势均力敌的快意。

可也请你原谅我说一句，我的感觉是，不是所有男人都有征服你的把握，但有信心征服你的男人，绝不甘心只征服你一个人。

他的这句话，让我心中为之一颤。改日再聊。我简单与他道别，刷地就下线了。

39：4

没察觉这个男人倒真的有点意思，他的分析是一个全新的角度。那么，我难为的爱情终于找到解释了么。

我关掉电脑，关掉所有灯盏。打坐，冥想，在黑暗中倾听自己。

我的心，你究竟要把我带去哪里。它苦心追寻，不过是为真善美。它在暗影中阵阵放大，又阵阵萎缩，有时像一座宽阔城池，亭台楼阁，全世界在里面舞蹈歌唱。有时又细若一根毫毛，什么都盛不下。包括自己。

人人都在离别。与爱情离别，与伤害离别，与时光离别。一切都走得急速，时光也毫不留情。不再轻盈的思想与身姿，犹如被循环往复的车轮一遍遍辗过，留下印痕。心却孤独依然，无从归向。

我纵然可以流离失所，可是我的心，它比我更重要。我却没有收留它的能力。多么令人惊惶。

不能想。一想，就一脚踏空。

那么即墨，你是否肯收留我的心，哪怕是暂时地收下，像接受一份礼物一样。在这蓝天白云之下，在这荒乱人世，收下它，珍视它。还是我要继续无穷尽的等待，死了又死，以明白生是无穷无尽的。

江醒从里屋传来呓语，喃喃地与河说话。我为此伤感难过，世上果真有天妒良缘这回事么。

看王小波与李银河的书信集《爱你就像爱生命》。他们俩，长得都不好看，甚至可以说是丑，但两个丑人，却演绎了一段最美丽动人的爱情。

王小波说：我和你就像两个小孩子，围着一个神秘的果酱罐，一点一点地尝它，看看里面有多少甜。

李银河说：我常常自问，我究竟有何德何能，上帝会给我小波这样一件美好的礼物呢？

可到底，终会结束，终会分离。终归冷寂。

39：5

人世间的事，禁不住细想。无数个深夜，我都被一种深深的压迫感灌醉了。那压迫着我的，到底是我想要外出的灵魂呢，还是那世界的灵魂，敲着我心的门想要进来呢？

我还是没能学会爱自己，只是不再使那么大力气不爱自己。我只是冷冷地站在这里，冷冷地和我的命运站在一起，旁观着我自己，与自己周围的世界。

有些事，只能等它自己翻转。

世界的进程就是这样，对此我们只能说好。

四十

40：1

杂志改版后，局面变得更加复杂。

不停改版本就不是明智之举。投资方后来意识到，又不好对自己的决定表示反悔，下达指令裁员。

我于心不忍，选来选去，对任何一个张不开口。心里想，干脆把自己裁掉算了。反正也是混夹在庞杂人群中，每天像部机器一样轰隆隆地喧嚣行进。这不应该是工作的意义。

不喜欢人群，却又不得不迈入其中，不过是希望在人群中遗忘失望。

最终在艰难之中，裁掉了两个。其中一个女孩子掉下了眼泪。临走，我请她们吃饭。她们说了一些感谢我的话，我听着不是滋味。劝告她们说，日后无论工作还是为人，尽量简单一些吧。

裁选她们的原由，不是因为能力不够，而是因为态度扭曲。太喜欢生惹是非。

在她们心里，我做不了好人，也知道不必为谁担忧什么。她们的性格，自有她们的道路。

看到胡因梦说，做事为人，首先要清楚自己灵魂的方向。有人的路注定在外部世界，这时你往内部深入是行不通的。假如你的路是在内部世界，那么偏往外部世界努力也是要头破血流的。

我总结自己，事实越来越证明，我的路，不是在外部世界获得成功，而在于内部世界得予丰满。

40 : 2

跟江醒等一干音乐人约好，在一家叫做钟楼和鼓楼脚下的咖啡吧碰面。

人越在不幸的时候，越要发掘着幸运之处。所幸的是，上帝造人，不会让你兀自是一类，在这世界上独一无二。总会有比你还像你自己的人。物以类聚，同类之间的人脚步匆匆，寻找温暖，那始终是寒冷时最好的慰藉。

我只能跟着我的魂儿，去寻找我的路。

经过疆进酒，听到阿飞在里面声音凄绝地唱——我要牵着你手，一起参加我的葬礼，我要亲吻着你，同时庆贺着我的婚礼。

她唱——妈妈看好我的红嫁衣，不要让我太早太早死去，一夜春宵不是我的错。

她唱——我只有一个无瑕的身体，我只有一个黑暗的夜晚，你就是我的我的天哪，使我的四月无比下贱。什么时候才能像地里的麦子，秋天里幸福幸福地怀孕。

……

九月的黑夜上空，城市的广场，有轻风旋转。我立在门外，听她华丽而又无望的声音类似弃绝，却又藏着不甘的希望。字字刺心。

不禁移动脚步进去。那么凉的天，她竟穿一件绿薄荷一样的薄薄纱裙，搭配一条同色系的项链。不够精致，也不够像她。

这是一个敢说假如你爱我三天，我就有三天光明的人，所以在妆扮上，应该更不羁，七七八八的，不要整齐的发型和服饰，要像她的奇特思想，流淌式的，附着在她身上，表现出音乐和文字里的胆大妄为，或者凉薄风情。而不是经过修饰地，穿在身上。

所有人都以为这个天才女子才华横溢，乖张跋扈，睿智古怪。可实际上，她终究的梦想，不过是有一个人爱她，与她结婚，生一个孩子。柴米油盐的，生活到老。音乐不足为道，小说不足为道。

那是每个人心中都有的一个天荒地老。

却怪不得别人。首先要清理自己多余的部分，一朵芬芳的花的刺，一枚多汁果实的酸涩。我也一样。

处理不好，就会成为一个劫。

有些东西越放不下，反而越得不到。越得不到，越成为一个死穴。

事情就是这么怪诞。信不信由你。

40∶3

江醒与音乐人赵钱孙李们一干人等，已经坐在二层的天台上等我。秋风和意，没有比九月更好的季节。

老板拿来一种新酒，名字叫做kimkiz。果然好喝，我们喝掉一杯又一杯，一打又一打。讲政治笑话。谈电影赤壁。谈音乐现状。后来话题又转到集体说服某音乐人去某偏远学校做音乐老师的事宜。

松散自由的交谈，可以轻易地获取快乐。人做什么不重要，重要的是跟什么人一起做。这是一群散发着同样气味的人，都在内部世界比较发达的人。

因为酒吧老板对其中某音乐人的尊崇，又匆匆下楼拿来一堆奇怪的酒。长长的酒匣子，六个小小的坑，陷进去六只小小的杯子。每个杯中是不同的酒。选到浓烈刺激的那杯，还是香甜温润的那杯，需要运气。

事事无异。遇到一个桀骜繁盛的浪子，还是一个温厚纯良的男人，只有喝下去，才清楚他的味道。

那天我第一次从酒精里，喝出幸福的味道。纵情豪饮，记不清多少杯。直到凌晨，面容绯红，也没有醉去。

原本怀揣的绝望与不甘，被远远抛却。美好在任何时候，都能治疗忧伤。忧伤太多，是因美好的事物太少。

40∶4

那个夜晚，或者说是凌晨，在我的记忆中尤为美丽分明。失真宛如幻象。

后来，在一瞬间，月亮的光，路灯的光，黑夜的暗光，以及即将黎明的日光，所有光芒在那一刻得到了交集，美至顶点。我惊呼，不停不停地指给他们看。

我从未见过夜晚与黎明如此的神交。我不认为这是一个假象，也不认为自己喝醉了。非常真实，笼罩在我周围。生命之中，不可多得。

由此我也坚定认为，一个女人与一个男人，同样可以实实在在地获得神交。不是传说和臆想，也并不如你们说的那么不堪。

那个院子里，有花，有树，有月光。凌晨四时，几个流连忘返的零散之人，忘身于这梦境般的真实中。我们之外，有两桌外国人，投入地交谈，甚至小憩。安静而又入神。

我发现着我们，而又忘记了我们。

真像一出大大的舞台剧。无人表演，却是精彩剧目。

这曾是艾米莉·狄金森书中的场景。我梦幻的场景。终于抵达。

她曾描述说，孤独不是负面的煎熬，而是一种迷人的正面力量。如果你也厌弃红尘纷扰，那就自我幽闭于如诗人般的心灵深处，有花，有树，有月光。

有花，有树，有月光。此时，我别无它求。

四十一

41：1

天下没有不散的筵席。

趁着夜色，趁着黎明还未彻底醒来，我回到家，就着kimkiz没有散去的幸福味道，打开一个空白文档，写下一封信给即墨。

激流暗涌，思绪冲撞。

每当灵魂起舞，我都发现自己对即墨有着强烈的需要。美和真是一体，灵魂也需要朋友。无论我们以如何的形式分别，都阻挡不了我想与他侃侃而谈，直到青苔蔓延到唇际，并把我们的姓名一一掩埋。

这爱到了不可理喻的地步。成为一个不可测度的秘密。

我爱他，也许永远这样爱他。这爱不可能再增加什么新的东西了。

或者那时我都可能忘记了有死。

爱在心中涌动之时，除了迫不及待向心爱之人热切表达，不会有哪一时比这一刻活得更为真切了。

不会有以后比现在更合适了。

41：2

致我的亲先生

墨叔叔。

人生真是虚妄。

阶段性地，就嗅到暴风雨来临一般的空气的颤动。它必将到来，必将把我席卷。

那么来吧。尽管我已经被它搞得疲惫不堪，可我等待它的来临，等着人生把我抛向那个漩涡。等着生命向我展露它新一轮的花招，展示它深不可测的力量。我深知每一次接招过后，都会被锻造得更加茁壮而强大。

有时候，我多希望无论生活在我面前搞什么花样，自己都能像个熟练的老手那样掌握世界，在它面前保持无动于衷，不失理智。而实际上，我笨拙愚执，跟跟跄跄。

因我唯一渴求的是真实。如果我们死了，就让我们听到自己咽气的声音，感觉手脚开始冰冷。如果我们活着，让我们做我们的事。

我亲爱的人，每个人面对生命，我们以前无能为力，以后也一样无能为力。除了心怀坚持，保有尊严地去追求人生的重量与厚度。肤浅潦草的人生，没有博大的爱的人生，即便很长很长，也是没有多大意义的。

而你是怎么了呢。

41：3

墨叔叔。

想到你的名字，我便心中宽阔。

这迷人而坚硬的城市到处是窒息的气味，我们应该互相温暖不是吗。知道这个城市里有一个人，一想起，便内心温暖安定。

我已经为它准备好松软土壤，欢欣地等它扎下根来。开出花朵，结出果实。

爱情的苦，孤独的苦，于我们早已经不是稀奇之事。它开出甜蜜而痛苦的黑花，像黑色夜晚里的星星，耀眼又仅限那点点微光。

所有的爱情都是悲哀的。

尽管如此，它依然是我知道的最美好的事。

41：4

墨叔叔。

我写给你的第一封信中，告知了你一些故事。你知道时间在磨难中，过得真慢。那些自己给自己上的枷锁，也真疼。

终于，我认为我可以了，像一只熟透的果子，坐下来企图与一个人进行生命合作的谈判，对面却空无一人。那局面很悲凉。

始终没有好的运气，在对的时间，遇到一个对的人，可以有着一个曾经的少女那样无所畏惧的品格与能量，那感觉很虚弱。

那么好，经过两年之后，我把自己放下来，想，假如再遇到一个人，假如我们可以相互交好，要以最坦诚的姿态，获取最深厚的情分。少去猜忌，怀疑，试探，恐慌。那些事消耗心力，会使人苍老。

直接进入互相确定。信任，真诚，敞开。彼此给予微笑和营养，支持和鼓励，填补我们在此之前遭受的苦楚。学习完全地信任一个人，学习平静生活的意义。

像我多年前那样，要求太纯粹，就会变得很尖锐，很伤人，也就不好玩了。

要相信。也要耐心。

41：5

墨叔叔。

然后，遇到你。

我终于可以使用那句最喜爱的情话了。见了你，我变得很低很低，低到尘埃里，但我心里是欢喜的，从尘埃里开出花来。

你坚硬，却又柔软多情。你是我的药。解药，也许是毒药。

可你是怎么了。你眼睛里的光，让我看到你对我充满渴慕，所以不要否认说不爱我。可究竟是哪一关过不去，一靠近，你就像个刺猬把自己保护起来。竟然还说我们是豪猪式恋爱，多伤这个专心爱你的女人的心呵。

假如你认为我身上有刺，你尽可以提醒我，要求我。在爱之中，没有人不需要改变。

你把事业看得重要，需要时间。没关系，我可以给。这不是你我的分别，而是男女的分别。女人总想先有感情的归宿，然后再做事业才会内心安定。男人总是要先做好事业，才会来想安定情感。只是时间顺序的问题，本质上没有什么冲突。

总是要有人介入。不是我，将来也会有别人。你那样聪明，怎会不明白。

除非你并不爱我。

可是不爱，你去选择爱的就好了，何苦花费心神在我身边转圈圈呢。

41：6

墨叔叔。

我对你的过去毫不知晓，也从未问过你什么。那么今天，就让我做一个问号，为了未来的那个完满句号，回答我吧。

爱情是对生命以及我们所爱之物生长的积极的关心，如果缺乏这种积极的关心，那么这只是一种情绪，而不是爱情。你的爱使我投入忧愁。你

令我无从下手，我甚至不清楚到底该如何去爱我的爱人。我对爱你一头
混乱。

在这之前，我先向你坦白。

41：7

墨叔叔。

我需要你，并以我特有的方式爱着你。

在我的心灵深处，我早已知道终有一天我会找到一个人，他是我的爱
人。他生命的意义，生命的激情都将与我的交织在一起，创造出这世间
最无与伦比的珍宝。

我们遵循着同样的生活规范，见解一致，你怎样想，我也怎样想。我们
喜欢同样的画和音乐，同样的假日和大自然。爱迷了我心魂。

对遇到你的我来说，爱就是给予关系和爱，给予营养和微笑。你的爱为
我补充了能量，你让我感到自己具有的性别特征，并将我的所有财富都
带到了一个全新的高度。

我喜欢你的思想，喜欢你的拥抱，并为它们神魂颠倒。在宁静的夜晚，
你让我的思想宁和镇静，让我的灵魂心满意足，让我的爱在你怀抱的无
数场爱情中找到位置。在世人言语的疆域之外，我们比那些忧愁哭泣的
爱人们结合得更为紧密。

即使明天再也不会到来，我也毫不在意。你的怀抱就是我人生的开始和
结束。你将我从对世界和万物长久的忧虑中解救出来。

我会为你改变。我的爱不会。

41：8

墨叔叔。

我还没有说完。这些爱在今天争先恐后地奔涌出来。

你没有任何声响，你甚至蓦然后退，是听不到我爱的呼唤么。不是。我
期待着我们的爱合二为一。

我与你并肩漫步，无论你去向何方。我与你共枕而眠，无论你知晓什
么。我要和你长相厮守，无论醒来时还是在梦寐中。

我看着宇宙间广大的虚空，那世间万物的美丽，而你就在那里。再也不
会遥不可及。在这个简单朴素至极的世界里有无限的美，而我就从它们
中看到了你。再不遥远。

我爱你。无论你是健康还是疾病，境况好还是坏，富有还是贫穷。无论
发生什么事，我都会爱你如故。这是命运的安排。这种渴求已镂刻在我

的生命之中。

它不能增加得更多，也不会减少得更少。

41：9

墨叔叔。

我喝了些酒，要说醉了，也不是因为酒。是因为你。

人的一生，必须有这么一个时刻，听到一个人赤裸的，脆弱的，毫无修饰的，充满缺陷的爱恋的声音。

虽然我对世界深深失望过，对你失望过。但现在，我愿意重新奉上我的爱，路漫漫其修远，既然我们不能永远在一起，为什么现在不好好在一起。

因缘际会，你所不能理解的，是你的造化。我不能理解的，是我的境界不够。

即便我已经十分清楚，过度诚实的态度，会被现实折损，出卖。任何一名单纯的，不入世的人都会被现实折磨得脆弱不堪。原谅我，依然这样的固执，痴心不改。

所以我不去揣测，看了这封信，你会跑得更远还是靠得更近。我不是技巧派，不会玩那些花俏之事。我亦不想感动你，只是告诉你，我多么需要你。

41：10

墨叔叔。

我明白，互相取暖，那是不可控事情。

而放弃，从来都是最轻易的决定。

没有谁离不开谁，只有谁真的不想离开。

如今这世道毫无分别，忠贞与放荡是同样憔悴的脸。我曾经求神，看到我的热烈与忠贞，野花为饰，把我引向我的爱人。把彼此作为对方生命中最好的礼物。

我们都有很多缺失，好的爱情不是奉献，是成全。可以把对方变得更好，活得像一条生命，是再温暖不过的事情了。

我想说的，也许不止这些，也许与本意有偏差。语言的功能局限，永远抵不过发生。

我想你会明白。

花带在你身上，你怎忍心将她亲自下葬。

41：11

墨叔叔。

除了耶稣，我的一生没有君王。请你来统治我，掌管我吧。即使我不能像秋天的麦子一样幸福地怀孕，也心甘情愿地被你收割。

41：12

还有，墨叔叔。

你要记得，若有一天，你流离失所，我就是你最后的安慰，是你唯一的欢愉。

是你最后的故乡。

——一名幸福的囚徒

四十二

42：1

洱海。

我和简一三花了一百块钱，乘船渡往深处。

往海的深处走，渐渐船就变得渺小。洱海的水仿佛多情人深邃的眼，深远绵厚，神秘无底。爱它的人，迷失在苍茫之中。

迷失到大脑一片空白。船上的其他乘客有的兴奋呼喊，有的忙着拍照。我走上甲板，脑中空无一物，无思无语，只迎着凉腥的海风，深深地呼吸。在一种人事上用力，都是因为热爱而生怕不够回忆。

热爱的人事是一种气味，也是一种视觉。它们从鼻腔抵至心怀，留下终生记号。

我喜欢海，因它可清空人的头脑，覆盖掉所有忧思，荒芜悲烈心流在宁静深远的无数个水分子之中，微小不值一提。

42：2

简一三陪在我身旁，海风吹拂他细长的发，不多言也不多语。这就是与他相处的舒服之处。他是懂得适时适地的意境的人，多数时候，像一个活的静物陪在我身边。这就够了，恰到好处。

女人悲伤时，不需要更多，只有个心灵交合的异性在身边就好了。两个人的呼吸驱散了独自的孤寂。不需要安慰。女人悲伤时没有人安慰得了。除了她的心爱之人。

却常有男人把握不好分寸，误以为这是某种暧昧的信号，事情就会变得尴尬了。在女人心情悲伤时身体也是悲伤的，她们很排斥此时去行身体之欢。

我从没有对简一三说过什么，但相信他一定清楚，我内心对他的感激。

42：3

船从这岸行到那岸，在一个岛边停靠下来。

边界处，有几栋漂亮的小别墅。很远我就看见它们的绿顶，中间大大的玻璃构造，几个像是从事艺术行业的男女，悠适地散在院子里的遮阳伞下。可能在喝茶在交谈，也可能是在打盹儿。

如果把他们定义为懂得生活的人，不再执著追求名利的人，不如说是追求名利到了一定程度的人。多少人渴盼着像这样来生活，可惜没有资格。任何一种享受都需要资本。

我和简一三上了岛。

古老的房屋，镶嵌着青灰色的瓦片。狭长的胡同。石板铺成的小路。胡同里偶尔会遇见一两个零星的居民。白族的头饰，卡其蓝的粗布衣衫。村子中央，几颗大树，枝叶繁茂。

这几乎是这个岛上的全部内容。

从那棵大树的年龄上判断，这里该有着几百年的历史，可这岛给外人呈现出来的表征，是两根烟的功夫就转完了全部。任何事物，不深入内里，我们总是潦草判断。

船的停靠处大概是这个岛上最繁华的地方了，因为在那里意味着可以见到最多的人。每天来往的形色人群，是这个一成不变的古老村子的唯一变化。

呆在那里的大多是些中老年人，以女性居多。几个白族老婆婆簇成一堆，左手拢着右手，靠在岸的边角，被太阳照得几乎睁不开眼，也努力看着每一个上岸的来客。这是她们世界里的唯一新奇与繁华。

我走过去，选择同样的姿势靠在她们旁边。她们看看我，就别开头去，没有认同也没有反对。或许习以为常。我试图跟她们聊天，可是很吃力，她们甚至听不懂我的语言。我想问她们的是，她们一生出过几次这个岛。

她们摇摇头。这动作代表着听不懂我说话，还是告诉我说，其实从没出过这个岛。不得而知。

是极有可能的。或许是由家里的劳动力，那些男性们偶尔渡船出去，购买些日常用品，办理家庭事务。她们守着家就好了。做饭，生娃。为这个偏僻的小岛延续着后代。

我打听了一下，岛上总共不出两百人，不及城市里一场演唱会的百分之一人数多。青年人大都出去打工，老年人的全部生活内容，就是与同村人，拉家常，潦草地交换着自己的内心。其次就是每天观看不同的外来人，带来新奇的同时，也接受着带不来真正的新奇。

晒得面颊上长出太阳斑，高原红，也不愿意挪动脚步。岁月流逝，日复一日的生命静止，年迈的老人眼睛开始变得浑浊，退化，而在那些浑浊萎缩的眼睛里，我看到的是如孩童般单纯的光芒。

令人十分感动。

42 : 4

这里唯一的商业机构，是一个简陋的小卖部。

我和简一三买了几个包子，两碗泡面，跑去村子中央那棵最大的树下来吃。风吹动树叶，掉下来一些细小的杂物，我们却吃得很香。

既在人间，又似脱离人间。尘世从未显得这么安静过，我们久久地停留不想离开。

吃完饭，我四肢伸展开，把头枕在简一三的腿上，仰望这棵参天大树。想到王家卫的电影。

简一三，你检查一下这树是否有洞，我也写一封信，把秘密留在这洞里。秘密也要选择留在一个美丽的地方，这里这么安宁，可能一辈子都不会有人发现。

他当我自言自语，没有理会。取我一根头发，探进我耳朵里，轻轻拨弄。

我跟他闹，嘿，我是说真的，要么我去找找看，就当玩一个游戏。

别动。他按住我。然后指指我的左心房，说，不用找，洞在这里。

你这个人，没情趣。我嗔怪他，心中却为之一震。

简一三就是这样好，不虚伪，不敷衍。真心为别人好，尽说些实话。

他又说，你不缺乏给你提供情趣的男人。我心所盼，只是希望你能开怀，放下，学习体验这一刻，什么都不要想。不要回忆，也不要等待。你其实没有那么难过，只是被自己爱的眼睛蒙蔽了。

我想了想说，也许是，也许不是。我讲个故事给你听。

42 : 5

陈升和刘若英的故事。

一期有点早的电视节目。

这期节目其实是给刘若英的，陈升作为嘉宾参加，他们多年师徒，却很久没见。

但实际上主角从头到尾变成了陈升，因为刘若英一开场就崩溃了。

整个节目，她基本没有办法好好说话，只一直在哭，一直在哭。她喊他师父。

可大家都看得出不仅仅是师父。陈升讲话的时候，她抬起泪眼一瞬不眨注视他，百转千回。

陈升的话不多，字字掂量。他所有的话都是对着刘若英说的。他说，你不要把自己的专辑贸然送人，这不是名片，也不是你嫁入豪门的跳板。它是付出了我们的生命，我们的精神在里面的。

他说，一个有天分的女人，试图想要做强人，是蛮苦的。他说，亚太影展，她成为影后之后，我就对她说，你可以离开了，不要再黏我，我会是那种永远都让你找不到的爸爸。

他说，你一个女人，永远不要对别人和盘托出。你将来是要嫁人的，等你结婚的时候，还拿什么留给你丈夫呢。

节目里，当刘若英哭到进行不下去的时候，他就说，给你们唱首歌吧。奶茶要听什么？刘若英说，风筝。

"我是一个贪玩又自由的风筝，每天都会让你担忧……"听到这里刘若英猝然一笑，表情可怜而失措。当唱到"所以我会在乌云来时，轻轻滑落在你怀中"时，陈升做了一个小小的张开怀抱的姿势。刘若英眼泪哗啦掉下来。

侯佩岑问陈升，你有没有喜欢过奶茶呢。

陈升定了几秒钟，说，我不喜欢她，干嘛帮她做这么多的事，你当我白痴吗。

整个节目里陈升起伏最大的一段话，是说刘若英的恋爱。

他说，我觉得只要是一个女生，就应该有一个啰里巴嗦的、或者是个讨人厌的家伙，随便，随便一个，去保护她。司机老王啊或者什么的都可以。可是，他对刘若英伸出双手，质问她，你现在是怎么了呢，全世界的男人都死光了么。这是我最介意的一件事了。

刘若英茫然失笑，垂下的眼睛里有绝望。或许她在想，既然应该有一个男人，既然随便一个就好，那为何，不可以是你呢。听起来关切至深的言语，包含了多么置身事外的拒绝。

它不会令人宽慰，只会彻底心碎。

很少看到这样失控的采访场面，掩饰的情感，刻意的距离，自始至终的眼泪。刘若英不是实在的哭，就是冒出突兀的傻笑，或环顾左右而言

它。她的紧张和手足无措十分明显。她说，我们很久没有见了。我都很
少见到他，他也不肯来听我演唱会。他都不要见我。

陈升说，你有你的路，我有我的事要做。你今后要去任何地方，都不关
我的事了。

侯佩岑问刘若英，可不可以告诉我，为什么听到他讲话，就会没有办法
控制要哭？

刘若英说，我觉得是这样，你看到他，你就会觉得原形毕露，你觉得你
做任何补妆啊，弄任何外表的东西，都会觉得自己很虚伪，很假。他太
真实了，他是关心人心里面的东西。我常常觉得我和他之间是沉默就可
以了。有时候，我觉得自己拼不下去的时候，就会开车去他在的地方，
走进去，他看到我，就摸一摸我的头，然后我就好了。看到他，我就觉
得我好了。我就走了。

陈升点点头，没有再说什么。拿出口琴唱了最后一曲《然而》。

刘若英含泪和他一起唱：I want you freedom like a bird……陈升唱歌
时，微笑地看着她。这是最后一曲，唱完就会离开。他的表情里可以看
出他的决心。

刘若英说，这么多年来，他对我讲的话我都记得。我也恨自己，为什么
没法跟他一样都做得到。我会觉得很惭愧。但是真的我都记得。真的。

42：6
真的。

爱情一旦触及到灵魂，一生都会留下一个洞。

我看这个故事，哭得稀里哗啦。女主角在上面哭，我在底下哭。太过感
同身受。

人间故事如此容易雷同而缺乏新意。

我与即墨，与这二人如出一辙。

说穿了都一样。

可是不说穿，就有很大余味，足够痴缠。

四十三

43：1

没有一种悲伤是不能被时间减轻的。

因为太揪心，在等不到大量的时间到来之前，为了修补那个洞，我做了
许多尝试。

我尝试过笨拙。尝试过与别的男人有良知地相处。尝试过解放，在时间的画布上画出自己。尝试过背叛自己。尝试念诵经书。尝试喝苦涩的水。尝试融化自己的身体，变成泥土或者带刺的黄瓜。尝试在毁灭的路上拯救自己。尝试让时间在自己的身体里发芽，春天发芽，夏天也发芽。

可是都失败了。

那个洞使我成为我梦的囚徒，不能更好地活着也不能更好地死去。有时事情赶在了那个节骨眼上，说不穿也看不开。看电视尽是些纠结不堪情感剧。去K歌每首歌都像是唱给自己。

哪来那么多卿卿我我，你情我爱。

偏偏这就是人间的颜色。

我被这色彩涂抹得人鬼不成。终于决心离开即墨。

一个比普通男人更懂得爱人也更懂得伤人的男人，比危险的男人更危险的男人，好比糖果也好比毒药的男人，最迷人，也最恨人。他们沉浮不定，自相矛盾，在一个个爱他的女人身上一次次地确定着自己。

他们也许不配得一份死心塌地的真爱，但他们有足够本领把人活活折磨得毋宁死。

遇到是不幸，或许离开了才是幸运。这段路不好走，我因走得太过艰辛抗不下去了。

焦虑，抑郁。开始发病。

43：2

发送了写给他的那封信之后，犹如往河水中投入一块沉闷的石头。咕咚一声之后再无声响。

我忍不住，打电话给他。他依然说忙。

我被激怒了。第一次感到爱与羞辱联在一起。

他回过来电话，说，我们谈谈。

必须有场像样的谈话了。我再次咬碎了牙根。

43：3

他过来找我，进门没事一样，与我调侃，你看上去气色还不错。

他越不严肃，我越恼怒。明显的不对称，暴露了各自的心怀与城府。

我直截了当，说在我们谈之前，我必须要清楚两个问题，希望你可以正面如实回答我。

他冲我含糊不清地笑笑，你说。

这是一场情爱的游戏，还是智力的游戏。我问得果断有力。如果你不想回答这两个问题，我们就没有必要谈。

他皱皱眉头，小蓝，你怎么会把问题想得这么负面。

不要绕开，你回答我。

我发狠了心要谈谈骨头的问题。爱情是有骨头的，那就是首先必须确认你是否爱对方。其次有多爱，怎样爱，是血肉的问题。血肉可伸缩增减。但我现在需要确认骨头这个核心。

自尊心受到侵犯的我，像个庄严郑重的法官，一时咄咄逼人。

他抿起嘴唇，重重叹一口气。起身拉我，说，你来。

我不知所以，被他拉到门厅，站到那面大大的镜子面前。两个棱角分明的人并肩站在一起，他威武的像头雄狮，旁边的女人则明显的气势薄弱，发出微怯，太多的不确定令她不敢直面过于真实的东西。

看他，或者看自己，都像一种讥笑。像是站在锋利的刀刃，有股强烈的孤烈气流穿过。我们肩并着肩，只有一拳的距离，却一点都不温暖。甚至悲愤，好似捉弄。

你究竟要怎样。我甩开他拽着我的手，转身要离开。

他拉住我。小蓝，勇敢一点，看着镜子中的自己，把心里的话说出来。

我愤怒地挣脱他，喊起来，我不要，要做你做。

从他紧闭的嘴唇的形状上看上去，他咬紧了牙齿，定定地站在镜子面前，直视自己的眼睛。没有发声，却又像是暗自问了自己什么。而后他冲着镜中的自己不停地摇头。

我退后一米之遥看着他，看着他与自己的游戏。发问，否定。怅然，又坚定。

如果他是一名演员，这游戏将毫无诚意。可惜他是一名画家，寡言少语的艺术创作者，此番情景，让我深觉自己的天真。

天真到忘记了看清离自己很近的东西。比如恋人。比如自己。

他的这番行为虽没有直白的言语，却包含了太多东西。他的深省。对我直接伤害的回避。还有慰藉，那是对我们双方的慰藉。隐钝的伤刺。

就在那一刻，我突然就厌恶了自己。

厌恶自己在他面前失去了从容。

43：4

从第一天起，我就像个被遥控的陀螺，无休止地被他抽转着。这深爱与羞耻混杂一起，抵至极限，瞬间令我觉得眼前人不是一个对手，而是一个敌人。

这显然区别明了。对手至少可以帮助你成长，而敌人只会让你疯狂地损耗。

曾经看一个电影，里面有句台词，演绎了最好的讽刺。

两个人对话，一个错落急促地问，你不喜欢什么。另一个怠于节奏地回答，我喜欢一切不说话的东西。

这才是完美的对手。

人会输，往往不是输在实力本身，而是输在心理战术。迫不及待地暴露了自己，急迫地交付着自己，却偏偏是，人在渴望拥有一切的时候，失去的比任何时候都要多。

43：5

我要么是低估了对方，要么是高估了自己。

即墨的这场表演式的似是而非的解释和交代，让我看到自己的心，仿佛紧紧缠绕四方的树枝一寸一寸松散下来，因绝望而放弃的姿势坍塌下来。他微微深沉而又灿烂的，无限延展的脸和眼，内心散发的荒凉，漫过我的每一寸肌肤。

也许，这正是我所等待的真相。

孤独的真谛，是等待释放的狂野。即墨的背后是一个无限幽深的秘密隧道，有时冰凉有时炙热，注定我们只能保持着有效的距离，不可靠近。

一方不甘一方决绝，始终是矛盾事件的顽劣之处。一方越要追赶着给，另一方越是本能地抵抗。而对方愈抵抗，则激增了另外一方的探索心理。在有距离的想象空间里享受着满足与痛感，直至在心中把他默默奉上神坛。

遗憾的是，人最终，爱的都是自己。

43：6

那天，我在彻底的绝望与难过中，哭泣着，与之疯狂做爱。没完没了。

我们似乎想用身体探索彼此内心深处无法抵达的世界。那是一片繁盛隐秘的森林。我看到沼泽，湖泊和月光。却知道自己带不走也无法占有。

他不能安慰我的心，我只能用身体的安慰来缓解。可身体的欢愉那么肤浅，喘息过后泪流满面。

他的身体与你形同一人，内心却各自为营。没有比这再孤独的事。

杜拉斯说，我作品中的所有女人，她们受到外部的侵袭，到处都被欲望穿过，弄得浑身是洞。如果有幸福的话，它总是和绝望紧密相联。

那么吞噬我吧，把我弄得变形，直至丑陋。你为什么不这样做。我请求你。今夜黑花在放荡不羁的爱情中开出来。

还有罗密欧，他也一定很不安。为什么他喝毒药，是因为他爱朱丽叶，知道要把一切都给她。

43 : 7

没有了爱，已经无法快乐。

真正的爱情，绝对是天使的化身。一段孽缘，不过是魔鬼的玩笑。

一个不舍，一个决绝。最残忍的爱情莫过如此。

我亲眼看他为我判了死刑。我的感觉是，自己在有生之年，已经死了。

心脏剧烈疼痛。我夹着香烟的手指不断颤动。一支再一支。看着自己的心一点一点熄灭，如冰冷而灼热的尘烟。

我问他，即墨，你没有什么话要对我说么。

什么。

藏在心里的秘密，就像在教堂忏悔一样。

他说，如果一定都要用言语说清楚，那哑巴怎么相爱。

那你坠入过爱河么，就像石头扔进河里那样。对方却像一个哑巴，不对此发出任何声音。

他宁愿做一个哑巴，果真再没发出声响。

43 : 8

爱情就像监狱，进去了就出不来。

43 : 9

我把一切的哀乐与心愿，一切狂欢时刻的记忆，一切各地各时的诗人的恋歌，从四面八方到来，聚成一个爱情伏在他的脚下。可是，就这样轻易被囚禁了。

破碎的爱情向来有头没尾，令人感到疲倦与厌恶。我没有再做挽留，因为我终于愿意将自己的幻梦破解。他不爱我。

或者说，他爱我，可是更爱自己。

世间的问题存在一个永恒的方法。便是，你若不想做，会找到一个或无数个借口。你若想做，会想出一个或无数个办法。

分手就是不爱了，那些冠冕堂皇的理由，不是想让对方好过些，而是想让自己好过些。

他亦没有做更多解释。临走时，他怅然无力地望我，表达他的愧疚，说，小蓝，对不起。

我披散着头发靠在床头抽烟，没有回应他，也没有看他。

他走到门口停下脚步，定在那里很久。回身走回卧室，站到我的面前，对我说，我可以抱抱你么。

那一刻的紧张气氛如同刑场分别，我真想张开了怀抱紧紧抱他，告诉他说不要走，我那么需要他，没有他我可能会死。然而，我低着头，一口一口抽烟，看也没看他一眼，轻轻摇了摇头。

关门声在我的耳膜中发出轰然声响。

轻易的热爱与放弃，都是脆弱和浅薄的流露。没想到这场以为刻心刻骨的爱情，却以如此浅薄的方式挣扎着离开了。

多少回了，为了按捺住自己，我迸得全身的筋骨与牙根都酸楚了。可事情到了这个界面，依赖只是逃避更深层次的事实的一种方式。我必须忍。

我忍着疼痛，忍着愤怒，忍着无限的力量与无力，忍到似乎超出了我所承受之极限。那一声门响的同时，我听到内心也传来一声闷响。我因要窒息而尖叫起来，声音在这个曾经百般欢愉的房间里冲撞着，找到出口，即刻就被钢筋水泥顶撞回来。

它们像我一样被囚禁了，哪里也去不了。没有出口。

被深爱的人抛弃没有出口。只有死亡般的疼痛，将我撕成了碎条。

43 : 10

那感觉没有日期，没有仪式，没有容貌和特点。没有人。灵魂只认识灵魂，事件的网就是他穿的飘动的长袍。一张黑色大网劈头盖脸将我罩住。恍惚中我似乎听到琴弦吱吱呀呀的声音。有人唱歌唱走了板，跟不上生命的胡琴。

那天晚上，我因恨碎了骨头而失去了一切支撑，瘫软一片，无法独立成完整的一个。又仿佛挣扎在海的底部，想要浮上来呼吸，却又恍无气力。就在那底部窒息着。

就一直保持他离开的那个姿势，一根接一根抽烟。后来喝酒。直到天亮。

大醉，大梦，大孤独。

43 : 11

人最孤独在于，一个人是无法强迫另一个人来爱你的。

一位女友写了一篇博客，是这样的。

朋友说，你快说个笑话给我听。于是我就说了一个，从前有个人，他说，他爱我。

我后来说她，这样的笑话不要拿出来与人分享，凉得就像北方冬天的寒风，刺心刺骨的寒冷。也不要拿出来与人说。这世上许多的疼痛都在自己的里面生根发芽，想要流泪时，抬头向上望望树叶在秋天落下，又在春天默默发出嫩芽。这样就好。

即使无人喝彩，也要一如既往地向上生长。这样就好。

43 : 12

月亮西沉时，我在死亡般的恍惚中，仿佛看到我与即墨携手同行，身影打一个旋转，又忽而不见。

对自己发下狠决的心念。一个浪子的到来，他曾见过我的美丽容颜，日后，任凭那目光在原野上如何搜寻，将再也见不到我。

这黑夜是如此地黑。

陈升说过一句话，黑夜是固执男人的叹息，一个人无法跟夜争执什么。

拉上窗帘，遮起明亮的光。找出安眠药，冷水吞下两颗。在绝望中倒下。

再不想花力气去解开任何一个谜。也不要再梦到谁来安慰我。

43 : 13

深爱一个人，到了尽头，竟是如此孤独。

四十四

44 : 1

卡夫卡说，绳索不是紧绷在高空中的，而是紧贴着地面的。与其说是用来行走的，不如说是用来绊人的。

我再一次被绊倒了。这是人生间歇性发作的迷失。

太多的疑团和问题绊住了我，也许短暂，也许十分恒远。也许答案会在未来的岁月中慢慢呈现，也许，一生都寻觅不到。

每个人都在摸索着前行。

44 : 2

次日一醒，想到昨日，惊悸万分。

看一个人是否快乐，不要看笑容，要看清晨梦醒时的一刹那表情。

我花了一些力气让自己镇定。打开手机，有即墨凌晨三时传来的短信：

伤害了你，再次让我对自己失望。除了抱歉，我不能再说什么了。

看得忍住一眼泪。扔掉手机，生硬地把自己蜷起来，像是不由配合着心脏的蜷缩。把脸深深埋在湿浸的枕头上，吃力地吸气，呼气。不能继续爱下去，再说什么都是刺伤。尊严已经丧尽，我只能让自己看上去更加坚强。

有些爱，注定是一个人的事。爱与不爱，只能自行了断与承担。伤痛，是别人给予的耻辱，自己坚持的幻觉。

44：3

秋天的午光最绚烂。跳下床，拉开窗帘，它们就毫不吝啬地跳跃进房间。

我在无言的悲伤中拉开冰箱，取出冻得不再柔软的抹茶蛋糕，与顶涌上来的难过抗衡着，强行吞下。从阳光望向窗外，秋光照得世界失真，如幻影一片。我在这大幻影中试图寻找自己，却寻不见。重量感消失，轻飘飘如一张纸片儿。

在恍念中喝一杯咖啡。抽一支烟。依然吃一个橙子。它今日充满苦涩。为憔悴面容化一个简单的妆。打起精神去上班。

人生的每一刻，都是一个转折点，都是一个宿命挣扎的开始。

我在街上的人流中穿行。我观看他们的表情，有亢奋也有淡漠，因为操劳过度而形象凌乱。他们看上去显得那么退缩，失落或者盲从。充满冲突。

车流轰轰不息，宛如一条条彩色的铁鱼游在这欲望的都市，一日一日，没有结尽。公共汽车站拥挤不堪的人们，你推我攘，就像那漂亮又能干的杜鹃，把每一只蛋都往窝外挤，对别的死活不顾，自己的却严加保护。

一对年轻情侣距在人群之外，热切地拥抱，亲吻。女孩子踮起脚尖的努力有奋不顾身之势。心中瞬间为这小幸福想要落泪，不是感动，是伤感。人在年轻总以为爱情能天荒地老，却总要遭遇死过一回才会明白，不是每个人都值得如花女子人老珠黄。

44：4

刚进办公室，就听到激进的争吵声。

因为一场活动没有带来广告的收益，市场总监大发雷霆，那个浓妆妖艳的女员工克制着不满情绪辩解。鉴于此，她与他的桃色传闻在涉及利益的一刻被证实那不过都是交易。

有人的地方就有传闻。关于我的，也听到一些。

一个女编辑讨好地拉我去午餐，诉说爱情之苦，然后又笑嘻嘻地向我讨教爱情之法。我说我没有任何方法，只崇尚无为而治。她说那你是如何钓到大鱼，听说你的男友是身价千万的知名人士。我哑然失笑。

这就是生活。不能因为荒诞就说它是假的。

还没坐稳，资方老板打电话让我到他办公室。说晚上有个晚宴，希望我参加。我红肿的眼睛来不及遮掩，哪里有心情去做曲意逢迎的应酬。

我说很抱歉，今天有事不能去。

他习惯性地快速在已经谢顶的脑袋上捋一下，说你在业务方面的能力大家都很认可，可你应该给自己更大的空间。如果其他方面表现好，我想考虑拨股份给你。

他不止一次地暗示，我自然懂其中含义。在心中轻轻蔑视，冲他善意报以无力的笑，谢谢你的好意，可是也许我要离开了。

这念头也许在很早就萌生了，也许不巧因他刚刚的这恼人要求。不清楚。总之它清晰出现了。我并不想阻止它。这世界并无捷径可走，每个人都在费力地生活。唯一不令自己更难为的方法，是跟随自己心灵的方向走。

我们必须要对自己忠心。必须对自己想要选择的生活忠心。

他明显讶异，游说我道，你不该是这样的，你聪明而年轻，要学会擅用自己的优势。

我说，谢谢你的厚爱，是我的个人生活出了问题，想暂时修整一下。

发生什么了，说说看，我是否能帮你。他把身子后倾靠向沙发，再捋一下苍老的头顶，一副耐心。

可惜我无心跟他对话，一心想要离开。只简洁快速，对他表示了感谢，也表示了决心。

因为缺少圆融的能力，对自己过度真实的人往往都很固执，念头一旦萌生，便要执行到底才算甘心。

他没有做通思想工作，极度不满。一周之后，我递上了辞呈。他为了表达诚意，给我办理了停薪留职。说你若想回，随时可以。

另一周后，我做完交接工作。离开。

再没有回去。

44：5

传说有位艺术家，曾调制一种不同凡俗的红色，为别的艺术家所不能模仿。他调制的秘密，一直保守到他逝世。死后人们发现他心口有个老伤痕，泄露了作画是所用颜色的来源。

这个故事告诉我们，任何伟大的成就，任何崇高的造诣，都要花费心血。任何革新都需要代价。

我跟伟大沾不上什么边，不过是个不想违背内心去生活的人。喜欢对生命进行革新的人。每个人自己都是自己最大的敌人，也是自己跌宕命运的原因。

我只是不想在原地坐以待毙罢了。

四十五

45：1

两天之后，我简单地打了一个包，订了一张去往青岛的机票。海有清空人头脑的能力。

如果规划和净化一个思绪凌乱的人，沉浮不定的灵魂，旅行是一种再好不过的选择。

45：2

女人天生需要仪式。决定一件事，哪怕是断绝一件事，也需要一个仪式来感动自己。这一点上，显得很没气度。

临走前，我剪了头发。自己亲手剪的，没什么形状，长长短短。在镜子中看着自己显得滑稽。眼泪滚下来。虚晃一枪的感觉。

有句粗俗的比方，爱情就像便便，有时努力了很久，却只是一个屁。

45：3

即墨打了几次电话给我，我都没有接。

在出发前思忖，是否需要回个电话给他。还说什么呢，思忖很久。

不否认地说，心中也有念头，继续将这场战争进行到底，是否可以勇敢面对爱情里的不高尚，步步紧逼，一步一步榨出他灵魂里的小。即使放，也让自己放得心甘情愿。

要做时又退缩。不是怕他，是怕自己。自己做不到。有明者言，优等的心，不必华丽，但必须坚固。

因为懂得，所以慈悲。

45：4

鬼使神差，最终还是回了一个电话给他。不是追问，也不是痴缠什么，潜意识里，是试图用些高姿态，力挽哪怕一点点之前丧失的尊严。

电话接通。我开不了口。他紧迫着喂喂，或许是担心我。此时，他的紧张也不能安慰我。

我说，我把工作辞掉了，可能要出去一阵子。

要去哪里。他语气深沉，掩饰的惊讶，被我识破。

我能识破他，是因为我爱他。我唯一没有识破或者不愿识破的，是他不够爱我这件事。

我吃力地让自己笑出来，也许去流浪。

我说，车厢总是摇晃，影响了我对生命的观感。原以为我们是同类，喜欢流浪，勇于冒险，尝尽黑暗。可是最后我输了，不过不是输给你，是输给了爱。

电话那端无声，寂静中传来打火机点燃香烟的清脆声音。我似乎看到他眉头又凝成一个结，疑难的神情。微白的发梢在沉默中微微抖动。

半天他才说，小蓝，不要这样对自己，这样不是办法。

那么你来教我一个更好的办法。我一下激动，强硬起来。

小蓝，该说的我都说了。我不是不爱你，是没有办法爱你。

即墨，假如你是我，听到这样的话会笑出来么。如果我没有更难过，可能会为此发笑。可惜现在我笑不出来。爱你或者放弃你，两者我都感到艰难。因为太过真切，两边都疼得令我顿住了。够了，即墨。你少伤我一次，我终生会感谢你的。

我被他的话彻底刺激了。多少时日，因为爱他，一朵怒放的花瓣却要拼命合拢着，他竟然将这花瓣怆然碾碎，从空中洒下来，好似葬祭。可还不够，现在竟又为这下葬的女人念起荒唐的悼词来。

此时，所有的低俯和委屈化为反抗，像一发发子弹射出来，化作滴滴血泪，直直射向他。

45：5

我说。

即墨，为人不易，爱人不易，一个为爱而生的女子换来不应是羞辱与自焚。人们该多给她们一些善与暖，毕竟，她们对爱人付出了全部，自己没剩下什么了。

即墨，我纵使有错，所为一切，不过是因为爱你。爱与不爱的人并肩站在一起，你可曾低下头来观照一下那个爱你的人的痛苦。

即墨，我管上帝叫父，管你叫王。你可否为这身份做出过一些什么，可否理解一个无邪女子爱败的虚弱不堪呢。不是我可笑，是你的不爱让我显得可笑。我从未伤害过你，我只是一个试图为你买衣的女人，试图用一点温暖，换一点温暖。我对你好都来不及，不会对你不好。我也不是你朋友。我只是一个对你心怀善意，为你宽衣解带的女人。

即墨，你要知道，过去做爱到了高潮，有几次我转过头去哭泣，因你不懂我心。相对于高潮，我更想要感情。你不能给我感情，你甚至让我为自己的勇敢感到羞耻。这些泪不该为你的，你应该擦拭它，想想假如我是你的妹妹，那些美好真切的女人，想想她一笑一颦，曲意逢迎柔情蜜意不过是为讨你欢心。你何忍伤我。

我越说越激动，越说越委屈。索性抽泣起来。他是让我流泪最多的男人。

小蓝，你说吧，尽情地说吧，把心中的压抑都说出来。他声音低沉柔和，听上去充满了内疚与自责。

我迸发了，继续说着。

即墨，听上去好像你很理解我，何不早一些理解我呢。你哪怕肯给我多一些礼节性的爱，我可能都不会这么难过。礼节就像一只气垫，里面可能什么也没有，但是能减少颠簸。其实不用多，像一碗热汤那样多就好了。可到头来算什么，都头来是你断然否定我的爱，连一个像样的解释都没有，即墨……

我哽咽得说不下去。不知因为愤怒还是哭泣，我开始瑟瑟发抖。

小蓝，放松一点，听我说。我知道，爱上我这样的男人很辛苦，对不起……

不要，我不要再听你说对不起，你可以不爱我，但不可以欺瞒我。欺瞒一个爱你信你的人是有罪的，因为可以令她失血过多致死。对一个毫无保留来爱你的女人来说，每一滴眼泪都是她心上滴出的血。

好吧小蓝，你说吧，把所有的委屈都说出来，我都接受。

他一柔软下来，我心也软了。责备与忧怨，也只能发泄自己的委屈吧。改变不了什么。可是我被压抑了太久，以致患病，以致不能更好自控。为了保命，我只能向他讨要一点什么了。即使讨要到的，只是一些他的倾听。

这个年代，对爱有着疾患的男人不止他一个，他们看上去都很优秀，内心不轻易对人倾诉，没人知道其中的秘密。他们独自担当着秘密前行，宁可被误解被揣测。张爱玲说，最可厌的人，如果你细加研究，结果总发现他不过是个可怜人。

许多爱情的双方，一方是怕了爱的人，过往的经历让他对人对己，丧失爱的信任与能力。而陷在爱里死去活来的那方，则是对爱过度依赖的人。碰到了，然而又没碰巧，便有了一段段血泪混交的故事。

曾在一个酒吧，看到一张罗密欧与朱丽叶的海报，上面写着：残酷的爱情，任何伟大的爱情的必由之路。

说得错了。所有爱情都是伟大的，也都将是残酷的。伟大与残酷向来是连在一起的。

打着爱的名义，为的是人在世间不致显得匮乏。

45：6

说够哭够，我戛然停下来，急速收起在他面前的再一次丧失从容。

落下帷幕吧，这场独幕的表演。

即墨有点慌，似乎担心我。他说，你先不要走，我们碰个面，你这样我很担心你。

不用了。我悲壮得像个即将上场的战士，坚定决绝。

我说，我发了首歌到你的邮箱。我喜欢的歌，也是要说给你的话。另外，还有，你要选个人，让她来爱你，免得一切都太迟。

人一旦失望并且坚韧，就能清晰而用力。我哭罢发泄罢，变得异常理智。人理智的最后一步，就是意识到有无数事情是力所不及的。

我原以为，爱是甘草，这苦的世界有了它就好上口了，可惜服错了药，更加苦不堪言。

45：7

我发给他的歌，是sinead o' connor的《Thank you for hearing me》。

爱他是真的。感谢他是真的。哀他不能更好的爱我也是真的。

一件事情，总是在多个界面上同时存在。单独拎出哪个来都是对自我的遮蔽。

45：8

有些事情不谈是个结，谈开了是个疤。

他是一个谜，不曾被解开的谜。在我的灵魂上留下一个洞，转身离开。

一再掉落不同的情网，很可能是一个人无法爱他自己的表征。

我不会也不想尝试那些笨拙的方法，试图拿别人填充这个洞。无可填充，也无人替代。

他不属于任何一个女人。他是大家的情人。一个浪子。

浪子，一个被赋予了过多幻象，却终究滥俗可笑的意象。他在每一段关

系的开头，已预感到终结的模样。他永远在投入的同时抽离，在水乳交
融的时候孤寂。

所以有些人，穷其一生以书写或者画画或者做其他事情，来证明自己不
是一个少了颗心的男人。

因为这颗心完全以潜能的状态存在，犹如种子，本来可以抽芽茁壮，生
成大树，但他把这颗种子的所有活路一一切断。他有爱，不过没有爱人
的能力。

所以他是一个真正享受孤独的人。因为喜欢孤独的人也必定喜欢爱情。
因为唯独在爱情当中，才能最圆满最深刻地体会孤独，而且还得是不可
成就也不会成就的爱情。就这么闭户独居，他不会感到孤独，但是在一
个人的怀抱与自己的小房间之中拉锯，且终于舍弃前者回到密室，他的
孤独才是完美的。

在这个意义上，浪子和四处拈花惹草的人其实是一样的，两具面孔，同
一首级。永远寻找爱情的人并不渴求爱情。他总不满足，那是当然的，
世上根本没有他想要的答案，也没有能够止住他渴欲的圣泉。

他爱上一个人，然后伤害了别人或者伤害了自己，再随着环境给定的路
线去寻找下一个人。他想在每一个人身上印证自己的孤独，在每一次恋
情里细细品味寂寞的感觉。否则无法解释这些所谓浪子的动机。

想象一个男人生来就少了一颗心。他善良，正直，彬彬有礼，但就是没
有那颗心。因为他的心早已根本不属于他，而是被大大的世界里那些虚
无以及虚无产生的真实效应所占据。

这样的男人，偶然的爱情，多于必然的爱情。

45：9

无能为力的爱，比恨还伤人。

四十六

46：1

出发的前一晚，心悸。似乎没有睡着，却做了一个梦。

去了巴黎，阿姆斯特丹，摩洛哥，渥太华和加州的海岸。去了阿拉伯，
老挝，南洋诸岛，墨西哥的沙漠，以及亚马逊河的热带雨林。光怪陆
离，游走非常之快。

我去寻找即墨。可是到哪里都寻不见他。后来很多人来帮我找，比一群
因世界末日来临而逃跑的情景还要壮观。我站在高高的山顶，翻开《圣

经》读给他们听。

若遇见我的良人，要告诉他，我因思爱成灾。

我嘱咐你们，不要惊动，不要叫醒我亲爱的，等他自己情愿。

然后即墨出现了，在山下高声地叫我。我却合上圣经，从高高的山崖纵身跳下。

惊悸而醒。

46 : 2

开灯，光亮暂时缓解了惊悸。

再坚强的单身女人，也总会有一个噩梦让她变得脆弱。总觉缺少点什么，一个无关紧要的男人都好，像安慰一个夜间啼哭的孩子一样，被轻拍着安慰着再次睡去就好。

我起来，坐到阳台上去抽烟。书写了一个短信即墨：如果我知道怎么舍弃你，那该有多好。拿着电话犹豫，又删除。最终没有发送。

他是我的梦中人，由梦里滑到梦外，再回到梦里。反反复复。

今天的那通电话，我的决绝，快意，也断了我最后的路。那么也好，可以不再纵容自己的软弱。

打开冰箱，取出一瓶冰冷的啤酒，在孤寂灯盏下饮下一杯又一杯。

蝴蝶需要春天，分手的恋人也一样经常会在某个人的思念里，慢慢地又浮现。那感觉就好比，家里有个老人的时候没觉得多安详，等没有这个老人的时候，才会觉得多么不安详。

我听到手机震动的声响，我警惕地盯着它，迅速地拿起来。是即墨。

我惊慌地挂掉。他持续打来。最终我还是没有忍住，接听起。他说，你在家么，我想，我还是应该去看看你。

我咬紧了嘴唇，没有出声。

他轻轻说，那我半个小时到。说完就挂了电话。

我拿着电话，在盲音中轻轻嗯一声，眼泪就落下来。潜意识里，我想，我期待的已不再是他，也不是这场爱的某种转机，而唯愿能找回哪怕一丝丝爱的证明，以让自己的难过减轻一点点。

在等待即墨来的过程中，时间充满了弹性，所有的精神活动都已停止下来，对任何一种声音都异常警觉。我盯着房门，期待着不久过后，敲门声就会响起，门把手转动，等待立即结束。

那一刻我也忘记了自己是在等待，所发出的能量一度照亮了整个的感知世界。这样的伤感与快乐给等待者带来了补偿，因为等待并不是徒然，虽然它极其虚幻，只是一时慰藉，但在这一刻，它又超越了其他所有的情感。

即墨，你如电影，梦幻，不经意闯入。第一次看着你的刹那，就已经记住你的样子。你长得像我年轻时的爸爸，又特别会穿衣服。有很多胡子，但刮得很干净。这是上帝制造的一个梦，已在生命中牢牢记载。今天，午夜的噩梦又重新把我吓醒到你面前，可为何我无法留住你。我该怎么留住你。

甚至我开始怀疑你是魔鬼的试探，要么决绝离开，要么相亲相爱，哪种要来，都痛快些。可为何纠结痴缠，没完没了。

46：3

门终于被敲响。

他一进门，我们便合为一人。使出各自的所有气力热切地亲吻对方，用力地拥抱。忘却过往的伤害，无论各自多少苦衷。

眼泪大滴大滴在激烈中滚下来。我哭了。即墨，我们亲如一人，可为何你不好好待我。

他不言语，只是焦灼地混乱地侵入我。像是在患得患失的挣扎中，两个孤独暗涌而依靠爱情拯救彼此心灵的灵魂，把对方推到对岸。明知不可为，然而，灵魂出窍，无限接近对方。

那不是肉身之间的事情。一个影子很冷，另一个影子就把自己的体温盖在这个影子的身上。一个影子很孤独，另一个影子也很孤独。它们相爱，但它们的阴影不小心抵住了对方。

彼此贴近心房。白的是过去，红的是未来，鲜红的血液一般。而后剩下一团寂，挣扎不休。

46：4

我们并肩平躺在深蓝的地毯上，双手交叉放在胸前。沉静，安和，仿佛虔诚的教徒，等候死亡来临一刻的庄严。

夜已深，没有往日喧闹。耳膜中听不到庞杂的车流声，孩子的嚷叫声，隔壁恋人的吵架声，都没有。只有空气颤动的声音。

这不是生活的声音。我睁眼看看，只有细碎的幻像在飘动，它吞噬我。我重新闭上双眼。

亲爱的。即墨开口说话。声音很轻，惟恐惊扰早已入梦的世人。

你知道人生的危险是什么？我没吭声，他接着说。是自己与自己走得太近。你真像年轻时的我，这些心情我走过，到现在还会有，所以才不愿意重复。我已走过了人生的大半，必须要与自己拉开距离，警醒自己说，不是自己想要的东西就可以不顾后果地任性去要。于我来说，已经没有时间迷失。

看来他终于肯把自我的秘密凿开一个口了。我闭着眼睛，一直听他轻声地说。

小蓝，你知道你最特别的地方是什么吗。

我最大的优势是不怕伤害。

他噗嗤笑了。说，也对。

你想说的是什么。

他说，你的天真让我觉得自己很渺小。你就像风和火以及原始的野生动物一样，浓烈，热情，又性感。我有时宁愿你是个坏女人，假如那样，我反而可以放纵，尽情，无所顾忌。可偏偏你不是，偏偏你又真又善，爱一个人不顾一切，这会让男人怕，让一个没有未来的男人感到挣扎。我真担心自己会伤害你。

那么告诉我，你的未来被怎样的过去埋葬了。

我发出的声音惊醒坚定。至少要显得坚定。他这座迷人又可恶的迷宫，与我揪扯又毫无关联的浪子，让我从甘心情愿到痛苦不堪。该清醒了。

小蓝。他翻身压住我，两只有力大手端住我的脸，在黑暗中紧紧地凝视。他说，不要再执著，从十六岁开始，我从牢狱出来的那一天，我已经不奢望有人来理解我。我的经验告诉我，一个生命永远无法对另一个生命做出理解，我们理解自己都很艰难。

46 : 5

牢狱。这是从未提及的事。

我第一次见到他身上的两处深重疤痕，就问过他。当时他笑笑说，忘了。我说这种事你怎么能够忘记。他答我道，是我选择了忘记不行么。

我留下这问号在心里，也就没再问了。这样的男人，只有等他自己情愿。

他端着我的脸愈来愈用力，似乎要把我挤碎。继续说，你知道这些年，我有多少日夜一个人呆在那个画室，你去过的。当时没有那么大，可是我觉得很大，无比大，因为什么。孤独。无人理解的孤独。

我的脸被他用力捏着，不适，但没有反抗。因为看到他的眼睛在黑暗中灼灼闪光。那也许是泪光。

你知道我前一段时间去美国，看父母，他们的日子已经不多，我们对彼此，都感到深深的无力。他们送我时，两个年迈多病的老人站在那里，我知道他们不忍心开口的是什么，是等到他们不在人世，剩自己的孩子孤零零留在人间。这样的残酷，他们不忍心说出口。他们太过爱我，从我放弃陪他们去美国的那天，他们就尊重了我的选择。我要画画，穷其一生。

也许真到了他们离开的那天，我才会真正考虑自己所剩无几的人生。现在我没办法说服自己对任何一个女人负责。假如你经历过我经历的事，你就会同意我说的话。

小蓝，你总有一天会明白，我所说的这种深深的无力。

小蓝，你那样年轻美好，配得一切美好的生活。你真像年轻时候的我。

小蓝，和你相处，相信我真的试过了。也许我在处理感情方面有很大问题，所以伤害了许多女人，显得无情。而这其中的委屈与难耐，别人对我的误解与责备，我也只能接受。因为已经走在自己的路上，想要改变方向太难了。

我的脸被他揉变了形。黑暗中，有泪水从上方滴落下来，与我的泪水混杂在一起，向两边滑向耳际。

我打断他，不要说了，我好难过。

小蓝，我必须让你清楚。你想要的，我不能给你。我无法选择给你幸福，但可以选择不给你伤害。无论你是否相信，这都是我诚实的声音。

……

46 : 6

从头到尾，注定是一场没有结局的对谈。爱情是没有答案的疑难。

我们的脸越来越贴近，呼吸渗透着对方。逼仄而温柔。我渐渐看不清他的轮廓，只盯着眼睛。像是亲人，也像个陌生人。他伸出拇指合起我直直望her的双眼，我无法揣测那一刻他心中产生了多少挣扎与慌乱。我只听到自己的心在哭泣，无声而倔强。

欲罢不能，又无能为力。我曾听人说过，当你不能够再拥有，你唯一可以做的，就是令自己不要忘记。

他抱起我，放到床上，盖上大大的被子。紧紧地抱我，伏在我耳边说，今天的悲伤，会成为未来的回味。小蓝，相信你自己，有经历的能力。与我一样。

我缩下去，用被子蒙起头，贴近他的心脏。泪流满面。

掌心多出一条深刻的线条。生命，却还是各自的生命。

46 : 7

努力拼贴关于他的一切碎片。

十六岁。牢狱。身体的伤疤。虚怀若谷的为人之道。明亮笑容。微白的发梢。永远稳健的步调。大大的画室。黑夜。孤独。终生孤独的动物。焦灼的眼神。掩饰的自信。又无法掩饰的脆弱。优越的家庭。对年迈父母的无力。不婚。镜子面前的自我对话。与女人若即若离的关系。欲罢不能。自我保护。

这一切，背后隐藏的是什么。

或许，人只有经历了长久的迷失，才能练就最终的自我，与不想为他人所知的神秘。

渐渐地，这一些信息的碎片拼接成一个画面。

我仿佛看到窗外阳光灿烂，天上流云飞，而这个王一般的男人，即使以他一生的威严与狂傲去垂首哀求，也奈不过现实的一个关卡。

这些若隐若现的信号也许只是部分的猜测。他选择了保留更多。或许中间还有疾病，债务纠纷，情感的破碎，家庭的复杂，难以表述的痛苦与担当。那些可见又不可见的信号。

他究竟承担了多少。他还能承担多少。

永远在人前放声大笑的他，要强，自尊，不会垂首哀求，也不会去向任何一个人说明什么。都留给自己。与它们抵抗。渐白的头发作为证明。

他只用更好地利用余生来作画。他说过，我只想在死后，我的画被人看到，纪念，就满足了。

那才是他真正的救赎。他的救赎永远不可能是一个女人。

面对这样一个男人，我无法继续对他傲慢地逼迫，责问。我还在自己的世界里颠沛流离，对真正的灾难毫无认识，还力求在生命之上，高于生命。

他今日的，这最后的表白，让我比他自己还要虚弱。我开始在熟悉的地方看到陌生，在并不流畅的秩序里，又听见重重的磕磕绊绊的声响。

46 : 8

真正有自信的人是可以放下身段的。李敖曾经说，当我集万千宠爱于一身的时候，我是天下最宠爱女人的男人。

即墨尽力掩饰了所有，只今日一刻，就暴露了自己的脆弱。

往往一个貌似强大的人，远没有我们以为的那样强大。伪装强大是因为缺乏安全。

爱在爱面前，也如此无能为力。彼此不能给予彼此更好的安慰，只能用力地拥抱。明知拥抱不了各自的苦衷，我们还是用尽了力气，拼命地想要穿越那道厚厚的屏障，试图着抵达对方。

46：9

这是最坚固的壁垒，最绝望的囚禁。很像卡夫卡笔下的一种人物，又很
像是陀思妥耶夫斯基地下室里的哭魂。

千劫如花，有时惊险也能做成惊艳。

四十七

47：1

我回味他说的话。永远不要试图对自己之外的其他生命做出理解，也不
要试图让自己之外的其他生命来理解自己。这其实是一种病症。

即墨看上完美无缺，这恰恰正是问题所在。完美就是他的面具。内里隐
藏的是旁人窥不到的软弱，孤独和无奈。这苦心制造的人格面具，在心
理学上被称为一种压抑与否认的心理防御机制。

我想到安迪·沃霍尔，那个超越了束缚本身的，与他相像的男人。几乎是
没有什么人可以真正地理解他的。

47：2

安迪·沃霍尔说，当我买第一台电视机的时候，我就不再那么在意跟其他
人享有亲密关系了。

他开始与电视机维持恋情，一直持续。一直没有结婚，他觉得单身好极
了。因为他认为他已经跟电视机结婚了。还有录音机。可很多人不了解
这一点。

为什么他要娶录音机，这是因为他寻求那些心智有如录音机的人在一
起。而他形容自己的心智，好像一部只有消除键的录音机。他从不记得
前一天的事，所以每一天都是全新的一天。每一分钟都好像是他人生的
第一分钟。

他无法确切知道自己是否有能力去爱。所以60年代之后，他再也不以爱
的观点来思考。只对某些人痴迷。

他也同样跟自己拉开距离。他说，一旦你不再想要某个东西，你就会得
到它。我觉得这真是绝对不变的真理。

因为在他的人生中，当他最不想要孤独的时候，他感觉到最为合群并寻
求知心好友的时候，却找不到任何接受者。后来决定，宁愿孤单一人，
不要任何人跟他诉说他们的问题的那一刻起，在心里认定自己是个独行
侠之际，他却得到了一群可能见都没见过的追随者。

他还说，美丽的人都在美丽的牢笼。

他还说，恋爱太让人投入，而其实它不值得这么费心。最刺激的事情就是不去做，假如你爱上某个人然后不去做，这样要刺激得多。

这是在生命中日渐累积的疑难杂症。他之外的第二个人，谁又可能去与他的生命并行，探索了解呢。

伪可能。

47：3

归根结底，是时间作祟。年纪越大经历越多的人，他会把心分成很多空间。这是一项很费力的工作，却在生命的每一项经历中自然而然地形成。甚至还有隔间。还有更多的东西放进那些隔间之中。

即墨过去的空间里，无法存在我。现在被证明，我也没有可能介入他的未来。可是即墨，我却多想像一个真正的爱人那样介入你未来的人生，无论发生怎样的变故。从你的爱人，变成你的亲人。将我的一生奉献给你。

直到你死了，我的故事也就结束了。

可惜我不是你的救赎。

那莫不如就做灵魂的情人。

我们的手上没有任何契约，你看我两手空空，一如收割后的原野。我不会再拽着你的衣角不放，也不会为你生一打又一打的孩子。我不会将你点燃的灯火熄灭，也不会向你问及灵魂以外的问题。

你已经让一个哑巴开口说话，你只需静静地听着，听齿落珠黄，听地老天荒。

我去继续寻找我的归宿，去寻找那种属于我的成全，为不使你感到负担和拖累。

上帝，你真是爱开玩笑，为何造就这受控灵魂的爱情，有如绚烂的魔鬼之花。罂粟花本身是没有毒的，可惜开在了带有毒素的母体上。

感情本身也是美好圣洁，可是在不适当的时候沾染，它就会像毒品一样散发出恶毒的汁液，浸占你的内心，控制你的灵魂。销魂又痛苦不堪。

我在呼吸不畅的暗夜中思绪冲撞。听他沉睡的呼吸，抚摸他微白的发梢。暗自咬破了嘴唇，虚弱的坚定与悲怆。

47：4

次日醒来的阳光下，我再度看到了他变身的本领。过渡都没有一下，他就恢复风范，重新做回那头威武的雄狮。笑言以待，插科打诨，好像没有发生过破碎。我看着透明的自己，低到尘土里，终生无法与他相比。

我问他，我是否可以为你做点什么。

他说，照顾好自己，不违背内心地去生活，去追求你的梦想。这是我对你唯一的希望。

送他到门口，我说，再见。

他没有说话，紧紧拥抱我。

我踮起脚尖，用最温柔最绝望的声音，忍住了眼泪，伏在他耳边轻声说，墨叔叔，你不知道你曾经得到了多少，直到你全部失去了这一切。

然后我感觉到拥抱着我的即墨，听到这句话的即墨，高大的身躯，发出微微地抖动。

也只能如此了。

最伤感的爱情结局，是共同走完同一条街，回到各自的两个世界。

当坚持的成本大于放弃的成本，放弃也是一种选择。

也只能如此了。

这个犹如不存在的乌有之人，我唯有用下半生来做你的遗产。

那么就残缺吧，反正生命从无完满之时。

47：5

如果你爱某个人，放他走。如果他回头了，那他永远都是你的。如果他不回头，那他永远也不是。

47：6

再见。给过我甜蜜与悲伤的亲爱的人。

我们就此告别，像是虚晃一枪。烙在我的肌肤与心脏，再寻不见。

留下寻找爱的，也寻不见。

破碎的歌曲被人无休止地传唱。我的生活和希望，总是相违背。我和你是河两岸，永隔一江水。

永隔一江水。

我与我的君王，就这样分别。我们颓然地拥抱。没有一只鸟飞过，过问破碎地别离。

世界上有一种鸟是没有脚的，它只能够一直的飞呀飞，飞得累了就睡在风里。这种鸟一辈子才下地一次，那就是死亡的时候。

我仰起头，止住喷涌的泪水，看着那只无脚鸟从空中飞过，一片羽毛落下，被一个注视它的女人捡起，收藏。作为永生的纪念。

那是他的眼泪。

47 : 7

艾米莉·狄金森有个描述说，我不知道这是怎么完成的，他在我身上放进了一颗心，但渐渐地我的心占据了我，就像小小的母亲却有着硕大的孩子，我无力再握着他了。

我听说有一种东西叫做救赎，这会让男人与女人都得到真正的休息。

人总以为爱是堡垒，其实那是战场。

想要爱的人，首先要学会平静。

47 : 8

愿救赎早些来临。

作为坚忍的自我立于存在之中，
就仿佛是朝向一个无出路的世界的逃亡。
当毁灭已经确凿无疑时，
我们还对此感到烦恼，
没有比这种烦恼更具有戏剧性的了。

【凯尔泰斯·伊姆莱】

第三章　朝向无出路世界的逃亡

人的生命中该有一个时刻，可以不必太过认真地活着。即使是存在于世界之中，依然可以丧失掉语言和姓名。

在海边的那月，没有人问起我的名字，亦不需要为自己是这世界的一分子而涂脂抹粉。

我们无法浪费时间，我们浪费的只是我们自己。

四十八

48：1

简一三，你一定听过这样一种说法。

每个人的一生中，至少会有四个异性的名字被不同程度地镂刻。那是温润的刺，并不尖锐，却在你的记忆里留下清晰而固执的回忆，不招即来，挥之不去，你刚要仔细想起，它却飘然而逝……

他们之中，一个是你爱的人，一个是爱你的人，一个是彼此相爱却无法相守的人，一个是不够相爱但最终完满的人。

大理某音乐酒吧，我一边跟简一三聊天，一边在吧台的水池清洗酒杯。洗完一个，递给他，他把它们头朝下，控掉多余的水，挂上吧台的酒架。这是他经常演出的一个酒吧，老板叫川子，宁夏人。他们成为朋友。川子说，最好你们留在这里，有音乐的地方，是我们共同的家。

白天他们在院子里喝茶，弹琴，谈论演出事宜。我的和弦还是没有进步，手指磨得起了茧子。与锋芒在一起时他就教我。过去多年，断断续续，没有长进。似乎时间的作用，更适合用来遗忘。

所以更多时候，还是写作来得顺手。我守着我的小电脑，咔咔嗒嗒写未完的长篇小说。

晚上就热闹起来，来自世界各地的面孔。喝酒，歌唱。出发时与行囊一起打包的新旧心事，在陌生的时光里随自由的音符飞走。渐渐无人忧伤。间断地讲述自己的过往。也有人只歌不语。

简一三每日都会抽个时间与我单独相处。有一搭没一搭地闲谈。他说他喜欢跟我聊天，是因为我的真。他说，世上最珍贵的物件是情，重情之人，都是品格高尚的人。

然而人至贱则无敌，偏偏用情最重的人，最难以忘却的人，一定不是对你最好的那个人。

48：2

终于提到庄小京。

他是对我最好的人，让我成为他的新娘作为证明。可是我的回忆总想绕过他，因为心存大愧。愧疚是种令人难堪的情绪，不够甜蜜也不够痛苦，只能带来自我的责备。

别个男人我都尽了力，所以过后就不再痴缠。唯庄小京，为我着迷，全心呵护，没有丝毫的伪善。我却对他大辜负。

事情的结局充满戏剧，险些让我担负不起。

48 : 3

庄小京是这样一个人。

北京人，国有企业IT行业高管。三十七岁。理性，儒雅，健康，节制，内敛。

相对沉默，废话很少。有很好的审美与逻辑能力。喜欢收藏古玩。懂复杂的股市和楼盘。也懂在陪我看完话剧后，适当发表自己的观点。

认识他后，使我扭转了对IT从业人员的成见。原本以为，他们死板，枯燥，笑点很低，所有人都穿同样款式的服装，留着同样的平头发式，永远拎着一个黑色电脑包。他们的造型像是经过培训一般，自发地成为一个标识，使人毫不费力的辨识出他们的行业。不懂浪漫，甚至无趣。

他不是。更重要的是，他有一张相当英俊的面孔。

有次他被邀请做网络视频的直播，网友留言中，居然许多人评论起他的相貌，说中国的IT界居然还藏着这么帅的人，早就应该出来给IT界争脸了。之类的话。

可跟他交往，相较于我之前的爱情来说，普通平常。

可是，我决定爱他。

选择一个稳妥的人生，追求生活的安定，有没有灵魂不那么重要。这是我只身一人在海边思索的结果。

48 : 4

回想过往十年，我以热爱艺术的名义，一根筋地沉迷在艺术圈子里，上天入地，白昼不分。我执迷不悔地热爱着他们，热爱着他们的思想与作品，把我的心铺展在他们的心上，纵情悲欢，痴心绝对。

都是天人。日子悬在半空中。

我的爱情也在那个圈子里产生。做艺术家的女人，需要足够的牺牲和奉献精神。我累了。即墨让我彻底发现我没有那个天赋。我终极所想不过是找个男子结婚，安分守家。青春不会无限延长，没有谁值得我们终生守候，人老珠黄。

那些带领我飞翔的精神之徒，伟大的艺术家们，我爱情中的英雄，强者，最好是给他们做另外的安置吧。在心中开垦一小片柔软之地，去栽种奇花异朵。只需观赏，无须收获。

陈升有恰当的形容。他们永远都是找不到的爸爸。以为是颗诱惑的糖果，尝过方知那是毒药。

疯狂的却是总有女人在找。任性如厮的女人，犹如一个一个热衷捉迷藏

游戏的孩子，一张张风华俏丽的脸，一颗颗狂野不羁的心，被带泪带笑
的车轮辗过，在痴守和等待中老去。不再纯真。

每个人都如此轻看又重看着自己，接受与抵抗着一轮又一轮甜蜜与痛苦
的检验。

48：5

看看我那些城市中的朋友们吧。

在被欲念支配的现实中，像一株株长腿长脚的荒草，朝向梦想中的彼岸
慌张前行。抑或与现实拉开距离，活在自我制造的精神世界，老在此
岸，枯在此岸。性情抑郁，或者寡淡。

贪欢。消耗。执我。荒诞飞翔是即时的逃避，在倍受重压之时选择这样
的方式，不可否认它是最有效也最省力的方法，可惜维持不久，便是更
大虚空。它浮在表面，并不深刻。对人生的净化，几乎起不到作用。

少有人懂得与自己安好相处。心存妄念，寄希望于外部世界，以为迟早
会有一个幻想之中的天外来物砸到自己。直经历到了无新意疲惫不堪后
才追悔莫及，及早觉悟该多好。及早地去积极生活该多好。

48：6

最后，我决定去爱一个不爱的人，不是因为别的，是顿然觉悟了在爱情
中，要治愈破碎的心，其秘诀就是爱。而且要爱得更多。

疼痛是情感的障碍，它会使人停止去爱。

四十九

49：1

客栈又来一个背包客，年轻男子，二十几岁模样。与我们毫无客套地聊
天。

他阳光不拘，随时敞开着介绍自己。拒绝一切上班的工作，开网店赚了
不少钱，就用来上路旅行。他的爱情基本是在路途中发生，所以寿命都
不长。不过他说，这些无所谓，有时路上太孤独，需要一个伴。等抵达
了新的地方，自然会有新的体验。

他喜欢穿格子衬衫，戴一个棒球帽，笑起来脸颊上泛起两个清秀的酒
窝，看上去毫无恐惧。年轻真好。无畏，懂得省力的活法，为自己可
为，剩余交给上帝做着判决。等着梦想擦肩而过，或者慢慢成真。

不像我等一些内敛而自省的精神产物，习惯把自己交给自己做着解决。

他还喜欢摄影。有个特别的喜好，一路拍摄女子抽烟的样子。他背着很多老家特产的烟，以提供给他的拍摄对象来抽。

来，抽一支尝尝，看样子你是老烟民了。他取出泰山牌香烟给我。我道谢，接过来，说烟我可以抽，但拒绝拍照。心想，素不相识，自己的照片四处给人看，算什么。

他看破我心，在脸上泛起两个酒窝道，那这样，我保证不给人看，只当帮你拍，完了EMAIL给你。说着他自作主张掏出相机，是尼康FM2。我伸出手遮住脸，嘿，假如你执意要拍，我先出个题目来考你。

你说。

知道贝尼卡么。

即刻，小酒窝即刻又从他惊喜的脸上陷下去两个小坑，他说你看，我电脑里收藏了许多他的照片。我很喜欢他的作品。

贝尼卡，波兰摄影师。他的作品，多重曝光，颜色总是不饱和，像是蒙着一层灰尘。人也不是最美的，但意境都推到极致。人似乎在镜头之内，情绪又似乎在镜头之外。被拍的人，都有种温暖的悲伤。

我之所以喜欢，是觉得任何一种欣赏，都需要带着距离来进行。太过仓促，直接，唯美的人事，都是不能够意味深长的。

爱一个人，也是如此。

49：2

我拗不过这年轻男孩，说好，你拍吧。

啪点燃一根烟。把头扬起，没有笑容。男孩不在意，咔嚓咔嚓按着快门。

我边说他，你这样很拧巴。

拧巴是什么意思。

不让你做，你偏做。就你这样。

嘿，他又笑，那你这样是不是也可以称为拧巴啊。我让你做的，明明你可以做到，却偏不做。他很聪明，找着话题，其实是在为他的拍摄找着状态。

我被他的天真逗笑。跟陌生人聊天的好处，就是可以不必为你的言语负责。

后来他果然把照片EMAIL给我。黑白照。还果然有点贝尼卡的味道。

阳光下，一个女人透着平静的悲伤，神情在长发之中若隐若见。最突出是夹在右手食指与中指间的香烟，升起烟雾，弯弯绕绕，直抵它想要达到的地方。黑发与白色烟雾，明暗层次分明。

我想到即墨的画。看上去温暖而破碎。

49：3
云南的日光清洁，夜光澄净。
夜晚，我和简一三在院子里，我打开男孩拍的照片给他看。他看罢笑，说，这男孩拍得角度还真特别，把你拍进了我的回忆。
怎么讲。
让我想到从前的一个女友。
嘻，又有故事听。我关掉电脑，拉来两张躺椅，给他和自己分别一张，选择舒服的姿势躺在上面。仰头，凝望星空。
像是小时候。十几岁时我就爱趴在阳台，探出脑袋，深深地凝望星空。直到天亮，看到楼下的院子里渐渐出现一些老人和孩子，那景象让年幼的觉出生命切实的美好。
妈妈做好早餐，敲开我的门，毫无睡意，去上学。骑着单车，微风穿透瘦弱的身体，心生情愫的男孩子按着车铃从经过的路上突然窜出来。一路欢笑，歌唱。车子载着风，也载着我们对未来的梦想。
成长。快要老去，还在无休止成长，却长出几多困惑。

49：4
简一三说，那女孩是我的歌迷，是我跟前妻离婚后遇到的。只要在北京，我的每场演出她都会捧着一束花在我下台时奉上。
她家庭条件优越，父亲好像是当地的什么官员吧，我没细问过，因为觉得这太不重要了。她喜欢我的音乐，经常请我喝酒。有次喝醉，便倒在我的怀里哭起来，说些喜欢我之类的话。唉你知道男人就这德行，觉得她对我好，人也没什么不好，就跟她好了。
开始感觉很好，每次演出她都陪着我，帮忙打理一些琐碎的事宜什么的。可半年之后，我就觉得约束了。
她给我买衣服，说，你要穿得更好看些。可我有我的审美与习惯，穿上她认为好看的衣服觉得别扭。她又说，她家里人可以出钱，给我们买个大房子。不如结婚算了。
两个生命的事无巨细都纠缠在一起，突然让我觉得，任何过度的亲近都充满了危险。也许是上次的感情留下的阴影，让我意识到爱情纵然是两个人的交汇，可也要平行地保持前进，诚恳地分享彼此的生命就好了，过多的缠在一起，必然会打结。
所以我思忖再三，还是放弃了。对我来说，有个陪伴生命的伴侣就好了，彼此不曾也不会属于对方，只要在前行时不忘关注自己的伙伴，超速了还是落后了，给予警醒或者鼓励，就好了。

每个人都兀自地向上生长，万物才会真正地和谐。

所以清汀你看，她其实是增强了我对生命的美好感觉的，可为何我还有那么多的疑惑。到底是我不够爱她，还是不够明白自己呢。

繁星在我们的仰视下眨眨闪闪，我看到了传说中的银河。我手指向上指向天空，说，简一三，你看多美啊，可是天一亮，这种美就消失不见，转成另一种日光下的美了。这是一种自然现象，对此谁也没有疑问。造物者之所以伟大，正是因为他造就了人生中各种美的循环。

继续讲，我很乐意听到你的见解。

我们的生命中存在迷失的特质，所以人们才要不断地试图解谜，寻找自我，就好比你我这样。可假如在这寻觅的过程中，缺乏了智慧，就会产生破解的障碍，这个障碍又会产生新的迷失。我不认为一个女人想与你结婚有什么不对，你放弃，回绝，是因你怕自我的迷失。之后你带着疑问继续前行，花费力气来重新确定自己，以便在下一次的经验中更加完善。破解，完善，再破解，再完善，这就是一种循环。也就是永远讨论不清的人生之意了。

这个年近不惑的男人，听过之后，认真坚定地沉默，而后说，我对你给的回答十分满意。

人一点一点获得智慧，往往不是在无穷无尽地思想纠结中，也不是在一场场美好祈愿里，而是结结实实有过碰触和体验。

真正体验过后，无论是哪一种收获，都自会有所收获。

49：5

像我在生命的途中，遇到简一三，遇到晨光和小艾，被一个不知姓名的年轻男子拍摄下来，以及形形色色人等。都是生命的偶然。

记录者与被记录者匆匆会面，而后告别，不知对方所向。不过是丰富了生命不被记忆的几百分之一长。谁人统计过长长人生的多少部分，是被各种小小的偶然片断所堆积。

谁也不曾不会预测到哪一刻，会是如何地轮回周转。

这突然让我觉得，人其实可以不必太过认真地活着。

人存于世界之中，依然可以丧失掉语言与姓名。

就像我在海边的那月。

那一个月的时间，我失去了语言和姓名。

没有人问起我的名字。亦不需要为自己是这世界的一分子而涂脂抹粉。

五十

50 : 1

与即墨分开后，我收拾行囊去了无人的海边。

旅行与爱，与离别，其实有着若即若离的联系。那是一段与熟悉的短暂告别。

人在熟悉的空间与环境，会无限放大自己的情绪。踏上路途，一切变得崭新。一路方言的变化。不同吃食。陌生面孔穿梭的同时，带来不安也带来新奇。环境的陌生带来生活习惯和思维习惯的细小变化，迷失的自我在路途中渐渐清晰。

关注自己变得不再那么重要。只需做这一路上生活的配合者。

世界出奇之大不可测量，无从追寻的感觉令人着迷。

50 : 2

我只带了一本圣经。手机，相机，手提电脑。几件衣服。洗漱用品。

而平常，我喜欢在居室里把所有物件都摆在四周，喜欢旅行时把行囊填塞得满满当当。这是缺乏安全感的表现，也是较难放下过往的暗喻。

都是多余的背负。

想要改变，就要从习惯开始。

曾有某女友，暗恋一个男人，犹豫思忖，百般想象，越想越折磨。因为以往的她，若喜欢一个人，始终都是默默躲在背后，不敢尝试，不敢表白。

问我，怎么办。

我说，天下没有任何一件事是靠想象成就的，终止一个念头最好的方法，就是实现它。在触碰的过程中，结果必然会清晰。有时你还会可笑地发现，它还极有可能完全与想象相违背。

她终于鼓足勇气，说去他家借书。他爽快说好。她去了。他从高高的书架上取书给她，她摒住呼吸凝望，紧张不能自持，匆匆离开。回去的日子忐忑不安。

后来去还书。无法道清有意还是无意，也许她再也无法忍受想象的折磨，离开时，他送她到门口，她突然回头，说我是否可以拥抱你。他还是爽快说好。就那一瞬间，两秒钟肌肤与肌肤的接触，令她半年的思念找到了落点，想象空间全无。她解脱了。终于释怀，事情不过如此。

就是这么奇妙。

得不到，是一种最原始也最具破坏力的欲望。

50：3
与固守己见，一味进行意淫的想象相比，现实的探索与触碰更为具体实在。带来局限的同时也带来了开阔。

50：4
青岛干净整洁，毫不避讳地炫耀着海滨城市的优越。
我没在城区做任何停留，直奔偏僻美丽的崂山区。
在距离海边最近的地方寻找旅馆。并不密集，只散落几座，粉刷成各种颜色。我选择一栋浅蓝色的走进去，谈好价钱，住下来。
我对城市始终没有太大的兴趣。一个城市与另一个城市的区别，就好比一个人与另个人的区别，一路探索下来，其中内容便也不过如此。所谓区别都是自我赋予的意义。
荒芜处不同。它形同浪子，有着无限大的宽度和自由度。那些探索者，科学家们，始终偏爱着荒芜幽深之所而不是繁华都市，因它毫无拘束，深藏秘密。

50：5
不是旅行季，旅馆空得很。除了零散的服务人员，唯我一个客人。
房子就建在海滩的边上，海就在房子的脚下。房间大而空荡。一台电视机，一张床，简陋的桌几。没有网络。在这里享受的是自然给予的美丽。推开窗，眼前是无尽海面，时而汹涌时而沉静。
初到的那几日，因为陌生与寂静，夜晚很难入睡。
打开电脑尝试写作，写不下去就发呆。闭上眼睛，倾听海水涌动的声音，想象着一个浪头席卷另一个浪头的样子。偶尔从旁边的人家传来几声犬吠。除此之外，空静一片。
实在耐不住，就打开那台只能搜到几个频道的电视，我们相互熬着对方。
有时大声地诵读经文。哥林多前书中说，你们所遇见的试探，无非是人所能受的。神是信实的，必不叫你们受试探过于所能受的。在受试探的时候，总要给你们开一条出路，叫你们能忍受得住。

50：6
中午起床，到楼下的小餐厅，让那个敦实憨厚的中年厨师帮我炒一个芹菜肉丝，或者一盘当地的野菜。他每次都给我足够多的量。一个馒头。
一天的饭也就够了。

下午喝崂山清茶，两杯下去就到了黄昏。去沙滩上散步。沿着长长的海
岸线，赤着脚，一直一直地走。每天走到天完全黑下来。

四面辽阔。海的对面是山，青松翠绿。山的斜坡上是大片茶园，常见几
个农妇顶着草帽在茶园中缓慢地采茶，移动着。

走累了就坐下来，在离海水很近很近的地方。沙滩是柔软的栖处。海水
打湿双脚，一浪一浪，冲走我的鞋与一路捡来的贝壳，我奔跑着追过
去，重新捡上来。一轮一轮。那一刻，我好像一个单纯的孩子，没有忧
伤，也没有品尝过委屈与恐惧。

一个人也可以很快乐。只想一直一直地走，抛却一切，单纯而有力的愿
望。

把自我融于自然的时候，世界了无言语。人的一切思维和念想都微小不
值一提。

有时躺下来，感觉到后背偶尔突兀的沙粒，望向高空，海天呼应。这无
尽苍茫使人不得不甘败自我的渺小与无力。在上帝的眼中，我们都是可
笑的虫蚁，与自己的生命徒劳打转，一如猫捉尾巴的游戏。

这样想着，就会觉得人生哪里有什么意义，除了好好活着这样的事件之
外。

50：7

即墨打电话给我，我都没有接。这是一次完全自我的旅行。完全的一
人。不要任何人的辅助与干扰。

但实际上，有好多次，当我站在海边，心里还是非常难过，我总觉得，
应该是两个人站在这里。

假如即墨在，这将是多么完美的一次旅行。他的浪漫与大海，是何等相
配。也许他兴致好，会出现电视里那些庸俗的场景，与我在海边追逐奔
跑。另外一种情景自然更好，是他坐在深沉的海边为我讲一个故事，那
是他始终隐秘的内心。

可惜没有假如。只我徒身一人，来到这荒芜之处，海风吹过灵魂的洞
口，钻心的疼痛。日日寡欢，咬牙切齿地迎着日出赶路。想到内心轰然
时，会卷起手筒，朝向大海高声的呼喊。喊不出切实的字句，只有啊啊
啊此类的助词。

也很好，海收纳着我所有的难过。既然我无法识破你的魂魄，你便也无
法享用我的美好。终有一日，我会快乐。从赐予中收取完满。

50 : 8

有几日，去爬对面的山。没有尽头一样地爬，不知疲惫般地向上攀登。
经过山间的一丛丛野草，旺盛，愤怒，兀自独立在那里。那是它们的宿
命。与你我面目相同。

谁又是不孤独的呢？

看到有传闻海明威与上世纪的好莱坞女性玛琳·迪特里希有恋情，被公布
了书信。他们以父女相称。

其中有封信，海明威写给她说：如果你还在生气，那就尽管生气吧。但
是，我的女儿，生气总要有结束的时候。世界上不会再有第二个迪特里
希了。你生气的时候，我深感孤独。

在所有爱的范围中，唯有爱情令人孤独，狭隘如一道围封的墙壁。深知
如此，每个人却都曾奋不顾身或即将奋不顾身地向那墙壁迎头撞去。

可我至今都不想停止对它的追寻。

50 : 9

爱情是场安静而又华丽的春心荡漾。无言复无言。

五十一

51 : 1

海边生活不过几日，我便淡然接受了这荒芜生活。打开电脑，开始写
作。

跟出版社签了三本书的合同，还差最后一本没有完成。

与出版社电话做了沟通，负责人对那故事颇有兴趣，说，很好，要抓
紧，争取感到冬季的图书订货会。

《一个女人的爱情美学》。这我酝酿许久的一个长篇。

一个从乡下来到都市打工的女人，爱上一个完美苛刻的男人。因为爱
他，于是像被施了魔法，静静躺在男权统治的城堡里，接受着这个男人
对她的百般苛责。最后竟然被生生打造成了一名优雅的淑女，直至成为
社会名媛。

男人对于自己亲手打造的作品非常之满意，常带出来炫耀之时，不料，
却激发了女人的反抗欲望，女人开始背叛男人，转向征服一些更易控制
的男人，一个一个，俯伏在她的裙下。得到极大的满足之后，女人最终
选择了抛弃所有男人，重归故乡，与一个毫不起眼的平凡男子相守。那

完美苛刻的男人，则过上了独自流亡的生活。

故事听上去似乎不落俗套却也没有全然的新颖，却是反映了一些问题。
时下年代，即使看上去男女已然对等了一些，却在不少地方还是潜藏着
传统遗留下来的男权思想。有压迫必然会有反抗，结果自然是两败俱
伤。

女人最终所选，也不过是她终生所求。繁华落尽，唯剩平淡人生。名牌
行头不重要，连虚荣心也自会倦怠，幸福感才是根本，有个知冷知热的
伴侣才会暖心。

51：2

小说中，我把那男人塑造得讨人憎恨，仿佛南美作家尔加斯的《情爱笔
记》里的略萨。

略萨就很可恶，看看他对女人下达的禁令吧：

你不许看安迪·沃霍尔的图画。也不许看芙里达·卡赫洛的作品。

不许为政治演说鼓掌。别让人家擦伤你的臂肘和膝盖。别让脚底板变
硬。

不许听路易西·诺诺的曲子，不许听麦尔塞德斯·索萨的歌声，不许看奥利
弗·斯通的电影。不许直接吃洋蓟菜叶。

千万别擦伤膝盖，别剪头发。注意别长粉刺，别患龋齿，结膜炎。更不
要得痔疮。

绝对不许赤脚走在柏油、石头、碎石、细砖、橡胶、烟尘、石板和金属
上。不许跪在不松软的地方，比如饼干渣上（特别是上烤炉之后）。

在你使用的词汇里，绝对不许出现下列这类词：地球的、混血的、科学
化、想见、国家主义的、果籽、果皮、社会性的等。

不许漱口。不许用假牙。不许玩桥牌。不许戴草帽、贝雷帽或者盘发
髻。

肠胃里永远不存气体。不说粗话，不跳摇摆舞。

永远不许离开人世。

51：3

把即墨当作君王的这场爱恋，使我对女奴思想或多或少感同身受。写起
来还算顺畅。只是到了黄昏，心中便开始杂念丛生，不得安宁。

我走向沙滩。

遇到一位老人。或者应该说，是发现。一向光溜溜的沙滩上，多出了一
个人。他低着头，不紧不慢地走着，像是寻找什么东西。

我径直走向他。他穿一件的确凉浅蓝上衣，吊起裤脚的粗布黑裤，裸露出黝黑的脚踝。一双军绿劳保胶鞋。他抬头看到我，黑里泛红的脸膛上，即刻绽开了善意的沟壑。

您在做什么呢。我还他以微笑，上前问他。其实是想看自己是否可以帮上忙。

他冲我展开凸暴筋骨的粗糙手掌，说，捡贝壳，捡回去给孙子当玩具。

我说，那我来帮忙捡吧。

不用不用。他连连摆手，受宠般惊措。

沙滩上唯一的两个人，在寂寥的黄昏时分，亦步亦趋，自然地聊起天。

老人说他来自江苏的农村，家里很穷，出来打工。干不动体力活了，就帮工厂看家护院。姑娘，就在那边。他抬手指向不远处，一个养殖鲍鱼的厂子，我在那里看大门。

那么姑娘，你来这里做什么呢。他满脸好奇问我。

该怎么回答他呢。面对一位还为生计消耗苍老生命的朴素老人，我的理由如何都显得不够充分。想想，笑一笑，说，我来看海。

老人那张宛如一颗成熟核桃的脸上，先是绽露不解，又似乎恍然，说，噢，这里的海很好，很大。我每天都能看到它。没事的时候，我就来沙滩上练字。说罢，把贝壳往一旁的沙滩上一放，捡一颗略有棱角的石子，弯腰，拉开架势，刷刷刷，沙滩上呈现一副字句：

满目山河空念远，落花风雨更伤春。

再挪到沙滩的另一空白处，写道：昨日之日不可留，今日之日多烦忧。

老人的字充满力道，石子扬起土沙。大大两副字句里，含义深远。

令我哗然。

51：4

所有被岁月历练过的生命都不是枉然。

眼前的老人，只能被看出是个迟暮花甲，老实朴素之农人，如何也看不出竟有着懂得舞文弄墨的高雅。岁月赋予了他一双洞察人生的双眼，一眼望穿，这个茫然失笑声称看海的姑娘，是个失意之人。从他选择书写的两副字句可以看出，他一下就看穿了。

在如此朴素无华，却又透察生命的人面前，我的一切思忧显得滑稽。它们成全了我带有缺口的思想，也阻碍了我更好地进入平实的生活。

慢慢就从别人之中看到自己。

看到上帝的美意，让我在这茫茫海际与一位老人相遇，我们相互映衬着对方。在他结结实实的生活感之下，则把我映衬得更如一个飘忽魂魄，不着天地。羞愧万分。

看到给自己寻找的花样百出的借口，不过是出于对软弱的需要。

51 : 5

老人后来邀请我说，去工厂看看怎样养殖鲍鱼的吧。

好呀。我欢欣应下。

他带领我，沿着弯弯曲曲的道路，走进一间四壁砖墙的房子。到处是水流，横七竖八的管子。他用他所能了解的最多知识，尽可能地为我讲解。时时嘱咐我当心脚下。

一个温暖的黄昏戛然止住，天黑下来。我说，我要走了。他说，姑娘你在这里吃饭吧。我说不了。他说你会住多久，要一个人孤单，就过来跟我聊聊天。

那张带着乡村口音的嘴一翕一合，隐见牙齿的脱落。我看着，内心湿润。

他送我很远，一直在后面张望，挥手。我回头看他，扬起的手臂朝我离去的方向挥着，意思是走吧，走吧。

像是家乡的爷爷。

面庞滑下两行温暖泪水。我张开双臂，开始奔跑。沙滩上陷下一串有力的脚印。

温暖总能盖过悲伤，光明总能驱走黑暗。就着这一点点的小温暖，我就浑身充满力量，就想要一直一直地向前奔跑。

51 : 6

那晚我醉了。独自在旅馆喝起酒。

旅馆的主人邀请我同他和家人一起吃饭，被我婉言谢绝。我说你帮我拎些啤酒上来吧。那个壮实的中年男人，一口气拎了一大捆上来。还带来两袋香肠，说，这是我们当地做的，很好吃，你用来下酒吧。

愿上帝保佑这些朴素勤善的人们。上帝给了他们物质与环境的匮乏，却弥补了他们人生最宝贵的东西。快乐。

简之又简的生活，让他们比轻易就获得了从未预设过的满足。

51 : 7

复杂又敏感的我，则在暗无人知的孤独中把自己灌醉。

知道会有这样一个时刻，我也允许自己有这样一个时刻，清醒的防线如门锁滑落，一瓶一瓶的啤酒灌下去，好像一个瘪了的气球，重新被新的内容一点一点充满起来。

然后走出房间，迎着海风，泪流满面。

51：8

有些所谓坚强，是涂抹了脂粉的脸。愤怒毫无用处，悲伤毫无用处，只需善待时光与时光里经过的人事。

旅行有治愈创伤的用途。一路经历的小温暖，小美丽，好像天使散落的羽翼，一点一点，就把悲裂的心烫贴柔软。

我想，这样的心绪难平其实也很好，至少它能证明一件事，我还活着。对生命充满敏感地活着。好过行尸走肉。

令我恍然觉悟，我们无法浪费时间，我们浪费的只是我们自己。

五十二

52：1

那些天，除了写作，就是沙滩散步。生命的其余部分，都成了礼节性的存在。

一个尚无清明的女人，就那样独自在海边，心无忧怨地存在着。

52：2

第十二五日。

开始下暴雨。

惊雷划过长空，天上涌出黑压压的乌云。有几个瞬间，在中午时分竟也伸手不见五指的黑暗。我对这突如其来显然毫无准备，关上所有门窗，躲在玻璃后面，好比一只大难临头的蚂蚁，惊慌失措，缩在了这世界不为人知的一角。

因暴风雨过大，电源也被切断了。仿佛整个世界都没有了光。

从小到大，最怕的就是打雷了。我捂着耳朵，慌张起来。觉得应该做点什么，可又不知道该做什么。就如桌椅般静止在黑暗里。唯一的光亮，就是心中的微光了。

我本能地，快速地，翻到即墨的电话，定定地看着，然后跳过，拨出另外一个。

在那些天里，除了出版社，我唯一拨出的一个私人电话，就是给家里了。妈妈接起，我没有告诉她我身处何境。只与她长长地聊天。

妈妈，我想问你，生我的时候有何特别。

妈妈早已习惯了我随时给她电话随时聊各种话题。我们不厌倦地聊起曾聊过一百遍的话题。她说，是上午时分，天下着雨，生下你之后，天就晴了。

我又问她，你养我这么大，会觉得我很烦么。

妈妈笑了，说，小时候你很烦，每天寸步不离，像个甩不掉的小面团，我上厕所你都要跟着。现在你们大了，父母老了，家里的事都靠你们操心了，怎么会烦呢。只是你，不要太要强，女孩子最终还是要有个家，有个伴，相互扶持照顾才好。

嗯，我知道。

且要记得，两个人在一起，要给他他想要的，莫给你想给的。

嗯，我知道。

我跟妈妈，时常会有各样的情感交流。有时聊到动情处，我们还会因感动而落下泪来。只是说了一百遍的话题，每次说起，心中还是愧疚万分。父母心中的担忧，要为儿女操心到自己生命终结的那一天才算完结。

江醒曾跟我说，多情的人容易衰老。可是无从逆转。我在这个家庭得到了太多温暖，以致成年以后，抗击打能力并不是很强。只爱美好之事，不消残酷之为。有时甚至还病态地想，假如要是在一个支离破碎的家庭中长大多好，背井离乡，流离失所。那样可能会好得多，那样成年以后就会变得很无情。

不像现在，情那么多，那么浓。自己都难以消受。

52：3

有时我也很不明白，怎么会把自己搞成现在这副样子。

朋友们也很心疼我。某天阳光灿烂，突然接到一个朋友的短信。她说，突然想到你，万念俱灰的感觉。

这时候，我总是深刻的无辜。也许，在我体内原本真的存在某种无辜。正是这种无辜，注定了我在各种关系中该扮演的角色。

然而就在此刻，这突如其来的意外，使得上路之时的所有想象，看书听涛，依床泡茶，游泳打鱼，秉烛把盏，瞬间都微弱下来，一如即将奄息的灯光。

心想，好了，不是想体会彻底的孤独么？现在，它来了。

意外之所以考验人，是因为它没能按照自己想象的方向发展。意料之中的事属于顺境。

我本能地逃避着，幻想着。假如在城市，就可以向外界伸展，求助。给朋友煲电话粥。上网，与不痛不痒的人聊天。去KTV唱歌。去吃最辣的火锅。总之，有无数种方法度过惊悸一时。

可是现在，什么都做不了。大海就在这里波动着，甚至彼岸也横在这里，等着你渡过去。永恒的现在就在这里，并不遥远，并不在别的任何地方。

世界像在自己之外的界面上被切断，只有重返自己的内心。

这样的孤独才够彻底。唯一能做的，就是感受这孤独。且必须是不带任何恐慌地，安静地，认真地感受这孤独。否则，就会失控。

也就那一刻，我突然觉得，在繁华城市中的孤独，原来都是伪孤独。

所有的痛苦都来自你的想象。

52：4

智者给了我们道路的指引，说，从某种角度上说，自我的问题源自于别人。

假如你去喜马拉雅山一个山洞里，将具有什么样的自我呢。渐渐地，自我开始消失。因为每一个自我，都需要支持，需要有人欣赏，不断地被喂养。所以，自我就是尽力不辜负别人的期望。

别人已经被装进了我们的心里，我们称他们为我们自己。

我躺下来，尝试让自己消失。试图在恐惧之中安静自己。把世界的喧嚣，尽量地忘怀。

却失败了。海浪的呼啸，狗的狂吠，甚至洗手间里漏水滴滴答答滴的声音，以及内心各种庞杂的呼喊，一一将我惊恐的心房占据。

由这些惊恐的声音，我又联想到另一些喜欢的声音。

音乐，像一把刀子扎下去的声音。电影，像眼睛流出眼泪的声音。小孩子的笑声，像微风吹过风铃的声音。还有妈妈在黄昏时炒制饭菜的声音。教堂里虔诚祈祷的声音。都很洁净，温暖。

万事万物都有声音。天上的星星。一株正在生长的植物。哑巴的爱情。一枚文字的样貌。只是人类太过关注自我，而忽略了倾听它们。

各种声音不绝于耳。

做到心无旁骛是那样艰难。

52：5

我又忽地跳起来，跑到洗手间的镜子面前，效仿即墨的样式，试图与自己对话，却发不出任何声音。

望着自己面目焦虑，眉头凝结，浑身都变得僵硬而不再柔软。有骨骼的

哀伤，那等同于自我克制。纵然甘愿有背负，有损伤，也会在某一时刻
显得无从解决。

如果有人喜爱落魄的生涯，他们注定成为幻路的牺牲者。我警醒觉知，
想绕道而行。可长久地看着自己，突然觉得，镜中之人，不过是一个喜
欢做梦的人罢了。

52 : 6

最后的最后，焦虑要把我烧得一团焦黑之时，神的荣耀光照下来。于
是，我重新返回到床上，跪下来，双手合十，开始祈祷。

神啊，求你给我力量，赐予我宁静。对于你今天赐下的这个礼物，我满
怀欢喜地接受。我知凡事都有你的美意，你想要给我更多的试炼，以明
晰那个真正的自己。我愿意宽恕并解放过去，及过去所有的经历。感谢
你在宇宙中照顾这个孩子。我将会从你之中获取智慧。

......

......

祈祷。不断地祈祷。直至内心渐渐平安下来。

52 : 7

祈祷有着非常美妙的感受。它是从最高的观点对生活事实的观照，使人
在短暂的瞬间有一种深度。

经常在祷告之中，我会看到一个隐匿的自己。

她宁和喜乐，自然和煦，每个细胞都散发出爱的气味。梦想与现实的
距离没有绊倒她，因为她正为路边一朵正在盛开的花深感愉悦，正为
一个黑暗角落里的灵魂输出她爱的源泉。走在路上，轻盈稳健，经过之
处留下一阵爱的香气。所遇之人，无私地给予，从无求索。她舞蹈般地
生活，没有什么可以难倒她。听到别人的好消息，她总是高兴地说上一
句，上帝保佑。

这时，狭隘的，充满控制和私念的欲望变得少了，正被越来越大的爱填
充。这才该是她存在的意义。没有任何预谋，一切因上帝的造物流淌而
来。整体生命因此变得内敛而闪光。

而重返现实之中，过不了多久，她有时就变得可怜甚至可恶了，又重新
像个罪人一般，潦草，忧伤，欲念丛生。

她曾对她爱的君王说过，人要学习勇敢面对自己的不高尚。世间没有完
美的造物，每个人的内心都有阴暗面，那是紧贴血管墙壁的污垢与阴
晦。

只可惜，大部分的知识分子，想来也都是些可怜人。所谓的知识分子就是有着肤浅的小聪明的人，用各种辞藻和理论来讨论人间的是是非非，以及什么该做，什么不该做的人。

就如平日里好为人师，满心热忱的那个女子，却在此刻，在彻底的孤独与荒芜之中，眼睁睁看着自己，发作了城市病，心中沸腾。几乎是没有权利再对人伪装与修饰，唯有把自己完全地剥开，以便彻底地见识。

52：8

我的君王也曾对我做出评价。他说，你是哲学家和流浪者，只有游走在生活的间隙方可获得你的自由。

这话字字掂量。也许不符合一个男人对一个女人的理想。

那么生命是否有退路可言。不再做一个固执的孩子。不幻想。不任性。不与自己对话。不与不美好争战。尝试与世俗相交为好。

如果岁月证明是我出错，我起码可以尝试选择退后一步，与一个平实的男子结婚，生子。在灵魂经过的路上，绕道而行。

只要内心于人于己于世界，还葆有善意，那有何畏惧呢？怕什么缺失呢？这是最重要的。人假如缺少了内心的善意，一切的外在附属品就只能带来肤浅的，世故的生活，是一种没有多大意义的生活。

今天，我沉默地打量着自己，体会着自己的重量，心想，人们宁可在熟悉的缺陷中挣扎，也不愿走上一条陌生的新路，是愚顽，是罪孽。

明明不是玫瑰，却偏要如花绽放。

不是鸟，却偏要高空翱翔。

世界如此宽阔，条条大路通往自由。一个不对的人，一份不爱的爱，是条死路。

一个大世界，一个漫长人生，那么多选择，何必非走那条死路。

爱允许痛苦。难受罢，就该给自己放生。

52：9

秩序，整洁，清晰的思想，它们自身并没有什么重要性，但是对于敏感的，有深刻感受的，经常在内心不断革新的人来说，它们就变得十分重要了。

在那个海浪翻涌，了无光明的暴雨日夜，我进行了一场过瘾的自我手术。切剖到最疼的地方。

52：10

人一旦清楚自己是什么样子，就会变得越来越像自己。

这是一个危险的误区。

52：11

五天后，一月整。我收拾行囊离开。带着自我剖析的，不够确定的结论。

离开时，我从车窗向外望去，直向大海。心中想，人在时间的河流中，究竟要选择与变化多少姿势，才能不被河水呛到。

五十三

53：1

江醒开车来接我。

短暂的离开，让我对北京有着强烈的思念。城市跟爱人一样，呆久了厌烦，离开又想念。

我坐在江醒的车上，看着北京字牌的车辆驶过，色彩斑斓的霓虹闪耀，熟悉的气味是感知自己存在的小幸福。那是非常微妙的心理感受，带给人自己的气味。

厌倦生出希望，希望生出新的厌倦，重新又生出新的希望。它们是两大支柱，交替出现支撑着我们的人生。

53：2

亲爱的，我们去吃肉吧。我对江醒说。这一个月，我过的是丧失人性的生活。

她去了云南十天回来，人变得满身开花，裹满民族的鲜艳色彩。我们各自向对方感叹着自己这段生活的体验。

清汀，在云南生活真好。等我们老了，就在洱海边上建几座房子，聊天，晒太阳，老无所依的朋友们相互照顾。不要男人，我们一样可以生活得精彩。

我才不要。我尖叫着抵触。我热爱男人，我想好了，要找个平庸的男子结婚，生几个孩子。到时我携儿带女去看你，让小孩子们给你唱歌跳舞。我可不想等到老了，每天睁着浑浊的眼睛，再也发不出光亮。没有小孩子的人生就像没有未来，毫无盼望。他们纯净的眼睛是我们的延续。

没出息。江醒笑我。拥有就意味着失去，何必让自己承受失去的痛苦呢。

车子在我们的说笑中划出弯弯曲曲的弧线，去往鬼街吃鸡煲。路途中江醒不停地有电话进来。有些是工作上的事。其中有一个，我听到她劝解对方说，我倒是对男人要求不高，他们给不起，你何必要呢。这不是胡来么。

我在一旁听着，望向窗外哑然失笑。这就是我思念的城市，爱恨情仇的桥段从未停歇间断过。

我好奇的是，还有谁记得幸福的模样么。

53：3

很早以前，采访过一个女演员。问她，你认为什么是幸福。

她没有堆砌任何华丽词语，简单直白，说，我最爱吃煎饼果子，饿的时候有煎饼果子吃，最好还是热的。渴的时候有水喝。困的时候有床睡。冷的时候有人把衣服脱下来给你穿。想上厕所的时候有茅坑，茅坑还没被人占着。这就是幸福。

假如人们可以止步于这样的幸福，那么就没有人在漂着浮云，迎着扑鼻而来的荷花香气中，品着茶香，缓慢而虔诚地生活了。

这个社会让人变得独立，坚硬。失去了本心。小情小调反而有了生存的空间。

存在的意义从来就没有标准。幸福更是各自的蹉跎。

53：4

有酒有肉。这顿饭，吃得我像个男人一样得到了满足。精神看上去好多了。

行李放在后备箱。我们去江湖酒吧看演出。

张潜浅站在台上，看上去神经兮兮，歌唱好比呓语。

这是一个活在传说中的女子。一个更加破裂的女子。用脸孔去破裂。用声音去破裂。无穷无尽的破裂。呓语般的歌唱她不在乎，谁听到不重要，重要的是她需要表达。她需要听到自己的声音。

在杂志上看到有人评价她，这样写道——她是一朵怒放的垃圾之花，堕落，华贵，引人入胜。她对于脏有着气度非凡的诠释。看到这样一个天真得接近天使和魔鬼之间的女子，让我心痛如焚。她的眼神里都是已经堕落过的灰尘，飘飞，翻舞。那些折断了的欲望，使她安静如水。

看得毛孔张开。

她向来是凌乱地出现，瞬间搅扰了世界的秩序，然后又照射出特别的光芒。她开一些不冷不热的玩笑，说，凭两岸风光一身菜花，留在这里和你擦火花。

她弹着吉他，认真地唱——我是自己的主人，走在迷幻梦境的桥上，金色日光照射的黄昏，牵动着我不安的内心，我曾稚气地以为，我会发现世上不灭的永恒，难道这是天真的狂想，我却为它付出了所有的感动。

她唱——现实是个鸟，我要找一把猎枪。

我站在舞台的后方听着，大口地向下吞咽啤酒。为了尊重本心而显得天真的人，他们走在荆棘与革新的路上，枝条在自我探索中缠绕不清，顽强地在尘土与空气中喘息不止。他们通常有着赤裸裸的疼痛与勇敢，充满缺陷，却直抵人心。胜过企图完美修饰自己的人，那最多是怯懦者对自我的欺瞒。

因为总要面对真相。布满真相的现实，恰恰相反，往往我们是一只鸟，中了现实这把猎枪的弹。

也感慨于台上的这位歌者。

中间有两年，见不到她出没。有消息传出，她疯了，神经分裂。听上去是个哀伤的消息，可我从不怀疑这样一类人的幸福感。因为真实地活过，纵然痛苦，也是一种幸福。

如果世界是充满悲哀的圆形球体，只有爱情和歌谣才能把我们带离这里。我常常在写作时一个人哭出来，那是一种悲伤的幸福。虽然没有人知道是为什么。

看上去凌乱不堪而思想精确的人，都在现实中受尽了委屈吧。两年后她再出来，感觉多出几分智慧。更像一个旁观世事的人，一个安居都市的隐士，一个告别马戏团的热闹而改学印度瑜伽术的人和吉普赛女巫。唯独爱情，依然需要成全。

她说，没有爱成全我，我的天命就是死亡。

53：5

演出散场。意犹未尽的人三五成群，扎堆喝酒，延续着音乐带来的余温。

我和江醒到酒吧的院子里去透气，繁盛的落寞。房顶上有只黄色大猫，窜来窜去。时而停下来，做匍匐状，瞪大眼睛望着这群奇怪的人们。

我替它揣测着他们，揣测着有几个人的心在默默颤抖，因为夜的孤寂而不愿回家。

53：6

江醒突然问，你跟即墨分手了？

这名字让我心中一震。问她，你听到什么？

他给我打了电话，你去青岛的时候。担心你吧。

他说什么？我几乎是只吸不呼地问出这句话，很想从江醒那里听到哪怕多一丝新的秘密，或许是于我不能启口的苦衷。那样可能我会好过一些。

没说什么。清汀，你当真那么爱他？

……不知道。我有时想，一个女人爱一个男人的过程，是否就是为他不停找借口的过程。等再也找不到借口的那天，也就该放弃了。我是为他再找不到什么借口了。

我听到自己说的话，不禁为自己哀伤起来，暗暗期望着江醒开口为他辩驳。

如我所愿，江醒开始为他说话。她说，其实，我跟即墨认识这么多年，虽然没有深聊过，但起码有一点我可以确定，他是一个好人，不是情感的骗子。也许他心中对婚姻有无法克服的畏惧吧。

要么让对方清楚，要么就克己不要对别人动情，现在这样，算什么。借口，都是借口。我吞下大口酒，克制着愤怒。好不容易清静了一个月，不想再重蹈覆辙。

或许他自己都没有弄清楚那畏惧究竟是什么吧。

那这样的行为就更是不负责任。

清汀，算了吧。越是成功的男人，越不容易被解读。你们应该好好谈一谈，毕竟，要对得起这场情缘。爱情说白了，就男女那点事，有什么好计较呢。你看我现在，想计较都没得计较。

她每次一提到河，我就无语。生者对死者的缅怀，是最无能为力的担当。

这么久了，你该走出来。我说。

也许，疼痛是生命的一部分，始终都在，谁也不能不要它。亲爱的。她说。

53：7

即墨，这个名字被我左躲右藏，还是不可避免地被谈论到。

我不愿意对人提他，是不愿把他当作故事来讲。故事是死的，经过雕琢的。可他是活的，滚烫的。感情如禅，说出来的，都显得浅薄。无法对庸众启蒙，也无须让别人明白你的深浅与悲欢。

有些爱看别人自传的人，喜爱听别人的故事的人，都有着一颗敏感好奇的心，想看看别人怎么生活，从别人的生活中明白点什么。但实际上，即使可以像理解自己一样理解对方，也只能是短暂地慰藉过后擦肩而过，各自在自我的轨道向前滑行，不能追求，亦无法重复。

刚从台上走下来的张潜浅，如今对爱情的观念就很好。

有记者采访她：你是否还相信爱情？

她说，当然，要不然怎么活。不过现在我更愿意将自己看作一条河流，缓缓向前流淌，谁愿意加进来，就成为我的生活。我已经不可能再去追随哪个人的道路了。

在无休止的红尘循环之道中，多少挣扎才换来这样的清醒与从容。这始终该是女人在爱情中的最好以及最高姿态。

53：8

月亮升起。又落下。

音乐休止。月光下的人们被映出影子，踩着凌乱的脚步向四方散开。各自与自己的影子取暖。这就是自己与现实的关系。

所以只能孤独地飞着，不断地分解着自己，转换着新的密码。在已经闭合的空间，展示着自己的片片花瓣。

53：9

我们都是命运的过客，走在人生的单行线上，挥霍过，透支过，收手，转身离开。

每个人都是单数，来时是，去时也是。

五十四

54：1

凌晨三时，我拖着行李，回到没有一盏灯等待的房间。

寂寞在布满灰尘的气息里显得无底。在某些时候，人需要的标准非常非常低。也许只是两个人共同守着一盏灯光的温暖那么多。

54：2

我洗了个澡，开始在凌晨清洁房间。

天渐渐变凉。我撤掉海洋蓝的床单被罩，换成大花的粉红色。

房间的用品几乎全部是蓝色。窗帘，沙发，灯盏桌布。包括镜子和冰箱。蓝色是安静的忧郁，理智的哀伤。却不能自控，遇到蓝色物件，总觉得它们是属于我的。

去年冬天，买回了两套粉色大花的。粉红色是被爱的颜色。暗证了在与即墨纠结的这场感情里，被爱的一方是多么匮乏。

收拾完毕，把头埋在花团锦簇的被子里深深地呼吸。有阳光和洗衣剂混杂的温暖香气。十分疲倦。

细细回望自己。太多执著和用力，在身心俱疲中获得不可言说的满足。

我想，假如将来有一个女儿，一定不要让她像我。要教导她说，做一个这样的女子。

面若桃花，心深似海。真诚善良，但要冷暖自知。有敏锐的触觉，丰富的情感，但是要坚韧独立，缱绻决绝。不要优柔寡断，更不要委曲求全。

坚持读书，写字，观影，听歌。但是也要打扮，约会，狂欢。偶尔有放纵，然后一转身便忘记。

允许有时落拓不羁有点放肆，却不能因为缺乏安全感而不知所措。允许因为深爱一个人伤害自己，但只允许有一次，此后就不可以自虐不爱惜自己。

爱的时候不顾一切不依不饶，甜美而乖张。不爱的时候要决绝，不拖不欠冷静清醒。寂静而残酷。

有真实自然的性情，浑然天成的灵气，与众不同的气质。纯粹剔透而不索然寡味，敏感清洁而不复杂世故。

那是理想中的自己。

54 : 3

打开电脑，收件箱里满满当当。其中一封，是沉默者给我的留言。

简洁明了。

很久没有见到你，心中莫名惦念。在网上找到你主编的杂志，细细拜读了你写的卷首语，看到那期《寻找自己的性格》。你讨论的话题诚实而沉重，我被你的诚实打动的同时也心怀担忧。

你给了我许多想象。世上每个人都是被上帝咬过一口的苹果，有的人缺陷比较大，那是因为上帝特别偏爱他的芬芳。我十分好奇被上帝偏爱的你有着怎样的芳香。

呵呵你一定明白我这句不像赞美的赞美。希望有荣幸可以当面请教。

写信只是惦念，出于善意的关怀。

无它。祝好。

这多少让我有些意外。虽然跟他也算熟络，记不清认识了多久，但还不至于熟络到惦念的份上。不过对于一个刚从异乡归来满身尘土的人，在深夜收到一份惦念，心里划过的小温暖还是驱走了一点寒。

我回复他。

谢谢你的来信。那杂志日后可继续关注，只是不再出自我手。

另外，我也很好，不必担忧。即使一是条没有流向的河流，也自有它的归处。我清楚自己的方向，上帝把路线早已定好，弯弯绕绕过之后，还是会抵达那里。

祝愉快。

54：4

另外一个引起我注意的，是博客中一个没有署名的留言。那句话犹如刀子般锋利，在破晓时分触目，微微惊了我心。

他说，通往人间的路，是灵魂痛苦的爬行。

爬行这个词，用得充满泯灭感。这世上还真有比敢说真话更勇敢的人。我相信他这诗句的背后，无奈比勇敢要多。

这个世界宽容得很，允许我们站在它的正面也允许站在它的背面，为了我们日夜的美梦，把青春献给这座辉煌的都市。每个人都必须眼睁睁看着，看着现实中与理想中的两个自己渐渐合拢，或者分离。在这个过程中，有些事情不理解是正常的。卡夫卡说：不用去理解世界，因为这个世界不可能被理解。

浅显而言，我们之所以不理解世界，是因为这不是我们活在地上该做的事。过度的思考，要么变得神秘，要么变得不幸。

五十五

55：1

那个网名叫做沉默者的人，就是庄小京。

我们终于见面。

他从线上走到线下的那天，是我决定埋葬过去的那天。

55：2

那天，我独自进行了一场离情仪式。

扔掉一切跟即墨有关的物品。衣服。书籍。礼物。

删除掉所有跟他往来的短信。三千八百一十六条。从我们交好的那天起，我就把所有短信对话输入了电脑文档里。

唯独画册没有丢。那是我留给自己唯一的纪念。他的画中没有我，却有我的爱情。

作画是他的梦想，终生支持他是我的梦想。我的梦想间接地关联着他的梦想，这恐怕是天下最傻的一个梦想了。

那天，我从镜子中看到自己。皮肤暗黄，眼神零散，不再清澈入骨。越来越明显的眼袋，充满对生命无从下手的倦怠。爱情不该是这样的，我应该更美，至少更圆润丰腴才对。

人的相由心生。

焦黄的脸是为旧事辗转过的夜。下垂的眼睑是狂欢后醒来的下午。八字纹提示着无数次争夺和抢掠。腿脚抖动不定的人风尘入骨。眼神中的厌倦是欲望冷却后的灰烬。心中有什么，便是把自己的脸给美丽了，或者摧毁了。

所以有人说，不要跟怪模怪样的朋友来往，不正常的外貌是一种生物性的隐喻。

每个人都是自己的美术指导，那是心最好的证据。

离开一个不对的人，是一个正确的决定。怎么能为做出一个正确的决定而难过呢。

我应该开始新的约会。

55：3

手机里储存的几百个电话被我浏览一遍，没有一个想要见面的人。

人们在顺风顺水时经常以为自己的朋友很多，可必要时，却一个也找不出。要么因为太过熟悉而倦怠了，要么因为太过陌生而疏离了。

我结束了那场与某个阶段的自己的仪式之后，时间的指针指向十点钟，世界却像是都睡着了。一片孤寂。

庄小京的出现是注定了的。恰在那时，他上线了。也许实际上他一直都在候着我的出现，早就等在那里了。

我没有过渡，直截了当，说，你不是一直想见我么，现在若有空，我们见面。

说得十分轻易，像是跟什么人负气。女人放弃自我时，想要堕落时，都是这副德行。

他似乎做了一分钟挣扎而无果的考虑，回了一个字，好。

其实女人心情不好时，不需要太多。最好是个相处舒服，彼此了解的蓝颜知己。松弛，不会因为他的出现而带来不安。互诉衷肠，胡言乱语，或者发呆，什么都不说不做。不用考虑在他面前穿什么衣服。不用化

妆。来例假的时候可以让他顺便带包卫生巾。纵情时大笑，难过时毫无
遮掩地哭泣。必要时，他递过来的是一副温暖肩膀，而不是见缝插针地
伺机送上自己的嘴唇。

要么，索性是个完全的陌生人。陌生至少可以转移注意力，冲淡原地打
转的熟悉。

可惜女人始终没有那么好的运气。女人与女人之间，散发着相同的荷尔
蒙气味，所以有些安慰她们给不了，只会让雌性的孤独加倍。而男人，
又是兽性大于人性的动物。

所以这只是一个游戏。我厌倦了做一个认真的人。

路途遥远，一步一步敦实地走过来。走过一半已知的，等待另一半未知
的。没有什么是正确的错误。只有似乎没有那么对。

很多时候，我们做的事，并不是自己真正需要的事。

55：4

与庄小京约在我家楼下咖啡馆。我先到，等他从南三环过来。

担心尴尬，我还叫来了爱瑶。

一见面，她又热衷着她的八卦，一一讲述身边的女友。诉说着女一太
傻，为一个一清二白的男人赴汤蹈火。女二太痴，做着看不到结局的第
三者还痴心不改。女三倒还算聪明一些，因为她跟男人分手之前，总算
把房子的产权所有人改成了自己的名字。

清汀，你千万警醒自我，不要做那种对自我处境悲悯的女人，进入爱情
就像纵身火山，短期很难扑灭。扑灭之后，也会躺在剩余灰烬中百般挣
扎，不甘就此伤灭。妄想他能重新再来点一把火，哪怕是一束小小火
苗，都愿意重新燃烧起来。

会自控的女人最会爱。若要爱，首先还是要学会自控。

爱瑶分析情感之事永远不辞辛劳。喝下一大杯的拿铁咖啡，在深夜时分
眼神熠熠。

哭笑不得的故事听得多了，也就不哭不笑了。只剩感叹，为何女人一旦
与感情正面交手，不是把感情毁坏，便是把自己毁坏。有谁能像男人那
样轻易掌握爱情，应对自如，从不深陷。

不过最后的观点总结，我是赞同的。自控总是好的，保存能量总是喜悦
的。感受它在体内变得充溢，在适当的时刻释放，是如同千万瓣莲花次
第开放的感觉。

可惜，自控与失控是天生的禀赋，也需得当的分寸。做得不够好的人，
往往性情真切，易对人敞开心怀，只是要多受些伤罢了。

55：5

庄小京打着电话跟我确认地址。我出门接他，门口的拐角处，险些撞个满怀。

我愣了一下。面前之人，我从未对他进行过任何想象，可那气味与感觉，竟然很熟悉。似乎从未陌生过。

我接应他过去坐下，为他和爱瑶做着介绍。然后，才开始认真地看他。

他长了一张很好看的脸，算得上非常英俊了，好比文章的第一章，让人想读下去。穿了一件烫贴有型的洁白衬衫，灰色西裤，崭亮的新式皮鞋。看起来儒雅洁净。还有淡淡古龙水的味道。与我艺术圈的朋友形成极大反差。他以标准的姿势，挺拔地坐在我的对面，笑容优雅。一个标准的成功男士形象。

点了一瓶红酒。我很抱歉地对他说，我只是想找人呆一会，假如你觉得无趣，也可以离开。不要有负担。

他嘴角微微上扬，优雅地笑着，诚恳而自嘲地回答说，今天是我的幸运日，怎能轻易放弃，你根本没给过我一个比这个机会更像一个机会的机会了。

为什么。爱瑶听到，八卦起来。

庄小京也不避讳，向爱瑶不严肃也不认真地做着解释。他说，她很清高，我多次想当面赐教均未果。

那你为什么想要认识她。因为她长得好看么。

好看是肯定的。不过还有，她给人的感觉很真诚，很美好。

爱瑶接过话茬渲染我，当然，谁要伤害清汀，谁肯定要遭到天谴。她可是个百年不遇的奇女子。

他们俩热热闹闹地说着，我平静地听着，不推辞也不打断。这种局面，总要找些不痛不痒的话题来开场。

庄小京简单地介绍自己。IT业，外企高管。三十七岁。单身。北京人。等等。七七八八一些公共的琐事，没有灵魂的话题介入。他始终保持挺拔地端坐，保持嘴角上扬，不惊不辱，言语得体而不杂乱。时时幽默。爱瑶笑得前仰后合，声音一如荒原沙漠的银铃。

这个男人让我亲切而放松。我脱掉鞋子，蜷在沙发里。听他们交谈，有时恍惚，却是温暖的安静。他们这样真好。

而我与生活之间，却像是一个秘密。我一个并不需要太多开心的人。安静就好。就像蜜蜂落在春天的花朵上那样。蜜蜂不用感谢花朵的芬芳，花朵对蜜蜂的采取也毫无怨言，相互为彼此安静的奉献着自己就好。

那天，我的心在瞬间就宁和了许多，七七八八的杂念似乎都因疲倦而退场，很安静。与即墨在一起以来，情绪起伏上下，大甜大苦，大梦大醒。今日，却在一个洁净的陌生男子的气场中获得安全，似乎预示着某种事件的走向。

那感觉让我一下就知道了，这个人，一定会与我关系。

55：6

果然不出我所料。

聊到深夜各自散去后。我上楼，只觉所有的紧张焦虑都化为宁和的困倦，只想要睡去。

吃一粒安定躺下来。即墨在脑中跳出来，从模糊到清晰，又模糊开。这习惯不知延续到哪天才能休止。

电话响起。是爱瑶。她言语热烈，怂恿我说，今晚这男人看上去很不错呢，是一个非常适合结婚的对象。人优雅，得体。最重要的是，他看上去情绪与经济能力都很稳定，这是婚姻中必须的两个条件。

我显然没她那么有兴致，在自我设置的圈套中打转，做着推辞。

她焦急斥我道，清汀，你的梦该醒了。你大把的青春消耗在那些艺术家身上，耗到如今，得到了什么。何必把自己弄到这个地步，你有能力选择更好的生活。女人三十岁过后，该学会为自己考虑，自私一点都不为过。还有，你必须清楚一点，再优秀的男人，只要对你不好，他就跟你一毛钱的关系都没有。

好吧，我考虑。我应付着她，也觉得她的话不无道理。一边思忖一边抵抗，敏感纤细的神经开始一跳一跳地舞蹈。

后来的事，就由不得我考虑了。我想大概没有什么女人能够抵抗庄小京的诚意。

他让我深刻懂得，什么叫做一餐一饭，一蔬一菜。什么叫做脚踏实地的生活。

55：7

他做每件事似乎都深思熟虑，不容纰漏，懂得为彼此都保留着余地。

就在那天，见面散去后，他便及时发来短信：你很美丽，甚至高贵，一定很多人喜欢你。

那是别人的事，与我无关。明显的探测，我不喜欢这个套路。

你很清高，可是我很喜欢。

那还是各自的事，各自负责吧。

我想很多人跟我一样，对你忘而却步。你应该给点暗示，以免别人自讨没趣。

有智慧的人不需要别人暗示。我不喜欢暗示，只喜欢勇士。晚安。

在我没陷入一份感情之前，我总是能够轻易地保持自持。何况面对一个只有一面之交的人，我并不想有过多的情感表露。

见识过花样百出的示好之人，我从不轻易被谁影响。

我只中自己的圈套。

55：8

然而缺乏解释的是，那天晚上，我竟彻夜失眠。

我跟一只不速之客做起了斗争，执意消灭它。在一个孤独的夜晚，一个孤独的人与一只孤独的蚊子，进行了一整夜的较量。直到凌晨。蚊子没有输，狡黠逃脱。我没有赢，疲惫睡去。

庄小京那张英俊的脸，只在我的脑中如流星一划而过。

我不认为我有评断他的必要。这个世界每天都有人与你短暂交集，擦肩而去。电话里的号码以添加一个又删除一个的速度更新着。最后能在心里留下的人，不过三五个。

可这个游戏以完全出乎我意料的姿势，捉弄地向着我行进着。

就好像我经常以为生活丧失了出路，但过不多时，它自己就翻转了样子。总有云开雾散时。

55：9

原来我们正寻找的东西，它就藏在你对一切事物的评判之中。

选择什么样的生活，这始终要由你自己来决定。

五十六

56：1

由于回到北京后心浮气躁，小说的进度开始变得缓慢。出版社打电话催过两次，说图书订货会时日不多，希望能够赶上。我应诺着，却找不到更好的状态。时常写写停停，发些无聊的呆，给朋友打些无用的电话什么的。

每天在房间里转来转去，好像魂飞魄散只剩肉身，似乎焦虑能帮助自己找到一些什么新的东西一样。

56：2

是庄小京打破了这种格局。

他的出现，显得既正确又错误。

正确是因遇到他时，我正值心灰意冷后的混乱沸腾，满心想要执行心中的那个念头。想与一个平庸男子结婚的念头。

而错误在于，我们根本不是彼此的未来。

在我们见面两天之后，他的电话就来了，请我吃饭。

五天之后，打来第二个电话，说我总是写作颈椎不好，带我去做中医按摩。

然后，第六天。第七天。电话渐渐变成了每天一个。都是些细琐的关心。要吃饭。肠胃不好要喝酸奶。写作时多起来活动。话并不多，一些叮咛嘱咐后就继续去忙工作。不谈爱情之事。似乎在他的观念里，爱根本是不需要表达的。

渐渐地，这个完全不在我计划内的人，得体严谨的的言谈，适时适地的举止，竟让一时寂落的我产生了一丝小小的依赖。

终于有一次，我彻底对他刮目相看。

56：3

夜幕时分，他打电话给我，问我在做什么。我正看完话剧，独自走在无比饥饿寻找吃食的路上。就开玩笑道，没有人一起晚餐，在黑夜里饥饿能让我吞下一头大象。

他说那我开车过来，去找找看有没有大象可吃。

他很快过来，陪我去吃云南菜。黄焖鸡，茉莉花炒鸡蛋，清炒丝瓜尖，小锅米线。我饥肠辘辘，顾不得太多，埋头吃得酣畅。那个时间他一定是吃过了饭的，可还是一副踏实模样，坐在对面象征性地陪我吃着。

看的什么话剧。

《恋爱的犀牛》。

好看么。

我喜欢其中的一段台词，一字不落地背给他听。

——顺服命运是那么难吗？那么多人都在顺服。也有很多次我想放弃了，但是它在我身体的某个部分留下了，留下了疼痛的感觉，一想到它会永远在那儿隐隐作痛，一想到以后我看待一切的目光都会因为那一点疼痛而变得了无生气，我就怕了。

他笑，你喜欢，是因为它说中了你的要害。

要害谈不上，正中心怀是肯定的。

就这样，饱餐过后，我们喝着糯米茶，闲闲散散地聊天。他开车送我到楼下，互道晚安。上楼时，心中很暖。没有其他什么别的。

令我惊讶是在次日。

次日晚上十点，他突然发来短信，内容是《恋爱的犀牛》的开场白：黄昏是我一天中视力最差的时候，一眼望去满街都是美女，高楼和街道也变幻了通常的形状，像在电影里……

无它。

我很惊讶：你去看了？

是，今天特意去看。

为何？

因为我想了解一个谜样的女人。

谁说IT男不懂浪漫，这男人竟然为了解一个女人，而去做她做过的事情，看她看过的话剧。怎样的意味。

然而，这不过是一个开始。

56：4

接下来庄小京为我做的事，超过我对爱情的所有想象。

他拷贝走了我电脑里的所有歌曲，传到他的车里放来听。

读我最近在读的书。看我推荐给他的电影。

每次吃饭，从未听到过他说他想吃什么，都是问我，你想吃什么。无论多远，多么昂贵，他必定做到。

我出去跟朋友聚会，到凌晨两点。大雨。我打电话给他，说打不到车。他说别急，我马上过来。从南三环，到北五环，在磅礴的雨夜绕北京城一周只为接我。

我生病，输液。他从繁忙的工作中抽出时间，每天去医院接送。拿本书，只是在一旁安静地陪着。然后跑遍北京城带我去吃最想吃的东西。

他常出差。每到一个地方，都打电话过来，让我放心。每次都给我带回当地的特产，吃食。从没有鲜花，或者伪浪漫的形式产品。都是生活的气息。

知道我有黄昏恐惧症，他就在每天的黄昏记得打一个电话给我。或者下了班就过来接我吃饭。

我说，该做头发了。他说周末我陪你。我说不用。他坚持。一个男人怎会有如此耐心，开车带我选择一家又一家的店，而后拿本书，安静等待让女人都恼怒的四个小时。中间，下去买了肯德基给我垫肚子。店员惊羡不已，说你老公真是体贴。这个称呼在我心中不肯情愿。可是谁又曾对我这样好过呢。

大量的类似细节，填满了我的失意岁月。

他越是宠我，我越像是被宠坏的孩子。对他依赖，任性。

他说，我知道自己不是你喜欢的类型，所以我只能做这些事情来感动你。

一句毫不花俏的肺腑之言，我被这实实在在的坦荡湿润了心怀。

甚至，他作为一名无神论者，开始愿意陪我一同去教堂，听道诵经。

爱情与感动的区别，就好比完美与钻牛角尖的区别，一线之隔，却毕竟不同。爱是为了某种单纯的意愿才喜上眉梢的。而同情最大的破绽，在于那毕竟不是爱。

从前的男人，无一对我如此耐心细致。只在天上飞翔，没有一个在世界之间，对待点滴的肉身生活如此周到。付出到我不能适应，感到深深愧疚。

于是，我决定爱他。

56：5

对于灵魂深处有着巨大孤独的人来说，其实是在一个孤独的位置上期待着别人，以期望生命不再孤独，不再恐惧，由爱的途径重归灵魂的伊甸园。

于是为了减免这种对孤独的畏惧，以及追求生活的安定，让我以为，我完全可以与庄小京一起生活。不料之后，陷入沼泽的底部，唯剩头颅高高地仰起。

56：6

庄小京言语稀薄，做事不动声色，可实际上他没有那么闷。偶尔也会说很好听的情话。

有天我正给一个晚会写串词，十分无趣。收到他的短信，说车陷进一个坑里，弄了一下午才拉出来。

我说你十几年的老司机了，怎么还犯这种低级错误。

他回我说，我好像一个中年人遭遇初恋，脑子里全是你，因为陷入了情网，所以掉进了陷坑。

我噗嗤笑出来。觉得其实他也很可爱。

还比如。我给自己和他买过两件情侣T恤。我并不能真正爱他，我只能做一些看上去像是爱他的事。纯棉质的海蓝色，一大一小。我却喜欢穿大号的那件，不合身的尺寸让人感觉不规则的温暖。那里面裹着爱你的那个男人的气息，这是残缺情感的另一种慰藉。自己的那件，像不曾被买回来过一样，崭新地关在衣橱里。

周末他加班开述职会，担心我不吃东西，午休时为我买了日本料理送来，之后匆匆赶回去开会。阳光下，我收拾衣物，看到他的那件蓝色T恤，就套上身体。像是一种缅怀。坐在阳台上吃着大量芥末的寿司，就要流泪。这个男人的前生，是否对我有所亏欠，就像我对即墨有所亏欠一般。他不该对我这样好。我是无以回报的。

我做不到像他那么多，心中很多不安。是否即墨也曾如此刻心情呢。谁能精确测量出爱情中有多少时刻是倾斜的，多少时刻又是真心爱着的呢。

由于他言语简洁，稀少，我亦无法对他进行更多的情感表达。于是愧疚累积在心中生长。每次一有这样的情绪出现，我便会有意识地去对庄小京做些什么，或者说些什么。不是讨好，是因为清楚另外一方，感觉不到被爱是何等失落。

想想，发了条短信给他：我又穿那件蓝衫，上面全是你的味道。

短信很快回来。他回了六个字：是我们的味道。

我笑了。这个看上去似乎只懂沉默做事的人，却也可以说出如此动人的言语。我想，或许我该学着像一个真正的妻子那样，每天清洁房间，准备晚餐，下班回来给他一个亲吻，轻声细语问他是否疲倦。

就像所有平常的女子那样，去过最简单世俗的生活。对他好一点，不那么任性一点。

56：7

可是爱情在我的世界里，始终显得那么不够顺畅。

就这样过了半年，我开始失语了。不知道面对庄小京时，再该说点什么。

我把所有的困惑讲给江醒听。

亲爱的，告诉我说，我到底哪里除了问题呢。

她蜷在转椅上忽地转一个圈，把自己从面对电脑移向面对我，两支烟同时叼在嘴上，啪，一并点燃。这是她跟河在一起养成的习惯。递给我一支，问，这个男人经常赞美你么。

是，他经常赞美我。说我漂亮，人又善良，是一个早该被人娶回家里保护，而不是放逐江湖四处流浪的姑娘。

听上去非常好。那么，问题出在哪里呢。江醒朝咖啡里放一颗方糖，搅动，方糖在漩涡中慢慢融化，消失。

他很好，坦白地说，我觉得问题出在我身上。

他好在哪里呢。江醒像个法官，步步追问。

举个例子吧。我们刚认识一个月，我过生日，他买了施华洛世奇的水晶给我。对认识不久的人来说，算很有诚意了。可是我收到这个礼物的时候，不知为何，却一点都不兴奋。

那是一对蓝色的翠鸟，栖在同一个枝头，却是一高一低，桀骜的头各自望向两边。我想到不好的隐喻。同在连理枝，却不是比翼鸟。

你说重点，不要语无伦次。

好，说重点。你想想看，为什么你是我最好的朋友，我都没有让你见过他呢。这就是问题。他根本上是与我们不同的类别，我们无法融入对方的生活和圈子。生命的线条不同，我很矛盾，人是否该选择一个与自己完全不同的人生呢。

清汀，这向来是个无解的问题，只能看你更需要什么了。

我乱了，很矛盾。

看来，我要把某些观念彻底打乱重组了。

56 : 8

从内心的意愿上来说，我想改变。过去的岁月，我与那些才情之人相互消耗着生命，各自老去一截，命运却没有为我们安排一个更长远的未来。

眼前这个男人不求回报地付出着，给予着，妥贴了我的生活，却寡淡了精神的需求。越到后来，我跟他在一起最多的场景，就是沉默。

他不知疲倦，开车带我去吃饭，逛街，或者做其他什么，都像是一个周到的侍者。在他面前的我，能够完全地松弛。脱掉鞋子，赤裸双脚，把腿长长地伸至挡风玻璃上。他从没有过不满，而是侧身，帮我把座椅调下去，让我更舒服一些。

就是这样。安静，宽厚。

沉默时，我常观察他。英俊的脸，嘴角永远保持上扬，带着微微的笑意。一切都在均匀平稳的速度里进行。他无尽付出与无所要求，就是为换得我的不失望，可到头来却是让我对自己失望了。

我们经常开车走在街上，摇开车窗，秋天的风吹在脸上好比恋人的诗句，这时不该是沉默的。许多时候都不该是沉默的。他却沉默着。

说话时没有人在听，有人在听时却无话可说。这始终是最大的寂寞。

56 : 9

假如换作是正确的人，沉默也是一种交流。我从未对我与即墨之间的沉默感到压抑。可对庄小京有。他该对我提出要求，批评我的任性，责备我的自私，不该只是默默付出。他无法激发我对生命的能量，反而封闭了灵魂的出口。

对一个情感汹涌热烈的人来说，爱一个人，远比被人爱要重要得多。

所以有些过于冷清了。

只能在一个又一个沉默的夜晚，我把自己光洁的身体奉献给他。甚至做爱，他都沉默着一言不发。倔强地用力，认真得像个孩子。

他是个在爱情中失语的人。

我绝望地愧疚于他，绝望地责备着自己。想，若我是个哑巴，那么天下没有比他更适合我的人了。

五十七

57：1

生物学上有个现象叫变种，是指从自己的种类中突然地自发脱轨，花园里于是多出一种新颖的全新品种的花，由此也特别得到园丁与观赏者的喜爱。

联想到人类，变种的大意就等同于创造，革新。

我之所以对那段话剧台词至今还能够一字不差，倒背如流，是因为大多数渴望对生命革新的人都会发出的质疑。

究竟该对命运革新还是顺服。

革新意味着风险。一旦开始冒险，你的心及你的周遭就会发生变化，生命开始以不同的方式呈现出来。你也许不喜欢，因为那可能是悲惨，挣扎，落魄或饥饿。

也正是如此，大多数的人才走不出原罪，选择了过安全的生活。安全地走在世上，直至安全地死去。害怕特立独行。

我也一样。

比如放弃了在世界的旷野流浪，选择尽量安稳的生活。放弃了脸上最真实的表情，选择努力做出一副安身立命的样子，是为给忧心的母亲一点安慰。还比如，强制压下内心直执的呼喊，选择庄小京，放弃了即墨，毕竟，温暖妥贴的人生来得更为长久。

恐惧阻隔了更多的冒险。

但只有一样，我放弃了稳定的工作，而选择了漂泊感极强的写作。因为蝇头小利无法收买我最好的时光，也更是无法容忍工作时面对的一些无知的傲慢之人。因为梦想不容凌乱，一想到它在我身体的某个部分留下了疼痛的感觉，它会永远在那儿隐隐作痛，一想到以后我看待一切的目光都会因为那一点疼痛而变得了无生气，我就必须选择做我自己。

每个人都在选择自己。且不可避免地成为自己。

57 : 2

凡事都会解决。人生需要慢慢精确。

对于庄小京的事，有了之前的教训，我说服自己暂时不做决定。有些事情选择放一放，就意味着解决了一半。

回到内部世界中寻找支点，试图静心写作。

初稿基本写完，可是很不满意。做修改时，把那个男权统治者改成了一个丢了心的人，在改造对方的过程中，自己却迷失在生命的谜里，莫名的焦灼与恐惧盘踞了他的生活。既不自由也不快活。渴望爱，内心却变得越来越冷漠。

甚至过起没有节制的生活，酗酒赌博，毫无自控。像苹果花一样，禁不起一再注视，看着看着就落了。心走得比时间还快。最后他们的强弱角色颠倒，女人反倒拯救起了他的人生。

突然如此大的调整，与自我的感受有关。突然意识到不该再突出男权统治，如今这时代女性充满了多元的可能。即使她们有着无法跨越性别的薄弱之处，可在经历了颠沛流离后，找到了与自我共处的方式，不再是意识形态，家庭或者男人的附庸。

57 : 3

庄小京一如既往，像培育一株高贵的植物一样精心照料着我，使我觉得日子开始过得像个日子了。

纵然是精神产物，女人也经不起一菜一蔬的肉身生活。它任何时候都比虚幻的诗情画意来得结实，安宁。

杜拉斯说，爱之于我，不是肌肤之亲，不是一蔬一饭。它是一种不死的欲望，是疲惫生活中的英雄梦想。为这般戏剧化的表达，我曾苦心追寻，试图用女人最好的时光完成这伟大梦想，可现实的回声充满了嘲笑，让我不得不在流年无声过后，想要求和，学得圆融。

有人说，当今的完美女性，要做思想上的女霸王，生活中的好姑娘，外表上的柔情少女，心理上的变形金刚。我听着笑出声来，这般苛责几人能当？我做不了变形金刚，也莫不如找个变形金刚。就像庄小京这样，事事缜密，没有难题。

他从不让我操心生活中的任何事情，但凡有求，必一一搞定。一个单身
女人的生活看起来色彩绚烂，实际许多艰难。马桶堵了。电灯坏了。半
夜也许做了噩梦。房门钥匙丢了却只有一把。在寒冬里发烧。来例假再
一次痛经了。多出一个男人的照料，至少再不是对着自己的影子自怜自
艾了。

一个男人与另一个的差别，说白了，也没有女人赋予的那么大。或许最
大就是，他爱别人更多，还是爱自己更多。

庄小京视我如珍贵宝贝。在他的精心照料下，我的身体变得健康起来。
与之前判若两人。孤独的灵魂一时多出一个限制者和管理者，日子虽然
有点单调，可是平静了。这样似乎也很好。

我想，要做一个聪明人，没有理由去拒绝一个省力的活法。

57：4

我问庄小京，假如我不工作，你可以养我么。

他嘴角轻轻一扬，骄傲得像个解答了疑惑的老师，说，会的，不能说有
多么好，但至少可以比你现在的生活提升五倍。你只需好好写作，其他
的任何事情都不必忧虑。

我目不转睛盯着那认真神情，不是敷衍也不是儿戏。心中温润柔软。

我有轻信他人的禀赋。这是我的天真与诚实。正是这种天真和诚实打动
了庄小京。他说，清汀，我们结婚吧。

好，我们结婚。

这是一条崭新的路。我的那些充满戏剧化的，漂泊成性的，不负责任的
家伙们，我将与你们告别。这是一个可信赖的男人。他为我深深着迷，
对我宠爱，没有捉摸不定的情绪，也从不暴露自己的悲伤。

据说天秤座喜欢黑夜，因为黑夜是他最好的盔甲。阳光下只能见到他微
笑，只有月亮才看得到他隐忍了一天的悲伤。

我在他的生命里，就是在春天的枝头歌唱的小鸟，是金光灿烂的光野。
因为他说，我可以为你做一切，一切的一切。只要没有背叛。

爱情这片迷人的沼泽地，是多么了无新意的相似。他对我的高尚情怀，
与我对即墨何等的相似。

57：5

他带我去看早就购买了的新房。两层的复式。没有装修，因为要等他的
新娘。他要等她一起来布置，这将是他们共同的家。

两百多平。我们上上下下，计划分布，卧室，书房，客厅，佣人房，似

乎分配不够。我筹划着一脸畅想，说，要是间大别墅多好，最上面做我们的卧室，只属于我们两个。地下可做影音室，叫些朋友来看电影，开PARTY。中间一层留一间房放你的收藏品，与我的书房相邻，我必然得要一间大大的书房。或者，我也可以在阳光房里写作，四周摆满植物和花朵，我在角落照料着自己与它们，一同生长，多好。

或许无形中，还是拿即墨做了不少的参照。不是相比，比得更不是物质，不是大房子，而是一切以他为标准的一种情感。

说者无意，听者有心。庄小京留意了我的表情，记在心里。周末，便打电话给我，说，我看了几个别墅的楼盘，我们去转转吧。他说得轻描淡写，我听得心花怒放。于是两个周末的时间，一个被宠爱得过了头的天真女人，依然赤着脚，窝在副驾驶座上，被宠爱她的男人载着，观看了五处别墅样板间。虽然没有定下来，但是这样的心意已经够了。足够了。

女人有时候并不是真的要什么。要的只是一个诚意那么多。

他就是这样爱一个人。照耀得我无比羞耻。

因为觉得并不是真正的爱他，所以始终有寂寞的心情。他对我越好，我越不安。

可是发誓要爱他。

57：6

至少，要为他生一个孩子。

即使一个女子，原本能做到高处不胜寒的华丽，但能带给她安宁的，最终还是为爱的男人生一个孩子。

过去年月里，我只顾拼命地工作，惊情于悬空半尺的爱恋，现如今，这一切让我深感疲倦。不要了，什么都不要了。安安静静做一名家庭主妇，为庄小京洗衣烧饭，生儿育女。

把身体养好。把城里的房子卖掉，在郊区买间带有院子的屋，栽种许多蔬菜与花草。订阅每个家庭都必读的报纸。

他白天出去工作。我在院子的阳光下写作。下班回来，一同晚餐，饭间闲言碎语，听交融入世的他，讲些社会新闻和单位趣事给与世隔绝的我。

然后在院子的月光下散步。遇到突然窜出的小狗或小猫，穿着主人为它量身定做的衣服，报以微笑与赞美。

每日相拥而睡。在晨光中听着他哗哗的洗澡水声醒来。起床为他烤两片面包，榨一杯新鲜的橙汁。

养一只猫。如果允许，最好可以养一匹马。那是与我性格暗喻相合的动物，所以有着深深的情结。

一两年过后，生一个孩子。

在孕育孩子的部分，曾花费我最大的想象。我是必须要生一个孩子，才肯确认自己是一个女人的那种。

那时，我睬着带有美丽花纹的大肚子，挽着爱人臂弯，在再无恐惧的黄昏的霞光下走走停停。孕妇装要很好看，是自己亲自设计和制作的那种。

脸上千万不要长雀斑。我一直对各种斑点十分介意。

我们有时会为一个问题争论不休，这时腹中的孩子便偏向于妈妈，不停踢动。他很紧张，于是向我示弱。

在孩子没出生之前，恶搞她，给她取名叫做毛线团或者什么。

夏季的夜晚，三人在院子里纳凉，抬头仰望星空，像童年的时光那样，玩故事接龙的游戏。大人却都没有孩子编造的更为精彩。

每天为她写日记。尽管很没创意，但这是每一个妈妈最愿意做的事。

偶尔带她去看摇滚演出，早早见识，以免日后过了青春期，再去做些很青春的事情会惹人嘲笑。

希望她是个女孩。不要太美。比我再美一点就好了。太美会招惹是非。要才情智慧。

然后亲自看着她是如何长大，恋爱。自己是如何渐渐老去。

这是我能想象的人生中最美的时光。

如此下去，平静安宁的日子，何尝不是一个温暖的人生。

五十八

58：1

生活褪去了华丽的外衣，变得实在。

我对庄小京说，请给我最后两个月期限，完成我的小说，顺便过最后的单身生活。我将永远与它们告别。

他非常支持。我说任何事，他都没有说不好。中了魔咒般地雷同于我对即墨。

58：2

这两个月的时间，我能量爆发。仿佛人生中，再不可多得这样的疯狂时光。

写作。熬夜，大量地抽烟。喝大量浓烈的饮品。咖啡。红酒。与普洱茶。

每天坚持拍几张照片。路人的面孔或者变化的植物。

看悲伤的电影。

在起床时发懒，做二十分钟或半小时的白日梦。

游泳。

定期大吃一顿。

一边开车，一边大声唱歌。

一边喝咖啡，一边读小说。

一边打电话，一边信手涂鸦。

参加集体活动。旧友相见，微哀微欢。

不穿内衣。

买漂亮的巧克力或者蛋糕，并保存价签和包装盒。

买香水百合与马蹄莲，看着它们开放并凋谢。

每周一次夜生活。去江湖或者疆进酒与人弹琴唱歌。微醺之中与男人拥抱。也仅仅只是拥抱而已。

这些寻欢与损耗，都将是最后的自由。这些日子过完，我的人生将参与进一个平实男人的人生，在未来岁月中相守相伴。也许合一。

58：3

中间庄小京打电话来，告诉我说最终定下了一栋临水的房子。三层，有地下室和地上花园。随时可以动工装修。他说他准备让工人在院子里挖一个池塘，这样清汀你就可以养鱼了，还可以试着养你喜欢的荷花。

我听着流下着耻的泪水，热得滚烫。我说，庄小京，你对我的好，我会记得。你也一定会换得回。相信我。

或许这是上帝对我的救赎，来弥补之前遭受的苦楚。若有来生，庄小京也定有一个女子深切地爱他，比他爱我还要多。

世界是一个圆，你发散出去的东西，最后定会以一个圆的姿势回到你这里。

58：4

我跟江醒去摩登音乐节。

秋日的下午湿云盘旋，公园的草地上摆满了各类文化创意产品。舞台上暖场的乐队弹奏着没有唱词的曲目。摇滚乐青年们妆扮各异。这是一场音乐的盛宴，也是服装的秀场。

我穿着蓝色长腿袜，外面穿一件比海蓝色还要蓝的裙子，两边开出一高一低旗袍式的叉口，左边镶上长长一条民族元素的蓝色绣边，右边的开叉处，亲手缝制一枚鲜红的五角星。

这是我亲手设计制作的作品。走在蓝天之下绿草之上，十分扎眼，一路不停有网站和杂志拦截拍摄。这是一个节日。没有陌生的敌意，所有人都为了这沸腾的生活而来。

有许多的年轻人。特别特别年轻的年轻人。那些男孩和女孩都很会打扮自己，一副细长的身子，紧身的AB型仔裤。色彩鲜艳。英式的方格帽子，腰间挂一条朋克链子。总要安排一个摇滚细节秀在身上。他们在草地上扔飞盘，拉起手跳舞。亦有人在远远的舞台后方，并排躺在草地上，仰望蓝天，也许在听音乐，也许在感觉消失的自我。

我看着他们，觉得生活真是充满希望，火热一片。

江醒，你说是否有一天我们老了，也会像那些开始苍老的人一样，消费完了自己的青春，便想要去消费别人的青春。

江醒斥我，花痴。

不知道是因为现场的音乐，还是有音乐的现场。总之大家很高兴。

58：5

遇到一些熟识的人。艺术各界的友人。有些多年不见，成熟或渐显苍老，可在音乐中的他们看上去依旧生机勃勃。

还遇到八年前的同事，一个爱音乐却做歌手未遂的男子，在音乐节上发起了一个活动。纪念列侬和大野洋子的床上运动四十周年。他在现场支起一个帐篷，帐篷中放一张洁白大床，床上放一把吉他。背景是列侬与大野洋子的大幅黑白照片。打起一条横幅——要做爱不要战争。

招徕了许多人效仿列侬二人的样子拍照。也招徕了巡场的保安对横幅上的字指指点点。

月落时分，气温微凉。痛苦的信仰上台，草地上重新沸腾起来。似乎无人记得自己曾经站在内心的边缘，观望黑暗深渊。光亮已经到来。

快乐的时光具有幻觉，使人对满目疮痍的现实生活暂时忘却。

58：6

在大理时也是。

洱海边上的演出，燃起篝火，世界各地男女，在水光与夜光的交融之中，随音乐迷情。灵魂升腾的片刻幻象，令人忘记着自己是个有家或者无家可归的人。生命在那一刻发挥了作用。

即墨曾问我，生命用来做什么。

我说，不是用来解决问题，也不是用来寻找答案，生命是用来愉悦地生活。

那晚我与一名意大利男子酒言甚欢，交流磕磕绊绊。灵魂饱足着，不介意这些事。可当末了，他仰望星空说，天上闪耀的星空将少一颗，因为我要摘下一颗带走。我在微醺之中依旧能够清醒自控，警惕地找到简一三，过去拖住他的手，说，你带我回客栈，唯你让我觉得安全。

一个心中有洞的女人，暂时的欢乐已不能取暖，因为懂得了修复的艰难。对如今的我来说，短暂的男女之欢是毫无意义的消耗。我已经成熟了，再成熟就要老了。如果注定一切都是幻梦一场，那么我的理想，是要在老去之前找到自己的君王，与他日夜相守，双双老去。

58：7

梦想与幻想之间，它们听上去很相像，其实有着巨大的差别。

梦想是真实的，不是痴人说梦，是要专注和聚焦去实现的过程和目标。而幻想，只是一时的情绪发作，一厢情愿的愿望，没有任何痛苦的情绪或体验，是那些意志消沉的人最普遍的情绪。

庄小京也许才是真正的天使。他的沉默与理性，屏蔽了我的幻想，带着我直朝向梦想之方前进。

58：8

那晚从音乐节上散去，二十几人结成一队，去吃云南菜。小小的餐馆，小锅米线八块钱一碗，十分地道。像是云南街边最原始的味道。

拼起两个大桌，众人纵情豪饮。不多久，便开始有人酒醉，这时唱歌是免不了的。有人取来两把吉他，一支口琴。我们唱起古老的歌曲。

罗大佑的《你的样子》，群星纪念张炬的《礼物》，卢中强的未被传唱开来的《七月》，以及许多，传唱不休的青春与纪念。

有人醉过了头，伏在另一个人的肩头呓语。来自大理的餐厅老板搬一把椅子，坐在我们的旁边，陷在这些歌声的里面神情惊异，恍陷梦境。也许在匆忙赶路遗忘了美好而奔赴死亡的人们眼中，这始终是一群没有长大的孩子。

58：9

孤独的孩子，你是造物的恩宠，世间也不能溶解的样子。

时光与风尘雕刻着我们，来不及回忆与忘却，我们就成为拥抱的我们，就成为远离我们的我们。

五十九

59：1

生命只有悲哀是悲哀的。只有狂欢也是悲哀的。

疯过欢过，剩一月时间，我开始关掉手机，闭门写作。

庄小京在每个周末买大包吃的送来，或者直接带我去超市。他说写作是一件十分消耗身心的事，你要保养好身体。我像个吊线的木偶，接受着他爱的馈赠，吞下昂贵的补品，填补着灵魂的缺口。

情绪只在写作中释放。小说中的人物被我赋予浓烈的情感与思想，宛如现实中被压抑的自己。

故事还没有结束。真正伤心的时刻还没有到来。

59：2

一个毫无预兆的夜晚，我点燃一盏灯，奋笔疾书。沉浸其中，非常安宁。

对我心的最好的芳香礼物，就是从她自己的花朵中来。我也不知道还有何处的月光，能用这样的美妙来泛滥我的身心。

我写道：无论你此刻在做什么，放手去做吧，不要逃避它，要带着爱去做。如果你逃离这个爱的时刻，你就会逃离未来的那些爱的时刻，从摇篮到坟墓，你将一直等待那已经到来的东西。

59：3

就是这时，门铃响了。

除了庄小京，我不认为还能是另外的谁。开门。惊诧。竟是即墨。

他进门就紧紧拥抱我。十分用力，揉碎我骨骼。酒的气味充满他浑身的毛孔和细胞。我对一切都来不及反应，被他顶在房门用力地亲吻。

你怎么了。我明显地讶异，推开他。

他眼睛布满血丝。脱掉鞋子，拉我坐到卧室的沙发。他熟门熟路，好比自己的家。

小蓝，帮我倒杯水吧。他无力地倒在沙发上。

我习惯地拿起自己的杯子，走到饮水机旁，突然警醒，换一个新的杯子。不留意的时光中，一切都已不同。

来，小蓝，坐过来。他似乎有些虚弱，好像醉了酒。

这情景让我记起我们第一次交好，他就是这样，拍拍身旁，让我坐过来。我迟疑了片刻，还是坐了过去。对他的召唤还是没能抗拒。他一句话不说，把头埋在我怀里。酒醉之中呢喃着，你手机打不通，我就过来了。抱歉小蓝，抱歉哦。

我扶起他的头，你怎么了，发生了什么事。

我不曾见过这个骄傲男人如此混乱，对自己形态乱掉秩序。这鲜见的凌乱像一个婴儿的手指，触动着我的心。

他不说话，伸出手臂把我环绕起来，用力地亲吻、揉抚。在我耳边低语，几乎是呜咽的声音，说我想念你，需要你。

这迷人又揪心的呓语，使我在颤栗中重新泛起光泽。瞬间，又恍回当初梦境，比当初更加颤抖的梦境。我从他肌肤中嗅到熟悉的君王气味。纵使是一个高尚清洁之人，面对自己不醒的梦，也无法不在其中方寸大失。

59：4
这便是他。他一出现，我便乱了自己的秩序。

他一天不丢掉桀骜与繁盛，我就一天丢不掉他。他一出现，我便又深觉男人与男人终究还是很大不同。

精神玩弄着时间，能够把永恒挤进一小时，或者把一小时延展为永恒。

在我们的思想里，人事的重要性与时间毫无关系。相通的灵魂与气味才是挣扎抵不过的真相。

59：5
告诉我，发生了什么事。

妈妈走了。他几乎呜咽着，眼角流下倔强的泪水。我最亲最亲的人离开了。

他说，我突然对自己充满失望。最亲最亲的人离我而去，这世上已经没有爱我的人了，我一心追求事业又有什么意义？前所未有的虚空。这几天我一直在想，一个孤注一掷的人生，最终是否可以获得价值。

他絮絮叨叨地讲给我听，因为处理妈妈的后事，他倾注心血与财力筹备的画展也被暂时搁置。被预订出去的几幅画，也因金融危机被退回。万事顺遂的他，突然挫败。不是他不能经受，而是他不允许自己一再地经受。

分开一年不到的光景，各方情况就发生了本质的变化。我被搞得有些蒙，不知该对他如何安慰。也并不以为自己可以安慰得了他。

一切显得那么不够及时。

他说忽然间觉得一切虚空，什么都不想要了，不想争了。他为自己这条失而复得的生命付出了太多代价，牵连伤害到的人也太多。亲人，爱他的女人，为了自己这个自私尖锐的梦想，纷纷如刀刃划过。心灵虚寒。他极少喝酒，却在近日连续醉去。

小蓝，在我心中，你是很亲很亲的人。不要再问我，我能说的，也只有这么多了。

他躺在我的旁边，半醉半醒。眼角挂着泪痕。

夜在我模糊的泪光中开始破碎。体会着即墨心境痛楚的无力，顾念着庄小京执执相守的亏欠，有命运脱轨般的捉弄。碎成一片一片。

然而谁也给不了谁什么安慰。

那时我才明白过来，为什么我与即墨会如此轻易地就在一起，并且难以割舍。恰是因为庄小京的介入，他作为一个对爱健全的人，肯彻底付出的人，映照出我与即墨，都是对爱有疾患的人。

只有那些心理和情感上都有同样欠缺的人，才会互相走近。因为对彼此太多熟悉，从对方的镜子中看到自己。

59：6

任何与时间并行的东西，都会在其中被风化，沉潜或者上浮。

当我决意扭转，不再追问，当我开始静心练习冥想和祷告的时候，事情本相就渐渐浮现出来。

心绪平定过后，我也释怀了一些东西。开始理解即墨。他是想爱不敢爱的人。

他本意并不是欺瞒，而是他无法克服自己的关卡。那些关卡是他生命中的累积，伤害和挑战，柔软的心渐渐变得防卫，不由自主防御着他人也压抑着自己。

男人有着共同的特性，其实很容易被分析透彻。

他们天生有着逃避责任的性格，所以更容易移情别恋。因为从本质上来说，他们更像孩子，童年时被母亲关怀，成年后被女人照顾，注定他们不太懂付出。根本很难给女人想要的那么多。

或许即墨感觉到我对他的期待过重，所以无法承担。他比我更清楚自己，更知道自己没有我想象的那么好。他需要的是一个可以像母亲般给他关怀，同伴般给他支持的女人。他享受却又害怕别人对他依赖。

男人喜欢女人的母性与创造力，女人喜欢男人对待事业的专一性与成就感。他们弥合着彼此的不足，却又不愿承担无解的冲突。

即墨，他一心作画，在独自的秘密生活中自由地滑行，形成了格局。在人前光彩荣耀，骄傲并且完满，从不轻易让别人探索到任何关于内心的隐衷和伤痕，保护自己至为小心谨慎。只在他的画中，和女人有肌肤之亲时闪烁着光泽，回归了自己。

其余，似乎和世间的一切真相没有关系。

所以可能他早就放弃了爱人与承担被爱的幻想。这样的男人，退出一份感情，也许是他的另一种善意。

59 : 7

孤独也是一种欲望。

即墨的孤独，是他签给自己的一个体面的协议。他没有欺骗我，是我被自己欺骗了。

59 : 8

现如今，我是多么想组织一番情深意切的爱来安慰他，温暖他，可一回想起从前，回想起他对我的那一番番不像解释的解释，我小小的力量就要爆炸，烧得我一团焦黑。我怕了。我再也不想向他提出内心那个真实的奢望，以免引起他的回绝。

你恨我么。他问我。

不恨。人做什么，必有他的因由和造化。我只想感谢生命中经历过的每个人，是你们使我变得丰富，善化，一步一步地更接近我自己。

小蓝，对不起。这几天，我细细回望自己，也许……我想，我该尝试过两个人的生活了。他坐起身，凝望我。

即墨，不要再说了，都过去了。

小蓝，他端住我的脸，你是个好姑娘，我想好了……

不，我急速打断他，我没有勇气听到他说出任何决定，那样我会陷入重新的折磨，无尽的折磨。我不可能因此而放弃庄小京。我说，即墨，我想告诉你的是……

我停顿一下，还是鼓足勇气说了出来。我可能，我可能要结婚了。

他侧过脸，沉默地看着我，仿佛与我隔岸相望，遥不可及。

我们怅怅相望。好比过去爱着，或者现在还不明所以地爱着，以及即将爱着的，都是一个具有不可能性的人。

我说，对于你，除了对话，我一无所知。我们只是彼此的内心生活。

他问，他是谁。

我说，一个爱我有任何可能性的男人。

59：9

向不可能的人要求不可能的东西，却不去享用可能的人提供的可能的东西，一个以悖论为基础的人生，怎能不可笑呢？

知识分子之所以丢了心，是因为全神贯注于了大脑。我们思考爱，设计爱，却不懂爱。或许我与即墨只是以为我们恋爱了，或许这个事件并没有真的发生。

爱不是技巧。它是一个信任的事件。

59：10

我裹上睡衣，从床上跳跃到沙发上。取出两支烟放在嘴上，啪，一并点燃。递给他一支。

即墨。我说，适可而止吧，我曾经花费那么大力气想要深究破解，你都看到了，我把自己搞成了什么样子，还不是一无所获。你就这样永远成为我的秘密吧。爱曾经向我们泄密，知道这故事属于我们，除此之外，不能再跨越这雷池半步。

我将要跟爱我的人好好生活，努力地生活。无论时光如何变迁，发生过的事实也无法更改了，你曾在我心中扎根，就像我奉献给你的那些年华。没有遗忘，唯有超越。

只能如此了。

即墨，让我感谢你，赠我空欢喜。

他大口地抽烟，用力地掐灭烟头。而后缓慢地，让自己长长的光洁身体滑下去，用被子蒙住自己。那是他绝望的表征。是我们各自的败绝。

那一刻我觉得自己十分残忍。他的无力是我的心疼。可我必须学会创造一个为自己负责的人生。因为除了自己，没人对你负责。只有学会将过去的意念止息，心才能够保持清新而不会腐败。

生命是一连串的战争，有时必须学会隐忍。

六十

60：1

在大理的日子，我持续服药一段时间后，抑郁症状有了明显好转。开始给一些杂志写专栏，定期发回。

简一三的自由旅行毫无羁绊。他说，你让我陪你，我就在。你想离开时，我就启程去下一站。那段时间，我们几乎每天都有好吃的饭菜，也习惯了拥有彼此的日子。

简单轻巧的生活，让人丧失了追求幸福的冲动。

清汀，简一三买菜回来，一进客栈大门就叫我。一手拎着菜，另一只手伸展着，说，我手上扎了一根刺，快拿针来。

我找小艾拿了针，放在火上烧一下，小心地扎进简一三的食指，认真拨动。一根小小的木刺。

简一三，这情形让我想起一个神奇的故事。

原来你就是传说中的故事大王啊。他笑我，一边转身去厨房取一个竹筐，在我旁边坐下来择菜。新鲜的豌豆尖绿意盈盈，还有新鲜的薄荷叶子，用来炖牛腩会十分美味。

讲来听听。他说。

60：2

人生那么长，免不了一些事情出其不意。

而这件事，简直是不可思议。

事情发生在多年以前，早到我们都遗忘了这件事。我们，是指我和哥哥。没想到二十多年后，它以非常离奇的方式提醒着人们，任何一次所经历的事，都无不关联着另外一些事。早早晚晚，都会有所关联。

那是一个冬日的暖阳午后，我突然接到哥哥的电话，他情绪激动，问我，你还记得小时候我们有一次吵架么，爸爸说我拿了你的钱那次。

嗯，隐约记得吧。之所以这样说，是因为当时我很小，所谓记忆，也是后来依靠大人们的描述，而后借用想象拼凑起来的场景。

交代一下那次事件发生的背景与前提。

小时爸爸偏爱我，因为我长得好看，又诚实乖巧。哥哥不同。他机灵又叛逆，诸多惊人之举。比如期末考试，因为不满学校的教学与家长的管制，便在一次重要考试的试卷上写下了一篇自由言论。没有署名。且用左手写的，为了掩饰笔迹。

那事很快轰动全校。稚嫩的小聪明充满漏洞，大人们通过排除法，轻易便查出唯独缺了哥哥的考卷。校方给予严惩，父母极度伤心。可在我心中，哥哥自此成了偶像。

他中学时便开始发表文章，创办文学社，在学校混得有模有样。文艺骨干，中坚分子。跳霹雳舞的第一人。学校每年的新年晚会，唯他教室门外围得水泄不通。去食堂从不用饭票，师傅还要多给他两个馒头。高中退学，意欲到北京一闯天下，面对父母的拦阻他白天绝食，在夜深时偷偷唤我递些吃食给他。

所以，他在父母眼中是个异类，不可信任的儿子。

我们那次吵架，原因荒诞。

小时候我们有各自的零花钱，我的攒来舍不得花，哥哥自然不是，他很小就懂得享受生活了。买很香的擦脸油，买些少男少女的杂志。或者有时见不到东西也没有了钱，神秘不知归向。有天我发现储蓄罐里的钱不翼而飞，于是去爸爸那里告状，嫌疑无可厚非地落在了哥哥头上。爸爸不由分说，一顿严厉教训。

长大后哥哥跟我说，其实我做过许多你们不知道的事，带同学逃课去飞机场看飞机，还去敬老院给老人表演节目，可你的钱丢了那件事，确实不是我干的。我做的我会承认。后来这样说，当时也这样说。可无论这个在父亲眼里已成逆子的儿子如何解释，爸爸也不肯相信，盖棺定论，非你其谁。

一个小小的少年，自尊心遭受了强烈伤害，辩解无效后，他回到自己房间，愤怒丛生，血在周身上下涌撞。成年后的他描述说，当时头发都竖起来了，终于第一次体验到什么叫做怒发冲冠。我听了想笑，又有些过意不去。

于是，他像头咆哮的小狮子，握紧小小的拳头就狠狠砸向了书橱的玻璃。血一滴一滴落下来，他就那样看着它们，直到那些血凝固，结痂，如同这个小小少年一样倔强坚硬，他的情绪才得以舒缓。

自此，他的手上永远地留下了一个疤痕。

这似乎都是成长中的小事情，过了也就过了。一晃过去二十八年。

尽管在日后，哥哥说那处微微鼓起的疤痕偶尔隐痛，却也没有放在心上。童年的记忆渐渐被成年后的事件所替代，充满。而就在今天，这个暖阳照射的午后，它突然跳了出来。

哥哥无意中碰到，又痛，轻微按压，变得刺痛。似乎有异物一样僵硬。他心生疑虑，于是拿针忍耐地拨开，流了血。一直拨向僵硬的深处。

竟然真的拨出了东西。细小一块，被浓稠的血液包裹。擦拭干净，是一块玻璃碎片。

作为一个身外之物，却与他的骨肉一同，生长了二十八年。相安无事。

哥哥说，这块小玻璃我要珍藏起来，它在我的身体内虽不生长，却在升华。它在我心中已经不是玻璃，而变成了水晶。

我在电话的另一头听着，大笑着，慨叹着。滑下温暖的泪水。

人的眼泪有时不为幸福也不为痛苦，却是因为记忆的温暖。

60：3

人的一生，连续的生活，分散的生活，点点滴滴的生活。同时，却又保持着整体的灵魂，带着记忆的温暖或凉薄，带着明智的沉默以及普遍的美，有着永恒的一。每一点每一滴都跟它保持着平等的关系。

不要以为我们可以跳开我们曾经逝去的生命，走过的路途。即使它是一件非常不起眼的小事件，却也是与整体生命紧紧地相连。

六十一

61：1

戏剧无处不在。这就是生活。

爱情也如一出蹩脚大戏，往往幕布未落，角色便尴尬出错，不得不退场。

因为，一个错误的方向永远不可能抵达正确的地方。

61：2

简一三，你知道我，诚实得就像一个验钞机，不会撒谎亦不会掩饰。可是在那个夜晚，最荒诞剧幕竟在我身上上演。就是即墨来找我的那个夜晚。

门突然开了。庄小京进来了。

因即墨醉酒进来，推我进房间，一片惊慌之中，竟然忘记了锁门。事情就是这么巧。

他欢欢喜喜，拎着一个纸袋，为我买来一件GUCCI小礼服，一件预备让我成为新娘的礼服。红蓝相间，束着腰身。我从未穿过那样端庄华丽的衣服。后来我穿上，看着镜子里的自己，真的好看。应该做一个新娘。

应该的事许多。不应该的事也许多。

我不应该对即墨还有留恋，不应该纵容自己情感的软弱，不应该背叛庄小京。我应该对他保持忠贞，对他们两人都保持各自的忠贞。忠贞才是我原本的样子。不要以为做了错事没人知道，头顶的上方始终有盏神灵的明灯。

当庄小京推开虚掩的门进来时，在他面前呈现的是，是一幕电影走下银幕的镜头。

即墨光洁的身子侧身蜷缩，裹在被子下面。双臂环绕掩着面目。我，穿着蕾丝睡衣，窝在沙发里抽烟。凌乱的衣服，烟酒的气味，爱燃烧过后的余味。暖烘烘的悲伤。

他定在卧室的门口，也许一分钟之短暂，也许一生之漫长。

即墨的酒一下醒了。十分地尴尬过后，变得镇定，深呼吸一口气，整齐好衣服，起身走到庄小京面前，伸出大手，向他说，你好。他低沉的声音犹如惊雷，令庄小京回神，他对即墨对我都没有理会，转身离开。走到门口，又似乎想起什么，把纸袋放在门口的鞋架上。

开口说的唯一一句话是：这个送给你吧，发票在里面，尺码不合适可以去换。

即墨叫他，等等。他没有转身，决然离开。

我想追出去，却只听一声轰响，整个儿的世界黑了下来。像一只硕大无比的箱子，啪的关上了盖。

数不清的罗愁绮恨，全关在里面了。

61 : 3

不对称的情感可以让两个人走在一起，以为可以相爱，其实内里像被虫蛆咬噬着，充满了漏洞。

我们三人，好比旋转的木马，彼此追逐却永远隔着可悲的距离。一个美丽又残酷的游戏。

也许最好，就该是这样的结果。

似乎只有这样，所有的痴痴缠缠，方可彻底了断。一个人带着对另一个人的负疚，而谁与谁都将再无关联。带着各自的恩怨去遇逢新的人，继续还债或者报恩。

即墨点一支烟，不安地到我旁边坐下来。我听到他牙齿在紧闭的嘴唇里，发出沉重的咯吱咯吱的声音。

对不起。我只是想来看你。

我面无表情，恨得咬牙切齿，说，关你什么事，千怪万怪也怪不你到身上去。

去找他解释一下吧。虽然我清楚这件事，对一个男人来说意味着什么。何况，是一个更爱你的男人。他用了一个更字。显然，是在比较自己。

他住哪里，我现在送你过去。他说。

我说，这是我自己的事，我自己会处理。

61 : 4

一开始，每个人的爱情命运已是大局已定，在日后的岁月也不好摆脱。甚至更早。十八岁，我便偷偷爱上我的语文老师，倾慕于那些出众而又成熟温厚的人，那些具有不可能性的人。而那些爱我的，净是些大好人，人好，对我也好。可我始终无法爱上他们，神经不是一条线路，灵魂无法相认，我甚至都弄不清楚他们为何要对我好。我只跟着那些抓得住我心的人，并郑重将他们放入自己的内心。无法圆满，这是我的失败。

我此刻终于理解了即墨对自己的失望与无助。因我此刻如他，反思自己，是否也是一个欲望太多的人。

对任何东西欲望太多，都会导致你和你所爱的人的不幸。

不像庄小京，有着真正的安全感。敢爱，敢付出，从不索取。这样的人，才是真正的狠。

不管我们如何否认，我们选择爱情的方式，都会跟日后的我们一脉相承。它几乎以原样的自己经历着我们的人生。

即墨负疚地离开。离开的那一刻他似乎负疚到了极点，他早以为他只是伤了我，不料，却又伤了我的未来。

他绝望地说，要给我打电话，无论以后你有任何事，都要找我。

我没有应声，也没有送他。

61 : 5

剩下我自己，很安静。没有哭也没有闹。

这是绝望的表征。

我谨小慎微，换上庄小京买来的礼服，站到镜子面前。很合身，光彩照耀了自己。真是喜欢。他有好的审美，宠爱女人的能力，节制内敛的品质。他是好的，是上帝赐我的真正礼物。

因为性情的截然不同，我也受他影响很多，自我的狭窄变得开阔，学会从别样的角度重审自我与世界。只选择与气味相投的人来往，人生的精度会细密，而宽度会越来越狭窄。我该借他的人生，弥补自己的缺口。至少我该努力。

我必须努力。否则今生，大概不会原谅自己。

穿着那件礼服，在外面裹上一件外套，凌乱的心情导致怪异的装扮。打了辆车，在暗夜的破落妖娆中，去往庄小京的住处。一路听着窗外呼呼的风声，心绪剧烈起伏。因为知道这是一个无效的举动，解释是为了减轻自己的负疚。

我知他不会原谅。

没有一个男人可以原谅。

我在长长的环路上走得漫长。这夜的北京，竟然有人燃放起烟花。隔着车窗看它们的弧线在空中直线升起，停在一个高度，猛然爆出层层叠叠的形状，五颜六色，遮住半个天空。有人在怅然离别，有人在独自哭泣，有人在寂寞里等待希望。

凌晨的街上没有行人，大家都错过了烟花。我只能怀疑自己花了眼。

61：6

我在门口徘徊许久，最终举手叩门。

这是他独自居住的另外一处房子。我耐心地在寂静的楼道中等待，留给他思忖的时间。任何一个遭遇背叛的人，都会经历爆裂，考量，权衡的程序。最后究竟选择自赎还是放弃，是个人的造化与境界。

他开了门。这道门锁，是为爱而开。不是为我。

没有谁值得背叛之后被原谅。即使是有一万个理由的背叛，毕竟也是背叛。事情存在本相的同时，也存在观察本相的角度。

我进门，一言不发，脱掉外套，穿着他亲手买的小礼服，虚弱地站在他的面前。

很合身，我说。气若游丝。

他直盯盯地看我，眼神中像要喷出火来。

我说，我来，就是为了让你发泄。说吧，说怎样难听的话都可以。

够了。他勃然大怒。你不要总是一副无所谓的姿态，人是不可以利用别人对你的感情来伤害别人的。早知道你不爱我的，所以我努力做，来感动你。我都可以不计较，可现在是什么。背叛。背叛！

他沉默地对我好了那么久，终于爆发。火冒三丈，挥舞着拳头，强调着那个刺耳的词语。那个词语离我的心很远，我听到它因充满委屈而默声哭泣，却没有解释的能力。或者说，没有资格。

你说让我给你两个月时间，我尊重了。可是你尊重我了么，尊重你自己了么。没错，我是爱你，可是我不能不要自尊地爱你。这是最宽的底限。

我像个罪大恶极的人，低垂着头，直直地站在那里，不动，也不反驳什么。凭他呵斥。心里反倒舒服一些。

他见我这样，语气也慢慢缓和，在沙发上坐下来，说，清汀，你相信人的直觉么，从我没见到你，我就知道自己会喜欢你。从见你的第一眼起，就更加确定了这个想法。我在想，谁要伤害你，我绝对不容。你在我心中，美好，善良，有节制，有爱又有信仰，可怎么会做出这种事呢。

我们没法在一起了，我无法说服自己跨越这个障碍。他十分颓丧。

看他的样子，我责备自己胜过他千倍万倍。想告诉他说，我心里一点都不比你好过。却什么都没有说，从始至终像个木桩杵在那里，不知如何才能被宽恕。

敢爱的人，一旦决定放弃，比那些不爱的人更为决绝。

61：7

现在你好一点了么。过了许久，我才蹲下来在他面前，轻轻问他。

亲爱的，我不奢望你的原谅。我一直都在做错事，即使对的事，也让我做错。我没有解释的权力，只能告诉你，事情不像你想的那样。相信我一次，就会好的。

他坐在沙发上，我蹲在他的腿边，仰头轻声哀俯着。

我还想说，有些事其实就像一个无足轻重的病，你若没发现，也许就过去了。但是没有说出口，觉得无耻。

脱口而出的是，告诉我，我还能再做些什么呢。

他重重叹一口气，阻止我道，什么都不要再说了。这个持续沉默爱我的男人，眼睛中有泪光闪烁。

我侧过脸，伏在他的膝盖上，寻找他那双洁净修长的手。握住，它们在抵抗我。我固执地握住。

其实，我是想为你生一个孩子的。我说。

然后，一滴热的眼泪从上方落下，打在我的左边面颊上。我不能抬头看他。为一个男人保留最后的尊严，是不要亲眼见他落下眼泪。

如果你经历过更多的事，就会发现，除了良心上的折磨，一切的痛苦，都来自于你的想象。

61：8

那夜无尽长。

我想我再说不出什么了，羞辱感与强烈的负疚感让我想要离开。开始收拾放在他那里的东西。庄小京一直沉默地坐着，看着。猛然如临大敌一般，起身夺下我手中的东西，说，先不要收拾了，我们都冷静几天。

我与他目光对视，那张英俊的脸上，俨然已被一个失败者的痛裂满满占据。

那晚我没有走。躺在他的旁边，用力地抱他，亲吻他。试图做着赎罪与自赎，试图用力量来冲刷内心的罪恶。他却始终躲避我。我借由这种狂裂大声哭起来。他拍拍我，像是安慰，最终还是一句话都没有说。

后来睡觉时，也没有抱我。各自蜷缩在床的两边，环抱着各自的绝望。

61：9

爱情是美好的，可它也是微小的，狭窄的，是万物之中最浅层的，最不牢靠的爱。这个夜晚，我极尽的疲倦恍惚，感觉自己时而重如山脉，时而轻如鸿毛。

眼前无尽黑暗。黑暗的深渊。没有语言可以表达我对死亡的向往。

我一直以为，更好是自己不能掌握的，至少可以掌握不让它更坏。

可是，人渴望拥有一切的时候，失去的比任何时候都多。

61：10

爱情是永远的省略号。无言复无言。

六十二

62：1

没有爱的给予是一种带刺的伪装。

62：2

看过一个温暖的故事。

某电视台拍的一个纪录片，名字叫做，幸福在哪里。

穿行全国，城镇乡村，一路地探访，一路地询问行人，关于对幸福的理解。答案各异。

城市的街头，人们多是匆忙赶路，对访问显得戒备而没有耐心。多数人选择了直接回避，或许是害怕自己的答案。

感动我的，是四川偏远山区的一对老人。

两个一百多岁的老人。恰逢结婚九十周年，子孙为他们举办了简单而盛大的纪念。穿红带绿，布满皱纹的脸上绽开幸福之花。

记者连续拍摄了他们日常生活的场景。

他性情开朗，喜欢与年轻人掰手腕。一日中午，他在院子里拉开架势，与年轻人比试。她颤颤巍巍，忽然出得门来，眼老昏花，以为在打架，便举起拐杖敲打年轻人的背，来支持自己的老伴。众人都笑起来，向她解释这是游戏。她听不进，气鼓鼓坐在一旁，嘴里念叨，要弄伤了咋办。他笑着走过去，贴近她耳朵大声安慰，你这样疼我，我就不跟你离婚了。她气意未消，说，离什么婚，发昏。他在她面前唱起歌来，扭动着跳舞，哄她开心。她紧绷的面容，一下绽开，笑得合不拢嘴。

天黑，他们在同一个洗脚盆洗脚。他调皮如顽童，用自己干瘪苍老的双脚拍打她的脚，溅起水花。她习以为常的表情，嗔斥他。然后他用毛巾俯身为她轻轻擦拭干净。这个习惯，从结婚那天起，时至今日，维持了整整九十年。

相伴一生，还在继续。目浊心苍，却没有人能阻止他们还在相爱。深深地相爱。

他是当地有名的酒仙，每天都要喝上几口。每次倒酒，她就在旁边伸出拐棍，轻轻嗔打他的背。他俯身上去，把头溺在她的怀里撒娇，她就又笑了。他又在她脸上亲一口，她说羞死了。布满沟壑的苍老面孔，笑靥如花。

我看着，不由自主嘴角弯起，眼眶就湿润了。怎样的造化，才能修得百年同度。牵手，撒娇，逗笑。宛如一对初恋情人。

这才是爱。真正的幸福。没有人不为之动容。

62：3

现代人，思考爱，设计爱，实际上却丢了爱。甚至还没有给予爱，就开始设计关于爱的理想和哲学了。

人作为一半，流落在是世上，没有谁不在追寻与自己完美相合的另外一半。令人悲伤的注脚是，世界那么大，谁也不能保证找到，一定有人会站在孤独和缺憾中等待死亡。

即墨对我，我对庄小京，以及这世上更多的人对更多的人，都在重复着这种单薄而孤独的行为。实际上它并不能缓解痛苦，更不能完善，它只是在借助痛苦来释放身上多余的能量。它被利用了。

情感是滑溜溜的东西，需要用力掌握。

在这样的背景之下，我为自己感到绝望。为一个还在忠诚地苦苦追求灵魂之交的人感到绝望。

62：4

次日清晨，庄小京去上班。没有叫我，也没有像往常一样为我准备早餐。一天之中也没有接到他的电话和短信。就像一个被刺伤的魂魄无声飞走，就像一刀两断那样了无痕迹。

一个习惯隐藏悲伤的男人，难过得令人无从下手。

我起床，头晕恶心。低烧，想要呕吐。那时不知是抑郁症的躯体反应，还以为是太过悲伤而生病了。打开窗，车水马龙，有人疾走有人呆滞，老人牵起背着书包的孩子的手。世界依然是沉着不动的气息，一切按部就班，从不会因为存在执著的伤心人而有些微变化。

这是世界的强大之处。也是残酷之所在。

无法做更深入的事。就开始为庄小京清洁房间。擦地，洗涮。满头大汗，疲惫虚弱。然后去超市，买了些菜，和他爱吃的鳕鱼，花了一下午时间来准备，炒制。

在黄昏的时候离开，留了一封简短的信给他。

62 : 5

亲爱的，再容我最后这样叫你。

鱼做得有点咸了。我尝了一下，甚至还有点苦味。很抱歉。因为做饭的时候我的心一直在发抖。

房间的窗户我全部打开了，因为我在这里抽了很多烟。可实际上我已经开始想要戒烟了。我说想为你生一个孩子，不是骗你。

我带走了书与唱片，其他东西，你自行处理吧。我们种的那些花，不要忘记浇水，它跟女人一样，需要滋润与呵护。

还是要说，你该相信自己。你对我的所有认识，认为我是一个诚实而忠贞的女人，没有错。尽管这样说显得羞耻，就是因为太过诚实，想要往前走，所以就得甩掉过去。我是不能欺骗自己的人。

那不是背叛，而是我对自己过去的一次清算。

你知道我不是懂得讨好的人，除了一顿简单的晚餐，其他的我不知还能做什么了。尽管这与你给我的远远无法相比，可是我在尽力。即使只有一次，但也是一次。

你的建议很好，我们各自冷静一下。不知道怎么走，是因为离棋盘太近了。那就停下来，看看全局。一周之后，假如你可以想通，我们便在那天去登记结婚。假如你无法接受我，那么也要通知我。总还是要见一面的。不要太过惩罚我，我不是很坚强。何况你知道，我也一定会进行自我惩罚。

好吧，不说了。真的，我从未让自己这样难堪过。却是我一手所造。有口难言。

另外，谢谢你买的那件衣服，我会珍藏。

还有，谢谢你，让我懂得什么是爱。

我走了。如果你能原谅我那是最好的。如果不能，我将一生负疚于你。

62 : 6

爱情是一场幻觉，可它产生的效应是真实的。它使人哭，使人苍老，使人不欲存活。

我拎着一包的书和唱片，好像一只蚂蚁绝望地拖着自己的希望，不知所向。走着走着，心脏一阵疼痛。坐下来在一个街角，空洞地感受着自己。只徒有一身血肉的重量，感觉不到悲恸亦没有重心。似乎稍微用力，身体就能一片一片碎开散落下来。

62：7

日影飞去，天起凉风。我在街灯亮起时搭乘地铁回家，想要在人群之中将自己吞没。

地铁如一条铁鱼轰然而至。车厢内载着一些困倦疲乏的夜归人。

琴声响起，一个流浪歌手进入车厢。很年轻的男子，衣着家常，甚至粗劣。军装式的旧绿上衣，破而肥大的蓝色卡其裤。假如不是抱着一把吉他，没人可以将他与歌唱联系到一起。

许多人却被他吸引。因为他没有像其他人一样边走边唱，而是驻足下来，倚靠在车厢中间的扶手上，黑色的吉他包如衣服一般破旧，躺在他的脚下。里面有些散碎零钱。表情安定，音色从容。

那些边走边唱的人是行乞，因为没有勇气停下来，所以才用行走来掩饰窘迫与慌张。心神破碎的人，也总用旅行或者逃亡来填愈心中的伤洞。内心真正强大的人，才可以遇事神安。

这个歌手像是在开自己的演唱会，十分镇定，投入。所有乘坐地铁的人都必须成为他的听众。因这从容的气场，向来嘈杂的地铁居然安静下来，只有琴声歌声，伴随着地铁轰隆隆行驶的声音。甚至也掩盖掉我内心轰然倒塌的巨响。

一批城市的孤旅，在某一个没有预谋的夜晚，就这样安静地凝固在了一起。有人闭目享受，脚下轻轻地打起拍子。《加州旅馆》结束，另一首新的歌曲起。熟悉的前奏，是许巍《曾经的你》。

每一次难过的时候，就独自看一看大海，总想起走在路上的朋友，有多少正在疗伤……

昏黄的光线下，我们被时间扮饰成风物。在更为阔大的空间里，每一个人都不过是一个碎片。碎片，可能会被废弃，也可能会被当作补丁，打在耀眼的广场里，逝去的河流里，一段过去或即将开始的爱情中。挣扎不休。

这些被忽视了的人，为了追求生存不能更好生活的人，若把他们的灵魂放在天秤上，并不会比我们轻。但他们维持基本生活的痛苦，比我们的自寻烦恼沉重一万倍。

好过自欺欺人的人，明明已淹死水下，还挣扎着把头颅高高地仰起。

62：8

我竭力绕开所有轻飘的，无所回味的人事，不过是害怕会一生空白。

如果某种欢乐，注定是逃避式的欢乐，那我宁可不要。我说过，我是一个并不需要太多开心的人，终生所寻不过是一种有重量的人生。

有人说当我们走得太快的时候就要停下来，以免灵魂跟不上。可我却是匆匆赶在灵魂的前面，落得一副肉身在这世间孤单零散。不能合一。

这是一个庞大的课题，六千年的哲学都没有摸清灵魂的旮旮旯旯。人是一股源头不明的溪流，还不知道我们的存在从什么地方降临，就已经开始要试着破解这个谜了。多么可笑。

身为一个现实感很差的人，我总试图在每一个事件上都裹上一层浪漫的外衣，因为我知道，如果不相信点什么，将无法面对内心的荒芜与孤寂。

62：9

拖着自己和物品回到家中，令人发指的黑暗，沉寂。

开门，关门。在黑暗中准确地找到沙发的位置，坐那里沉默地抽一支烟。而后开灯。时钟的指针可以回到原点，却已不是昨天。

其实人的生命在这一刻与那一刻并没有什么不同，不同的是内里多出了些记忆与感受。那是最关键的所在。

还有就是，人在没有获得真正的智慧之前，往往都有着对自己犯下的错误振振有词的能力。

六十三

63：1

做了一个梦。

进入了一个神秘的空间，什么都没有，只有一个纺织车不断地转呀转，转得心慌。却如何也醒不来。

在等待庄小京回复的七天时间里，我几乎每天都在做各种光怪陆离的噩梦。

梦怎样形成，也将怎样消失。如同人类的出生，连接死亡。

惟有迷路，可以测量城市的深度。惟有迷失，可以测量人生的深度。

我越来越恍惚。从天堂进入地狱之感。

原本没有地狱，之所以成为地狱，是因为你曾经抵达过天堂。

63：2

简一三，丢了爱不是全部的要紧，要紧的是我突然发现自己什么都做不了了。

想用工作驱赶痛感与零散，可完全进行不下去。包括生活中的基本事件都有了难度，胃痛，呕吐，吃不下东西。莫名发烧。彻夜失眠。倦怠无力。洗澡洗到半截就因憋闷而逃出来。心中言不尽说不出的委屈。

一天之中就是抽烟，发呆和莫名哭泣。眼泪像是失去闸门的河流，随便一点点小事都可以让它涌流不止。

有一天醒来之后，下床，在房间里转来转去，也想不起自己要做什么。我顷刻间定住了。

因为我发现，我的魂散了。

63：3

没人可以温暖我，我就打开房间所有的灯，就像每个房间都有一个人存在那样。很滑稽。像一个殿堂，辉煌一片。实际上冷清寂寥。一个女子坐在房间的中央，大声地诵读圣经。好比一个伪善的圣徒。

耶稣的话是天下最美的。他说，拥有的人将被给予更多，没有的人，即使他们仅有的一点也要被剥夺。这话听起来矛盾，但绝对正确。

简一三，是这样的。不要生活在一种反对，抱怨和谴责的内心氛围里，那样我们就继续错过眼前的一切。这种反对消耗了我们大量的能量，我们着手纠正各种事情，而生命是短暂的，结果什么也没有纠正，我们反把自己淹死在我们的活动里。

人的能量是十分宝贵的。如果懂得把能量储存起来，储存得越多，得到就越多。储存得越少，得到的也就越少。最后将只剩一个空壳，一种消极的空虚。痴人说梦，喧嚣吵嚷，毫无意义。不断误用能量，就会在自己的四周亲手建造一座监狱。

可惜那时我混沌不清。读着读着就流下眼泪。甚至嚎啕大哭。我也弄不清楚自己为什么难过。

索性就难过到底。一遍一遍听陈升的歌。

他唱——我不明白像我这样脆弱的要求到底有什么难，又不是夜莺渴望艳阳天里与池水里的锦鲤去求爱。我就这样对着镜子里的自己忍住了一眼泪，反正我都已经不爱自己又在乎爱了谁……

发心发骨，希望时光倒流，哪怕流得一干二净。

一切推倒重新来过，真的会好得多。

63：4

第七天，我准时地接到了庄小京发来的短信。

他说：我的爱人，原谅我无法跨越这个阴影。也不要再见面。

简短寥寥几句，以为隐藏了自己的悲伤，却暴露出不想多言的大悲伤。

这是我预料到的结果。

该是这样，这是一份不付出的感情的代价。即使他原谅，不计过错娶了我，我恐怕也很难消受。大概终生都要活在自己的阴影之下。

即墨中间来过几次电话，我都没有接。

那时，我已经发生了严重的述情障碍，没有语言可以表达内心的感受。

63：5

简一三，那是我生命中的全新体验，至今都没有回忆的能力。

是的，我患上了不轻不重的抑郁症，成为中国抑郁症两千多万患者其中的一分子。

那段时间，我再一次遗忘了自己的语言和姓名，不清楚当时的季节与时间，感受不到身体的虚弱与疼痛。很少吃东西，很少睡眠，大量的抽烟与喝酒。实在熬不过，便服用安眠药。睡不了多久，就又在暗夜的心脏疼痛中醒来。

力量虚弱。思维开始在单向轨道里孤独滑行。

我较个劲儿，思想里全是羞辱与破败。自己曾经那样清高华丽，骄傲自持，如今却一头倒在爱情面前，尊严尽失。一日与另一日无异，却一日比另一日疯狂，衰退。两个月过去，似乎没有什么好转。越来越重。

我颓了。像个刺儿，一触即发。

更加无法原谅自己的是，这种自取其辱的快感，居然令我不能自拔。

意识到这一点的时候，我真正把自己吓到了。

63：6

所有的感觉都在盘旋坠落。犹如黑洞，落到底部的底部。

不愿见人，更加害怕去见陌生人。觉得所有的人都比我有价值。每天坐在房间的一角，即使活着，呼吸着，也分明好像在用一只折断的手腕在画画。

真实的生活比谎言更愚蠢。

那样的感受，只觉得寒气逼人。倒也不觉孤独，因为有孤独陪着我。

我被一塌糊涂的生活击倒。阴暗的云朵渐渐扩大，每一步都像爬山，越爬越累。脑子越来越满，同时也越来越空白。

每一刻都像永恒那么漫长。

63：7

我尝试冥想，包括呼吸和吟咏。

听雷鬼regge的音乐，试图净化一些什么东西。或者随手风琴奏出的慢板探戈呼吸。我努力尝试重组破碎的部分，召回我丢失的魂儿。

我在白天的日光下奋力地分解自己，整合自己。而白昼的清晰是有限的，黑夜却漫长，尤其那心流所遭遇的黑暗更是辽阔无边。

当白昼的一切明智与迷障都消散了以后，黑夜要你用另一种眼睛看这世界。那是游魂可能的去向，徘徊所携带的消息。比如说，我到底是谁。而这恰恰是一条不大可能走完的路。

荒谬的情感带来荒谬的感受，它们压抑了我体内的正面力量，使其只在内心打转，没有成活，没有被行为，被实践，而蔓延扩张的，是原本一粒芥菜种大小的负面力量。它被渲染，激活，越来越疯狂，最后大到把小小的自己烧得一团焦黑。

孤独的斗士失败了。

爱本身就与死亡相连。我没有想过活很久的问题，所以才把感情一下燃尽，能量一下用尽。没有选择，只有离开。

看到有调查说，每当秒针轻轻滑动三十下，就有一个人选择离开这个世界。不用究其原因。爱情，战争和死亡始终是人类史上三个最重要的主题。

那是魔鬼对人类的真正诅咒。

我不仅中了自己的圈套，也亵渎了自己的生命之源。

如今这游戏无法继续，迫切想要中断那一个一个孤独之梦，不再侥幸去试探这个世界的温度，因为内心清楚这是一场必然的战争。世界接纳我，又围困我。我依靠着世界，却又抵抗着世界。我势单力薄，悬空而立。自己解决自己，这必是一场战争。

为心灵而战，是我见过这世上最辛苦的事。

没有选择，只能离开。我听见自己在黑洞对自己如是说。

63：8

人愚昧就愚昧在，如果你没有学过数学，就不要勉强去做那个数学答卷，宁可冒着缺场的风险，也不要费力地七涂八划，最后听到一个三到五分的宣判。那是悲剧。

什么是悲剧。鲁迅说，悲剧就是把美的东西毁灭给人看。

我以为我满心开花，香气迷人。可如今，却不得不选择死亡的方式来回报爱我的人们。也或者潜意识里，是在用自我毁灭的方式引起别人的注意。太可怕了。

我开始关注一些关于死的确据。在徐志摩写给他朋友的一封信中，我读到这样一段话：

在我看来，死是悲剧的一章，生则更是一场悲剧的主干。我们这一群剧中的角色自身性格和性格矛盾，理智和情感两不相容，理想和现实当面冲突，侧面或反面激成悲哀。日子一天一天向前转，昨日和昨日堆垒起来混成一片不可避脱的背景，做成我们周遭的墙壁或奇氛，那么结实又那么缥缈，使我们每一个人站在每一天的每一个时候里都是那么主要，又是那么渺小无能为。

此刻我几乎找不到一句话来说，因为，真的，我只是完全的糊涂，感到生和死一样的不可解，不可懂。

那么一切就这样结束也很好。

我指全部结束，包括无望的生活。和生命。

63 : 9

简一三，对死亡没有恐惧的人，都是痴迷于自己的人。

过多的关注自我，对自己轻信，对魔鬼的诡计毫无分辨。找到极好的借口说，死亡不是逝去了生命，不过是走出了时间。

执，是封闭一个人最好的囚牢。人一旦执，就会变得没有自己或只有自己。而这两种，皆是人生哀事。

爱亦然。不要太执著于爱。执著于爱，便是执著于痛了。爱是心的坟墓。自从爱产生的那一刻，悲剧就开始了。

63 : 10

简一三，人总是折腾过后才明白真理。

现在的我，深切以为这些责难真是上帝上好的恩赐。认真向往过死亡的人，亲身体会过死亡逼近的恐惧的人，才可能对生命产生真正的认识。

它让我知道，不要抵抗，也不要反击。无论生活发生了什么变化，只需要享受倾注自己的能量，变得非常非常初始，甚至再次学会无知，不要依恋僵死的过去，知识和思想。

只要能走出来过一回，你就还能再走出来。人一旦懂得善用自己的能量，生命就会变得无限宽阔。

这世界的本相并不是很难辨认，凡是有鸟儿甜美歌唱的地方，就会有毒蛇嘶嘶的叫声。想要重新感受生活的方法，就是学会爱自己。

只要观看。不要做决定。
如果你会爱，别的就不再需要什么。
如果你不会爱，在那条路上你得不到帮助。
那么忘记它吧，它不是你的路。

【奥修】

Chapter

第四章　走向爱

我们没有做过爱，但做的事比爱多。

它是愿意在某段时间里，与一个人互相交换历史，记忆与时间的信任。

交换各自生命中重要而隐匿的部分，却对各自无所求。

六十四

64：1

简一三，想想，没有什么不满足。我为自己还活着感到庆幸。

和简一三去了几处云南的贫穷之处，回到客栈，因着极大的落差映衬，我对简一三感慨不已。

我有大口的新鲜空气可以呼吸。遇到像你这样的朋友，喝一碗你亲手炖的菌子鸡汤。有喜欢的事情可做。读一些书。有人喜欢，有欲念。可以听音乐，感受日落。总在远处看一些人，坐在世界的一角体会悲欢离合。

我真实，理想主义。喜欢洁净，纯真而饱满。喜欢专注地去做一件事，非常细腻地去惦念一个人。走一条路，就会走得很远。撕一张纸，就会撕得很碎。爱一个人也到尽头。我喜欢用尽生命的能量去体会生命，及生命中的一切感知。

有些女子，她们被忽视，被欺凌，被损害，可她们依然美好。

每个人都有着大于自己以为的能量，智者把它们当作活水，循环更替，而不肯善用的人，始终认为那不过是浮云一片。

64：2

我和简一三同去的最后一个地方，有个好听的名字，叫做娜姑镇，百雾村。一个历史名村。据说在那里的清晨，会有一百种雾出现，如仙境空灵神秘。

我们没有见到传说中的百雾，却意外遭遇了一次心灵的颤动。

村子环山绕林，大片的青翠植被，壮观的梯田，天然景观美不可言。上帝是公平的，在得到大自然宠爱的同时，村子里人们的生活因为被围困在山区，贫穷不堪。

我们在村子里走了一番。崎岖的土路坎坷不平，风一起，扬起土尘。青壮年大都外出打工，剩下一些老幼病残，守着自己的故乡越来越贫穷，却越来越无能为力。

老人顶着草帽，坐在墙角发呆。脏兮兮的小孩子，流着鼻涕跑来跑去。土屋。碎路。有一家人在努力地翻盖着瓦房，也许用尽了毕生积蓄。一座基督教堂破旧零落，眼看变成危房。村长介绍说，每个周日，依然有虔诚的教徒来这里做礼拜。

这些，几乎就是那个村子呈现在外人面前的所有面貌。

64：3

经过一处大宅院子，虽已破落，但依旧能分辨出是从前的大户人家遗留下来的。我们好奇地走进去观看。

东南西北，几户人家分别居住这里，好像北京的四合院。正对大门那家，炊烟升起，一位大婶正准备做饭。院中晒着杂草，几只吃草的绵羊。

我探视过一周，目光在大门右手边的一处定格。事到如今，那场景依旧在我脑中清晰可见。

一个脏到发黑的木门，门框的脚下倚靠着一位老婆婆，地上铺展的杂草是她的座椅。一身深蓝粗布衣，头顶蓝色方巾。也许是白族人。黑红色的面庞布满沟壑。看不出年纪，总之很老很老的样子。她手中端着一碗饭，正快速地咀嚼着。因为没有了牙齿，嘴巴在面部深陷下去。附在她周围的一切都是静止，唯一动作的是她深陷的嘴巴，紧紧闭合着的嘴巴，不停地嚼动着，速度非常之快。说是咀嚼，不如说是在用牙槽上下捣动。

我被这个景象吸引了，站住，定定地看她。她见外来了客人，握着筷子的右手冲我们一扬，说，来请饭喽。脸上的沟沟壑壑似乎都被填满了善意与热情。她，看上去非常满足。

她说的家乡话，让我不能确定，便问旁边大婶。大婶笑道，她让你过去吃饭。我听罢，挪动脚步，走上前去。

一靠近，看清那个老人及她的吃食，我就失控了。眼泪一下喷薄而出。

64：4

她的头上脸上，落满了苍蝇。她却似乎丝毫不计较它们的存在，不挥赶也不恼怒，满足地专注于一碗稀拉拉的白米饭。

脚边的地下，放着一大盆用水稀释过的米饭。不知是她几日的餐。饭盆的旁边紧挨着，是一盆黑乎乎的猪食。两头小猪被围在距她不到一米之处的黑暗的猪圈里，哼哼地拱叫着。

总共不足六、七平米的小屋，漆黑脏乱。一张床，一口锅，两头猪。是她的全部家当。可她看上去是那样快乐，那样满足。仰起头，看着我，眼角带着笑与善意，那句话又讲一次，来请饭喽。

我显然对这景象毫无防备，一下子脆弱，酸泪喷涌。非常失控。见状，简一三上前拉我的手，走吧。

我不忍目睹，却又迈不动脚步，想抱歉地对简一三笑笑，可笑得还没成个样子，就一下哽咽起来。眼泪像是失了闸门，不休止地向外流着。大

婶看这情景，走过来，安慰我说，这婆婆无儿无女，我们有时也会照应
她的。唉，一看你们就是城里人呐，没过过苦日子的，莫得事莫得事。
她不知所措，一脸无措地对我安慰。

心头还是梗得难受。我控制一下情绪，轻声问大婶，哪里有卖东西的，
我想买点东西给她。大婶很热情，说我带你们去。

最敏感的神经被触碰了。无论何时何地，见到穷堪的老人与孩子，我的
心总是不由自主就酸楚起来，好像他们的苦难是我造成的一样。非常非
常之酸楚。

大婶一边热情地带路，一边跟我们聊天，问我们从哪里来，还说这位老
人并不是他们村里最苦的，最苦是另外一个。我说那也麻烦你带我们去
看看吧。

于是她带我们到村头的一个小超市，这个村子的最繁华所在。我买了糕
点，面包，奶粉等一些柔软的食品。一式两份。选东西时，大婶跟超市
的主人对我们指指点点，悄声议论，大意是，他们是好心人呢之类。

64 : 5

把东西给那位老婆婆送去之后，大婶带我们到另外一家。她口中村里最
苦的那家。

说是一家，其实就是一个人。

一间更为破旧的小屋。大婶没有敲门，径直推开进去。房间里漆黑一
片，没有窗，没有灯。一位老人安静地坐在床边，闭合着双眼，没有表
情，不能判断她的所思所想。她双目失明，孤寡伶仃。听到有人进来，
她问是谁。道明原由，我伸出手给她。她抓着我的手哭诉起来。听不懂
方言，只能听到苦啊苦啊之类的字眼。

从表情上看，她是在哭着，可干瘪的眼睛没有眼泪。或是早就流干了。
在她的右眼眼角处，不知哪日撞到了什么上面，磕掉了一块肉。深深的
一块，还结着鲜红的痂。触目惊心。我再次泪流不止。

什么也说不出来。只拿了一块蛋糕，剥去包装纸，放在她手中，说，
你吃点东西吧。她紧紧地抓我的手不放，不吃也不要什么。只是说，苦
啊，苦啊。

64 : 6

回去的心一路沉重。

我在想，那个双目失明的老婆婆，在那间没有窗也没有光亮的黑屋，没
有四季黑夜白昼之分，同样身为女性，我很想知道她每天在想什么，做

什么。她的孤独如何排遣。她是否还能感知自己的孤独，还是以为这个
世界本就如她眼前的黑暗一般孤独呢。

世界上苦楚不堪的人太多了，我们见到的不过是九牛一毛。简一三安慰
着我。

我说，我不是为她们难过，而是因自己而难过。因为我知道自己做不了
什么，能做的，也就是看着她吃进去一块蛋糕那么多。对她们的一生来
说，这一点点，太少太绵薄。

也许她们之中，像第一位老婆婆那样，吃上一碗白米饭就很知足。可她
们真正需要的，我们根本给不了。她们需要的是爱。若可以长久地，连
续地，多给她们一些爱，在给予的同时，其实是把痛苦的自己给拯救
了。给予本身，向来就是获得。可显然这是不大可能做到的，一日两日
过后，谁又来接上呢。

人在众人之中，显得渺小。爱在更多的爱之中，也总是显得那么贫乏。

64：7

世间没有完美的造物，只有完美的幻想。如果想要无限逼近一个梦，也
许只有浓缩自己的体积，化一角寒冰穿透亿万粒尘埃。

对于任何一个生命个体而言，决定其生命品质与数量的，是其内心深处
的感恩程度。当你内心感激的东西增长了，你不喜欢的东西就减少了。

人思想的质量决定于他感激的质量。

总做是非评判会使人忘恩。而忘恩会使生命被压缩和缩短。

六十五

65：1

长篇小说《一个女人的爱情美学》终于被我画上了完满的句号。虽然没
有理想中那样完美，每一步作品的不完美都是必然，至少我完成了。且
在这样心绪颠簸的过程中。足以欣慰。

出版社催我回签合同。简一三说，看着你好了，我也该继续上路了。

他无所企图，甚至不要一句感谢。恍然觉得这人是一个上帝派来的天
使，不停地行在路上，遇到失意伤心人，用自己的智慧明澈，长在五官
上的笑容，去感染，给予他所能弥合的大疮小痍。

人是具体而微的宇宙。如果能理解人的全部，就能理解整个世界。人包
含了一切，是浓缩的宇宙。

想要实现真正的生命改革，必要先与自己和解。

人不是要享受别人的光而活，而是要学会自己发光。

65：2
简一三的下一站是尼泊尔，那个贫穷而自由的地方。据说有许多苦行僧，比北京任何一个摇滚乐手都有范儿。脸上涂着油彩，满头的脏辫，裹一条布遮体，自在地坐在路边，毫无拘束。到了那个境界，才是一条通向真正自由与解放的道路。
路铺展在面前，没有理由不继续前行。
我说简一三，很期待你早日回到北京，把路遇的精彩说给我听。他说，你也一样，我们相互交换。
临别的前夜，我们买了酒肉，纵情欢乐。几乎客栈的所有人都参加进来，为新来的人接风，为离别的人送行。谁都没有醉，直至星星散去。
酒精让简一三白净的脸变得通红，他撒娇地孩子般问我，清汀，今天我是否可以和你同住一个房间。假如你信任我。
我冲他粲然一笑，当然。
再一次，我们在各自的温度中睡眠。他安静地躺在我身边，一只手臂从我的背后环绕过来，布满琴茧的手指在我的头发上梳理，非常缓慢，一下又一下。
没有丝毫的暧昧，那是身体之外的温暖。

65：3
简一三。我依旧在黑暗中张开眼睛，长长地与他诉说内心的秘密。
我终于想通了。不要在感情上寄予太多，修炼爱的能力，以及导向心灵成长更重要。
爱情是一种心理游戏，有人玩得长，但还没有结果。有人很早就有了结果，也感到乏味。那些早婚并离婚的人证明了这一点。
不是随便一份感情就能导向婚姻，所以现在更多的人选择了新的感情模式。有安全感，却又不相互羁绊，当下快乐，体验精神与肉体的相互慰藉。早就丧失长相守的愿望。
我也曾幻想自己可以成为一个举重若轻的人，放弃对婚姻的追寻，一直和即墨相守下去。可是很难。我只能成为我。执着，忠贞，渴望爱及完满的成全。做一个母亲，子孙满堂。
上帝造成亚当与夏娃，为此充满喜悦，期望他们可以相互扶持。在经上说，人要离开父母，与妻子连合，二人成为一体。
说，各人都当爱妻子，如同爱自己。妻子也当敬重她的丈夫。

说，做妻子的，当顺服自己的丈夫，做丈夫的要爱妻子，如同爱自己的身子，爱妻子便是爱自己。

这是最为喜悦的奥妙。

65 : 4

简一三听着，手指在我发上的滑动停下来，俯身在我额头亲吻一下，说，看着你好起来，我真高兴。不过以后，再爱人，要懂得留一点什么给自己。

不过，他话锋一转，也可以考虑爱我，我还真有闪过娶了你的念头。

我笑，娶一个傻姑娘回去做什么呢。

一个男人若有幸娶到一个纯真的女人为妻，是他的荣幸。我很怕那些充满世故与心机的女人，即使婚姻看上去被她经营得挑不出漏洞，但其实那并不是真的幸福。设计出来的美，与从心而出的美永远不能相比。

那么好呀，我们在这里开一个店，咖啡馆，书店，酒吧，什么都可以。甚至可以是一个阳光房，云南的阳光这么好，四周摆上一些盆栽的鲜花，经过的人随意进来歇歇脚。假如进来不消费的人，就有一个条件交换，必须给我讲一个特别的故事，我按照主题收集起来，出成书籍。

他说，这主意好。也或者，我在古城的街头开一个手鼓培训班，没有规定的收费，像给乞丐一样给就可以了，随意多少。人活着本来也不需要多少钱，够我们吃住就好。

嗯，几年之后，我们再生几个孩子。我们与我们的后代成群结队地住在这里，让他们去接受一些基本而正当的教育，然后再重返这里，继续经营我们的店。一代一代传下去。

他笑起来，真好，像梦一样。

那晚月光皎洁，两个旅途中相遇的人像个梦一样迷幻。我侧过头，把嘴唇送到简一三的唇部，轻轻吻一下。真是柔软，这是一个口出良言的人的成果。

简一三，谢谢你陪我三个月。我们都知道，谁也不能为对方留下来，执的结果只能换来伤害。我对他说的同时，听到了自己心中的高兴。

我终于学会了保全自己。

65 : 5

电影《红磨坊》中曾有一句台词——没有法律。没有限制。只有一条规则：永远也别坠入爱河。

在没有拥有真正的爱的能力之前，在没有更大的爱的胸怀之前，保全自己最好的方法，就是不爱。

一个吻，就结束了一切。最好的情感莫过如此，就像是还没来得及生长就被掐断的爱情，凝固了最深处的芳香。

简一三十分会意，没有继续发问。在我额头上轻轻回吻一下。晚安。

大段的留白，没有疑问。

人不发问有两种可能，一种是对问题不感兴趣，一种是害怕答案。留白是最好的效果，是神秘的空间，这里面完全没有老去的事物，一切都在萌芽，跳舞，歌唱。

我们的路都没有白走。

简一三继续去追寻他的修行之路，用他前半生的因，去求他后半生的果。用行在路上的方式感知和求索，追求他生命的终极价值。

而我，即使梦寐以求的是真爱和自由，却还没有泯灭欲望之火，还要继续回到红尘之路继续修炼。红尘扰人，却是让人真正学习的地方。

曾经我枉费生命，不是在追忆过去，就是在期许未来，没有一秒钟活在当下。因为没有一个舞台，能让我能扮演自己的戏。好在思想本身就是自己的舞台，也定义着自己的存在。

我也只是想安安静静地存在，记录与感受有生之年所能有幸感受的一切。

我对余下广阔的人生充满向往。

我完全愿意学会爱自己。

我的世界里一切都好。

65：6

次日，阳光普照。

我看着简一三在日光下背起行囊，走向十字街口的桥头。桥下的河水一缕一缕的金黄。大自然的美，是给予游子的最昂贵的补偿。

他冲我挥手道别，彼此赋予他人无法解读的微笑。那笑中的所有内容与秘密，只属于我们两个人。

离别就是这样朴素。单是为了今天的好风光，我也要把这两两相忘，也要把这人间当成天上。

正午时分，空间内虽有绰绰有余的光亮可以看清自己的情绪，但是一片笑容过后，是各人回到自己内心世界的时候。虽然时间深不可测，也许无限广阔，也许少之又少，但只要一天还有空气，我们就会再次聚首。

那源自两颗在时间中交换过信任的心灵才有的默契与确认。就如同我们的生命是天赋的，唯有献出生命，才能得到生命一样。如同唯有献出爱，才有可能得到爱一样。

这不是一个急于索要答案的事件，只需相信这是一个真理。

65：7

我们没有做过爱，但做的事比爱多。

它是愿意在某段时间里，与一个人互相交换历史，记忆与时间的信任。

交换各自生命中重要而隐匿的部分，却对各自无所求。

六十六

66：1

有人说，大理是药，专治都市人的病。

常有人回去之后，又一头跌回来。我反复常往，也鉴于此。与那个文艺病与理想病泛滥的城市相比，常常以为沉重不堪承受的行囊，到了这里打开，才颓然发现，里面不过是空空气体。什么都不是。

在这里总会发生点什么。艳遇，美妙的梦境。即使不发生点什么，也总会卸下点什么。居住土著家，围着火炉，听老人讲旧时光，青年人讲新生事，生命就这样悄悄醇化了。

爱情不再是那么重要的事。在没有遇到对的人之前，还可以与日月，山水，与飞鸟对话。

所以面容新奇的，大都是些初来乍到的外乡与外籍人，走走停停，探寻不止。常此以往的早就受了当地的感染，心绪宁静，步履从容协调。穿最舒适的衣服，有三两个熟来熟往的餐馆与酒吧。只是在世间一个角落，深入，或是存在的问题。

不需要再给谁看什么了。

66：2

我在大理的街头久久地安坐。阳光极好，照得人皮肤发亮。

白族老妈妈依旧身着蓝色布衫，镶嵌着华丽的彩色刺绣，背着背篓，三三两两扎在墙角。一言不发，眼神安详。仿佛早已知晓生命终不过是一场空。

在这里，还听到一个关于她们的小故事。

老人坐在墙角晒太阳，途径此处的匆匆旅人过来聊天，感叹道，你们的生活可真慢啊。老人则慢悠悠回他一句，你们每天那么快，到头来我们还不是到一个地方。

充满禅意。令旅人恍然，就此在云南扎下根来。

生命中没有一件事不需要付上代价。没有代价的事是偶遇的风景，忽然的彩虹，稀见的流星，头顶幻化的美丽云层，终究是时光的风一吹就散。不可妄求。

人生道破，最终不过是虚无。青灰一把过后，只有意义留在时间之外。

66 : 3

这个朴素纯净的地方，它一次次像个盛装的情人，等待我一次次的到来，又一次次离开。这是注定没有归路的追寻。

我唯愿在生命的途中，依然满怀美好，像个少女那样，走向森林深处，做着各种记号，风尘仆仆。即使饱经世故，却也能维持单纯。

不要过去化，也不要未来化。

这是一个严重的误区。人们通常在来自于昨天时，就会把今天发生的事镀上一层意义，而这意义并非当下正发生的事所原本具有的。

当你是来自于明天时，就会把今天发生的事镀上一个想象的未来，而且通常是恐惧的想象。而这些未来的实相可能永远不会发生。

唯有跳脱过去并远离未来，才能在现在这个背景之内，真实体验此时此地发生的事物，完全可以选择任何你想要成为的样子。快乐或者忧伤，强大或者疲软。

这是生命中最大的解放。

66 : 4

炽热的阳光晒得我头脑发烫。摘下脖子里的围巾，把头包裹起来，像个阿拉伯妇女那样。安静地坐在一级石阶上，久久不愿离开。眼前过客如浮云掠过，我在心中为他们虔诚祝福。

一个胸口挂着相机的男人从面前经过，定住。冲我对焦，咔嚓，拍摄。我冲他微笑，无言。起身，各自朝向自己将要去往的方向走去。

每一人，每一处，每一刻，将来也许会绕过我的回忆，也许不会，但都不可否认地成为了我生命电影中的组成镜头。

我在熙攘人群中回首，满身过往，已经不必再用尽力气去证明什么了。

一旦确定要去向何方，就要忘记长路尽头的结果，全神贯注于婴儿般的蹒跚学步。如果你想唱歌，就每天多唱一点。如果你想变成富人，就每天多去赚一点钱。不要专注于希望本身。

人生的秘诀也不是别的，而是跟孤独签订体面的协议。

心绪宁静之后，我从未发现过像孤独这样可以为伴的同伴。

自然界中的哪个造物不是孤独的呢。

湖是孤独的，它有什么同伴呢，除了蔚蓝的天使在那水色中。太阳是孤独的，除非是有云的日子。神是孤独的，只有魔鬼才是一群。蒲公英。一片叶子。北极星。南风或者四月的雨。一月的融雪。都是孤独的。或者是新房子里的第一个蜘蛛。

正午的阳光千丝万缕，闪着金光覆盖下来。我迎着它直望过去，直刺到眼中开出彩色的光圈。我曾对即墨说，一个内心获得了平静的人，不用照镜子，也可以看到自己的眼神与表情。

回想当初的自己，薄如纸片地躺在那里，多么不易。

66 : 5

人活着多么不易。从一个梦过渡到另一个梦，从一种生活过渡到另一种生活。

那天，我仰望天空看了很久，直到泛出泪花，感受到熟悉的爱的泪水滑落面庞。

我想起了生命中的美丽和幸福。

六十七

67 : 1

曾经，我试图寻找故乡，可世界逼着我继续流浪。经过流离失所，我获得了流浪的能力与勇气，故乡却在召唤着我的回归。

故乡，不是北京，不是任何一座城市一处居所，而是内心的安宁所在。

67 : 2

人最大的悲哀，来源于心灾。

我一手酿造的心之灾难，曾让我在悲伤之中惊惶，在颠倒了的白夜与黑昼间不知所以地存在。悲愤，呆滞，混沌，清醒。而后终于认清这世界，不是一个幻梦。通过重复的毁伤和痛苦，我认识了我自己。

且深深觉悟，所有的痛苦难当都不是永恒，它之所以珍贵，因为它不过是长长生命中微小不堪的一小部分。

我甚至喜欢上了这个严酷，它多么珍贵，永不欺骗。

传道者说，神对我们信心最大的试炼乃是被人世遗弃。许多时候神把我们喜乐的甲胄剥去，让我们遭遇一些恐惧战兢的经历，是要看我们的信心在试炼中是否受到伤损。

今生是永世炼修的苦难，为换得真理的价值，用尝试死亡来偿还一切的债负。

我感谢它们制造了今天的我。使我愿意对自己祈愿，把所有的悲沉，蒙昧，大痛，无明，都化约到一种朴素的乐观上。

内心孤独之人，容易变成自己人生的旁观者，只有当我们了解了它并且超越它之后，我们才能成为参与者。

我很高兴自己成了一个参与者。

作为一个人，张开双臂，扩张自己，赞同自己，爱自己，是多么重要。

那些打着生无可恋的旗号的人，大部分根本没有死的勇气，分明是在跟世界撒娇，以人性的名义与软弱的自己胡闹。

67：3

迎着暮光，树木招展，我与晨光和小艾告别。

临走时，我跟小艾说，假如再遇到患有抑郁症的人，如果他们愿意，希望可以打电话给我，我十分愿意分享自己的经验。

这充满神秘的小药丸，曾经使我虚弱，兴奋，震颤，它使我体验了科学的神奇与人的不可解。如今，我终于可以不再依赖它，因为有更神秘的东西等着我探索。

那是人生。它从不讨价还价，虚幻又真实。你如何爱它，它就如何铺展开胸怀迎接你。一个总在抱怨世界的人，到头来就会发现抱怨的都是自己。

所以不要被你舒适的，方便的生活所欺骗，因为死亡会来摧毁这一切。

唯一的准备就是平衡好自己。人都在自己创造出自己的状态。只有当你的心不被偏见束缚时，它才能发现真相。

一个人找到了自己的中心，上帝的光芒就会穿过她，穿过她的无知的伪装，坏脾气的伪装，不利环境的伪装，不愿再编织一种像百结衣一样污迹斑斑的生活，愿意跟一种神圣的统一生活在一起。

她会同她生活中低贱，轻浮的东西决裂，然后随遇而安。平静地面对明天，这样，在心底就已经有了整个未来。

67：4

飞机穿过辽阔云层，层层叠叠地翻滚，好比朵朵浪花。

我想到佛经里的一个故事。

大海里，小浪遇到了大浪，小浪说，我羡慕你的伟岸和汹涌，为什么你有的我却没有。大浪说，为什么在乎这些，几秒钟过后，我们都是一滩水。

人亦如是。生活这汪湖水，内底的汹涌从未曾停止过，但我知道，水面会越来越平静。

我听见自己对自己说，改变对我来说越来越容易了，我愿意一头扎进这火热的人世，张开双臂迎接着每一个崭新时刻的到来。打开路途的关锁，穿过重叠无尽的相会与别离，去朝拜更远的海岸。

67：5

世界上只有一种真正的英雄主义，那就是在认识了生活的真相之后，依然热爱生活。

67：6

现在，我愿意选择完全地，自由地参与生活。

选择充满灵感的态度阔步向前，去发现一切事物中的美丽。不求在任何人的里面寻求遮蔽，在这苦海的岸边。

永远不再和恋爱胡闹。也永不和我的心戏弄。

我爱我自己。因此，我宽恕并解放过去，以及过去所有的经历。我自由了。我知道我的将来会充满阳光，喜悦和安全。因为我是宇宙中一个可爱的孩子，这世界乐意照顾我。

现在和永远都是这样。

今天是美好的一天。这是我的选择。

我爱我自己。

我的世界里一切都好。

67：7

关于这个世界，究竟什么是对什么是错，不是我该关注也不是我等所能理解的事。余下的道路铺展在前方，深不可测，使得我所有虔诚的思考都显得微不足道。我只愿意完全地生活在现在，感受着高空的飞行，在气流中微微地颠簸。

孤独和痛苦仍在继续，我们应丝毫面不改色，一如既往地流淌，一如既往地向上生长。

只有这个方向才存在着真正的救赎。

不要再执。因为人的气息一断，都将归回尘土。

这个城市早晚会醒悟过来，以善良和单纯为荣。

我会知道我需要知道的一切。

67：8

生命是一个奇迹，即便它脆弱无常，即使它缺乏解释，它依然是个奇迹。

每个人的存在，对于每个个体而言，都是一个永久的神奇。

这就是生活。

GOODBYE MY LIFE IT USEDTO BE

纠结。爱与感谢。

关于纠结。

有时我想，对于一名作家来讲，该对自己诚实还是狡黠。

这本书，我写得无比快意，同时也无比痛苦。因为一开笔，我就过于诚实地住进了小说里，附身女主角之上，成为了其中一分子。我是她，她是我。同时她又不是我，因为更多时候的我一抽身，就必须回到现实，就看到了指向凌晨四点的时钟，我想我该睡觉了。可惜，我却失眠了。

于是，也不知是因为纠结而失眠，还是因为失眠而纠结，总之，它们一寸一寸渐渐布满了我。

诚实使得我没日没夜地写。与友聚众写，闭门不出写。逃去海边写，躲进山里写。与此同时，姜昕在写她的《长发飞扬的日子》，我们立下誓言说，假如在2010年到来之前我们还没有完成，就抽对方大嘴巴。结果是，我俩都没完成。于是，我俩都对自己仁慈了，谁也没抽谁。

我没能及时完成的原因，是一件非常遗憾的事件临到了我。初稿完成之时，我似乎果真附身了书中的女主角，患上了抑郁症。苦不堪言。写作一度被搁置。

写作的人患忧郁症，我不是第一个也将不是最后一个，也并不觉得这事说出来多么难堪。在自己的有生之年，能有机会进行生命中全然的崭新体验，应该为此满怀喜悦地学习与消受。

现在的我，非常好，因为我跨越了那个关卡，这将价值连城。（注：如有患忧郁症的读者愿意来信，我十分愿意分享自己崎岖与冒险的个人经验。）

所以，朴树的书荐用到一个词，精神崩溃。不为过。中间我曾发短信给他，试图与之探寻与自己和解的方法。他的回话，于当时的我算有安慰。他说，我也不会，也在承受、学习中。他还说，人就这样吧，多放弃些也许好，收摄心神张弛有度吧。

果然，大家都是一样的。在进行完整的生命体验这场战争中，人人都在成为子弹，穿过或者被穿过。明知梦想与现实之间有着注定的距离，却还要寻求灵魂与肉身的化合统一。

书稿最终修改完毕后，我呆坐原地，长吁胸气，突然就讥笑自己，为何要写这么一本紧逼人心的书？自讨苦吃。后来有朋友读了说，真是好看，有些字句就像箴言，忍不住就读出声来。也有人说，曲高和寡，谁还有耐心读这些？

这时，别人再说什么都不重要了。因为，在开头的那道选择题上，我最终选择了对自己诚实。

关于爱。

我爱写作。一写，人生就过去了十年。

想，假如没有用来写作，那么这十年会做什么？不懂做生意也不会唱歌。想来想去，大概还是要写字。

写作，是表达爱最有空间感的一种方式。

世间造物，及任何层面，无所不能不用文字来表达的。非常之奇妙。写作者深感奇妙，阅读者更是如此。文字的背后长着眼睛，可以看到甜蜜，看到苦痛，爱情，信仰和自由。甚至光。一切的一切。

文字中藏着一个个生动的小人儿，出演一幕幕戏剧。有朋友读过书稿后问我，三个男人中，你最爱谁？我回答道：都爱。

即墨是王，浪子，艺术家，易让女人着迷的男人类型。每个女人在不同的阶段，大概都不同程度地迷恋过这类男人。或者上过他们的当。没上过爱情的当的女人，日后的成长也不够坚实茁壮。

庄小京则是城市中最为多见的。沉默，奋进。勇于付出。够多，却不够有趣。对于精神需求丰盈的女人来说，略显寡淡。

相对来说，简一三更讨喜些。他简单，乐观，朴素。懂得享用生命，不是被生命享用掉的愚人。遗憾的是因他太过自由，与之一起，明显缺乏安定感。

世间就是如此，从不存在完美的造物，存在的，都有着不同的疾患。要看透这一点，才可能打破执着的禁锢。

唯我那高高在上的女主角稍显悲惨。她似乎在每个人生阶段都有着不可弥补的缺憾。疑难最多，失去最多，磨难也最多。然而最终，收获自然也最多。因苦难是改造人的最好方式，不经过它，谁也别想从一个人过渡到另一个人。

所以，我爱书中的每一个人物。我并不想为他们做任何选择。或者说，充满挑剔和疑难之色的命运无法从中选择，只好给他们自由。自由意味着一切，比任何选择都来得好。

末了，当我从文字的眼睛中，看到一身疾患的女主角，轻盈且有力地行在有光的路上，不必回首过往，去花力气证明什么的时候，我想，这是最好的结局。

它意味着另一个开始。

关于感谢。

感谢阳继波先生对稿子一见钟情。

感谢设计师李晓东先生对本书倾注的心血与耐心。

感谢郑钧为本书取了一个属于它的名字。

感谢为我写书荐的你们。汪峰。郑钧。朴树。张楚。姜昕。黄燎原。李洱。林白。谢谢你们喜欢它。

感谢何汶玦。小涓。沫沫和心茧。你们让我理解了朋友的真正含义。

感谢读者在时间久远后，还能持续温暖我。

感谢妈妈。她是天下最无以回报的爱。

感谢上帝。在困苦中，你曾使我宽广。

感谢艰难之日。通过它们，我终于学会了爱自己。

最后，我想说，这本书所表达的，貌似是一个爱情故事，其实是充满禅意的人生。

作为一个人，从一种生活过渡到另一种生活，从一个人过渡到另一个人，是多么地不易。每个人在这严酷的世界活下来并坚持向上，是多么地不易。因为我们曾经，或者即将，经历着这样那样的不幸。

好在世界没有严酷到底。它宽阔地铺展开，接纳着我们，乐意照顾我们，让我们充满选择和体验，无论纠结，爱，还是感谢。所以最终，生命还是给了我们很大余地。我们没有理由不为此感恩。

最后的最后，我想说，亲爱的人们，你们还是要选择一些人，一些事，来让自己感到幸福。

免得一切都太迟。

王晴　　2010/11/10　于北京